La Vingtième Épouse

Titre original :
The Twentieth Wife

7-13, boulevard Paul-Émile-Victor 92521 – Neuilly-sur-Seine Cedex.

Indu Sundaresan

LA VINGTIÈME ÉPOUSE

Traduit de l'anglais (États-Unis)
par Isabelle St. Martin

Pour mes parents,
le colonel R. Sundaresan et Madhuran Sundaresan,
qui ont fait de moi ce que je suis.

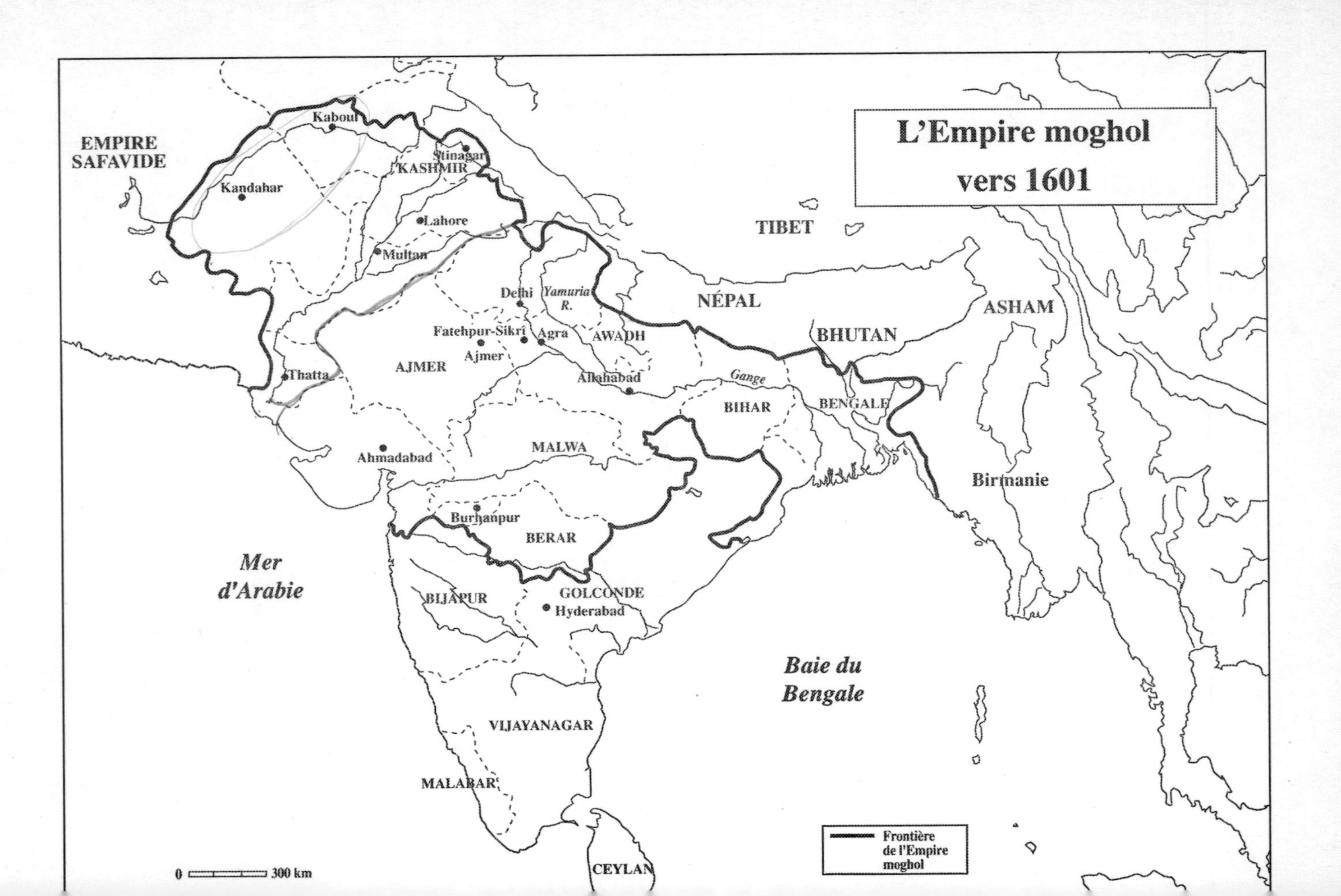
L'Empire moghol
vers 1601
EMPIRE
SAFAVIDE
Kaboul
Kandahar
Srinagar
KASHMIR
Lahore
Multan
TIBET
Delhi
Yamuria
R.
NÉPAL
ASHAM
Fatehpur-Sikri
Agra
AWADH
BHUTAN
Ajmer
AJMER
Thatta
Allahabad
Gange
BIHAR
BENGALE
MALWA
Ahmadabad
Birmanie
Burhanpur
BERAR
Mer
d'Arabie
GOLCONDE
BIJAPUR
Hyderabad
Baie du
Bengale
VIJAYANAGAR
MALABAR
CEYLAN
0
300 km
Frontière
de l'Empire
moghol

PROLOGUE

❁

Un vent tonitruant malmenait le rabat de la tente et l'air glacé s'y infiltrait, qui avala les minces flammes bleues du feu. Allongée dans un coin sur un étroit matelas de coton, la femme frissonna et referma les bras sur son ventre rond en gémissant.

– Ayah…

Dans un craquement de jointures usées, la matrone se releva lentement de sa position accroupie et se dirigea en clopinant vers l'entrée pour en fixer le rabat puis revint vers la parturiente, retroussa la couverture, jeta un coup d'œil entre ses jambes et introduisit en elle deux doigts calleux.

L'épaisse physionomie de l'ayah s'illumina de satisfaction.

– Il ne va plus tarder, maintenant.

Là-dessus, elle s'approcha du brasero, à l'autre bout de la tente, et en attisa les braises d'excréments de chameau. Le visage grimaçant, le front trempé de sueur, la jeune femme se mordit les lèvres pour réprimer un cri tandis qu'une nouvelle contraction lui tordait le ventre : elle ne voulait pas alerter tout le voisinage, or elle ignorait que les hurlements du vent étoufferaient les siens.

L'obscurité s'était vite abattue sur le campement. Les hommes se massaient autour d'un feu hoquetant sous les assauts de la bourrasque qui leur fouettait le visage, martyrisait leurs oreilles, charriait du sable dans leurs yeux et sous leurs vêtements.

Quelques tentes poussiéreuses et râpées formaient un cercle à la sortie de l'oasis de Kandahar. Chameaux, chevaux et moutons se rassemblaient autour du camp, tâchant de se réchauffer mutuellement et de se protéger de la tempête.

Ghias Beg s'éloigna du feu et, se frayant un chemin parmi les animaux, gagna d'un pas lourd la tente où gisait sa femme. À peine visibles dans les tourbillons de sable, trois enfants se blottissaient contre la toile noire en fermant les yeux. Ghias Beg toucha l'épaule de l'aîné :

– Muhammad, cria-t-il pour dominer les rafales sifflantes, comment va ta mère ?

L'enfant leva un visage baigné de larmes.

– Je ne sais pas, bapa, murmura-t-il d'une toute petite voix.

Ghias dut se pencher pour l'entendre et Muhammad en profita pour s'agripper à sa main :

– Oh, bapa, qu'allons-nous devenir ?

Ghias s'agenouilla et prit son fils dans les bras, lui baisa doucement le front, sentant le sable accumulé dans les cheveux de l'enfant crisser sur sa barbe.

Par-dessus l'épaule du garçon, Ghias s'adressa à sa sœur :

– Saliha, va voir ce qu'il advient de ta maji.

Sans mot dire, la fillette se leva et se glissa sous la tente.

À son entrée, la femme lui tendit la main pour la faire approcher.

– Bapa veut savoir si tu vas bien, maji.

Asmat s'efforça de sourire :

– Oui, ma fille. Va dire à bapa qu'il n'y en a plus pour longtemps, qu'il ne s'inquiète pas. Et toi non plus.

Saliha hocha la tête et se retourna. Néanmoins, avant de partir, elle se pencha sur sa mère pour l'étreindre et cacher son visage sur son épaule.

Dans son coin, la sage-femme renifla et se dressa lentement :

– Non, non ! On ne touche pas sa mère avant la naissance de l'enfant. Par ta faute, ce sera une fille, puisque tu en es une. Emporte ton mauvais œil avec toi !

Elle s'apprêtait à la chasser quand Asmat intervint d'une voix faible :

– Laisse-la, ayah.

La fillette revint vers son père et lui annonça :

– Bientôt, bapa.

Il hocha la tête et s'en retourna. Déployant son turban pour s'en masquer le visage, il croisa les bras et sortit du camp, la tête baissée pour offrir moins de prise au vent. À l'abri d'un haut rocher, il s'assit lourdement et se cacha la tête dans les mains. Comment avait-il pu conduire les siens à une telle déchéance ?

Le père de Ghias, Muhammad Sharif, vizir du chah Tahmasp Safavi de Perse, était mort l'année précédente. De son vivant, sa famille avait connu la prospérité, d'abord au Khurasan puis à Yazd et enfin à Ispahan où le vizir s'était éteint. En temps normal, Ghias aurait dû poursuivre sa vie de noble oisif, sans se soucier de ses dettes contractées à l'endroit des tailleurs ou des marchands de vin, la main ouverte aux pauvres. Mais il n'en fut rien.

Le chah Tahmasp mourut à son tour, laissant le trône de Perse au chah Ismail II, et ce nouveau régime ne se révéla pas favorable au fils de Muhammad Sharif. Très vite, des créanciers sans vergogne vinrent se bousculer dans la maison de son père, lorgnant avec avidité meubles et tapis. À la surprise de Ghias autant que de son épouse Asmat, les factures s'accumulèrent. Jusque-là, les *wakils*, les clercs employés par son père, s'en étaient toujours chargés, mais les wakils étaient partis. Et l'argent aussi : l'héritage de Ghias avait été confisqué par l'État.

Un ancien courtisan du chah, ami de la famille de longue date, avait averti Ghias de ce qui l'attendait : la mort ou la prison pour dettes. Il ne pouvait plus vivre honorablement en Perse.

Ses poings se crispèrent lorsque lui revinrent les souvenirs de leur fuite éperdue au milieu de la nuit. Il avait fallu envelopper en hâte les bijoux d'Asmat, sa vaisselle d'or et d'argent ainsi que toutes les valeurs qu'ils pouvaient emporter avant l'arrivée des soldats.

Pris au dépourvu, Ghias ne sut où chercher refuge. Ils avaient commencé par se joindre à une caravane de marchands en route pour le Sud, jusqu'à ce qu'un de leurs compagnons de voyage leur conseillât de partir pour l'Inde. Au fond, pourquoi pas ? avait songé Ghias. L'Inde était dirigée par l'empereur moghol Akbar, réputé pour son équité, sa bonté, son ouverture aux arts et à l'érudition. Peut-être Ghias pourrait-il trouver sa place dans cette cour et prendre un nouveau départ dans sa vie.

Il releva la tête. Le vent avait faibli, laissant percer les vagissements d'un bébé. Aussitôt, il se tourna vers La Mecque et se prosterna. Qu'Allah garde la mère et l'enfant en bonne santé ! Sa prière achevée, il se redressa, songeur. Ce pauvre petit être arrivait au pire moment.

Ghias contemplait les tentes à peine visibles dans la tempête de sable. Qui eût jamais cru que la bru du vizir d'Ispahan donnerait le jour à son quatrième enfant dans un campement de fortune ? Ou que son fils fuirait son pays comme un proscrit ? Non seulement il avait jeté l'opprobre sur toute la famille, mais leur voyage avait pris un tour désastreux.

Au sud de Kandahar, la caravane avait traversé le désert du Dasht-e Lut, interminable enfilade de falaises roses à l'aridité mortelle. Un havre pour les bandes armées de pilleurs.

Transi de froid, Ghias rajusta l'épais châle de laine qui lui couvrait les épaules. Les détrousseurs avaient fondu sur eux dans un nuage de poussière et de violence : bijoux, vaisselle, argent, tout avait disparu et Asmat n'avait échappé au viol que parce que sa grossesse était avancée. À la suite de ce coup de force, la caravane s'était disloquée, la plupart de ses membres ayant fui pour chercher refuge au plus vite. Ghias n'avait retrouvé que deux vieilles mules que ses compagnons et lui avaient montées à tour de rôle jusqu'à Kandahar, quémandant l'hospitalité aux nombreux caravansérails qu'ils avaient croisés sur leur chemin.

Ensuite, épuisés, sales et dépenaillés, ils avaient erré dans la grande ville où un groupe d'Afghans leur avait offert un abri et le peu de nourriture qu'ils pouvaient partager. Mais Ghias ne possédait plus assez d'argent pour poursuivre sa route jusqu'à l'Inde. Et voilà qu'un nouvel enfant lui était né.

Il se leva et se dirigea lentement vers la tente.

Asmat leva les yeux de sa couche et son époux remarqua, non sans un pincement au cœur, les cernes noirs qui altéraient son sourire. Elle avait le visage amaigri, les pommettes saillantes. Il caressa les cheveux humides qui s'étaient collés sur son front. Elle tenait, au creux de ses bras, un petit enfant parfaitement formé.

– Notre fille, annonça-t-elle en lui présentant le bébé.

– Lui as-tu trouvé un nom ? demanda Ghias.

– Oui... répondit Asmat avec une légère hésitation. Mehrunnisa.

– Meh-run-nisa, répéta lentement Ghias. Soleil des femmes. Ce sera parfait pour cette jolie enfant.

Il toucha le petit poing serré contre sa bouche puis la rendit à Asmat. Celle-ci ne pourrait certainement pas la nourrir, car elle n'aurait pas beaucoup de lait après ces mois de privations. Mais où trouveraient-ils l'argent pour payer une nourrice ?

Il sentit qu'on lui touchait les reins et se retourna sur l'ayah qui lui tendait la main. Il secoua la tête d'un air navré.

– Je regrette, je n'ai rien.

La matrone poussa un juron puis expectora un crachat de tabac brun.

– Rien, pesta-t-elle en sortant. Même une fille vaut *quelque chose.*

Ghias se réfugia dans un coin de la tente en se frottant le front d'un geste las et regarda leurs enfants, Muhammad Sharif, Abul Hasan et Saliha, se presser autour de leur mère et de leur nouvelle petite sœur.

Ils ne pourraient pas la garder.

Pendant la nuit, le vent tomba aussi vite qu'il s'était levé, laissant derrière lui un ciel piqueté d'étoiles scintillantes. Ghias se leva avant l'aube et s'assit pour boire son thé, trop dilué mais assez chaud pour revigorer ses mains glacées. Vers l'orient, l'horizon se parait de rouges, d'ocres et d'ambres, cadeaux de la nature après les tourments de la tempête.

Il sortit de son châle quatre *mohurs*, ses dernières pièces de monnaie. Le soleil levant vint caresser de ses rayons l'argent qu'Asmat avait pu soustraire aux voleurs en les cachant dans son *choli*, son étroit corsage. Ghias comptait l'employer pour payer son passage en Inde. Mais ensuite, de quoi vivraient-ils ?

Au loin s'élevaient les minarets et les dômes turquoise. Peut-être Ghias trouverait-il un emploi à Kandahar. À vingt-trois ans, il n'avait pas travaillé un jour de sa vie, mais Asmat avait besoin de lait et de viande de brebis pour recouvrer ses forces, et les enfants de vêtements. Quant au bébé… Ghias ne voulait même pas y songer, encore moins se rappeler son nom. À quoi bon puisque, bientôt, elle vivrait sous un autre toit ?

L'après-midi, Ghias s'arrêta, les épaules basses, dans la rue étroite du bazar local, les longs plis de son *gaba* traînant sur les pavés. Il s'était proposé comme précepteur auprès des familles nobles de la ville, mais, devant ses vêtements déchirés et son visage crasseux, on lui avait fermé la porte au nez. Alors il avait cherché des emplois de journalier, mais son élocution et ses manières trahissaient ses origines nobles et les employeurs potentiels lui jetaient des regards soupçonneux.

Humant l'odeur délicieuse de *nan* frais, le pain local, il se rappela qu'il n'avait rien avalé depuis sa tasse de thé. Il regarda le boulanger pétrir sa pâte, la soulever à l'aide d'une spatule de bois puis l'introduire d'un mouvement sûr entre les parois brûlantes du four. Peu après, à l'aide de pinces de fer, il sortirait de nouveaux pains odorants et les entasserait avec les autres à l'avant de sa boutique.

Ghias sentit la tête lui tourner tant la faim le tenaillait. Il extirpa un mohur d'or et le contempla une dernière fois avant de l'échanger contre dix morceaux croustillants de nan qu'il accompagna de quelques brochettes de mouton grillé, suintantes de sauce à l'ail, acquises à l'échoppe voisine.

Il fourra ses provisions sous son long manteau de laine, et le pain chaud lui brûla presque la poitrine ; les odeurs lui mirent l'eau à la bouche tandis qu'il se faufilait à travers le bazar. Asmat et les enfants auraient de quoi manger pendant quelques jours. Le temps était assez froid pour conserver la viande ; peut-être, d'ici là, la chance aurait-elle tourné…

– Hé, paysan ! Regarde où tu marches.

Une secousse déséquilibra Ghias qui laissa choir son précieux fardeau. Il se pencha vivement, les bras écartés, pour empêcher la foule de piétiner son pain et sa viande.

– Je te demande pardon, *sahib*, lança-t-il.

Il était tellement pressé de ramasser ses affaires qu'il ne se rendit pas compte que le marchand s'était arrêté pour le dévisager. Enfin, il se retourna et croisa son regard au milieu d'un visage tanné par le soleil.

– Je suis navré, reprit Ghias. J'espère que je ne t'ai pas blessé.

– Nullement, répondit l'homme en le dévisageant. Qui es-tu ?

– Ghias Beg, fils de Muhammad Sharif, vizir d'Ispahan.

En constatant la surprise de son interlocuteur, il montra d'un geste impuissant sa *qaba* déchirée et son falzar poussiéreux.

– Autrefois, ils resplendissaient, mais aujourd'hui…

– Que t'est-il arrivé, sahib ? demanda respectueusement le marchand.

Ghias observait les mains vigoureuses, le poignard rangé dans sa ceinture, les bottes de cuir épais.

– Nous faisions chemin vers Kandahar quand nous avons été dépouillés de tous nos biens, expliqua-t-il d'une voix lasse.

– Te voilà bien loin de chez toi.

– En effet. Un revers de fortune m'a obligé à fuir. Pourrais-je savoir à qui j'ai le plaisir de m'adresser ?

– Malik Massoud, dit le marchand. Raconte-moi ton histoire, sahib. J'ai le temps. Puis-je t'offrir du thé ?

Ghias jeta un coup d'œil vers l'échoppe qu'il lui désignait, au milieu de laquelle un chaudron laissait échapper des vapeurs d'épices et de lait.

– Merci, *mirza* Massoud, mais je ne puis accepter ton hospitalité. Ma famille m'attend.

Mais l'autre lui passait déjà un bras autour des épaules et le poussait vers l'échoppe.

– Fais-moi ce plaisir, sahib. Je voudrais entendre ton histoire.

Encore hésitant, Ghias se laissa entraîner vers la boutique où il prit place, son précieux chargement sur les genoux. Alors, il raconta son histoire, jusqu'à la naissance de Mehrunnisa.

– Allah t'a béni, sahib, commenta Massoud en reposant sa tasse.

– Oui, répondit Ghias.

Oui, même si la vie était difficile en ce moment, il conservait le bonheur de la présence d'Asmat et des enfants. Même le bébé…

Ghias se leva :

– Il faut que je parte maintenant. Mes fils ont faim. Merci pour le thé.

Comme il se levait, Massoud intervint :

– Je pars moi-même pour l'Inde. Voudrais-tu te joindre à ma caravane, mirza Beg ? Je ne puis t'offrir grand-chose, juste une tente et un chameau pour transporter tes biens. Mais je puis t'assurer que tu voyageras en sécurité.

Ghias se rassit brusquement, incapable de dissimuler sa stupéfaction.

– Pourquoi ?

Massoud balaya la question d'un geste bienveillant :

– Je m'en vais présenter mes hommages à l'empereur Akbar à Fatehpur Sikri. Si tu me suis jusque-là, je pourrai peut-être te présenter à la cour.

Ghias demeura abasourdi. Après tant d'épreuves, alors que les difficultés semblaient s'accumuler, voici qu'Allah lui faisait ce cadeau. Il ne pouvait cependant accepter une proposition aussi généreuse, car il n'avait rien à offrir en retour. Ses origines nobles lui interdisaient d'être redevable d'un acte de bonté quelconque. Pourquoi Massoud se montrait-il si obligeant ?

– Je… bégaya-t-il, je ne sais que dire. Mais je ne puis…

Le marchand se pencha sur la table raboteuse de l'échoppe.

– Accepte, sahib. Qui sait si, à l'avenir, je n'aurai pas besoin de toi ?

– Si cela se produit, mirza Massoud, je te le rendrai au centuple. Je te remercie de ton offre, néanmoins ne prends point mon refus pour un affront.

– C'est si peu pour moi, mirza Beg. Accepte, je t'en prie ! Tu me procureras en échange le plaisir de ta compagnie. Je me sens bien seul depuis que mes fils ont cessé de voyager avec moi.

– Dans ce cas, j'y consens.

Massoud lui indiqua l'emplacement de sa caravane, et les deux hommes se séparèrent. Au cours des heures qui suivirent, alors qu'Asmat et les enfants emballaient leurs maigres possessions, Ghias réfléchissait à sa rencontre avec Massoud. Il y avait bien longtemps, son père lui avait appris qu'il n'était pas moins glorieux d'accepter de l'aide que de l'offrir, et qu'il convenait en toutes situations d'y répondre noblement. À ce souvenir – l'un des plus précieux qui lui restât de son père –, Ghias se félicita d'avoir accepté le secours providentiel de Massoud et se promit de le dédommager dignement.

Ghias et les siens prirent congé des Kuchi et, dans un élan de générosité, Ghias donna ses trois derniers mohurs à ces nomades qui les avaient recueillis : il leur était redevable de sa première dette de gratitude ; quant à Massoud, il n'aurait assez de sa vie pour le rembourser.

Au campement de Massoud, on leur procura une tente spacieuse qui augurait des nuits agréables à l'abri des morsures du froid. On leur servit un repas chaud, en les assurant qu'il en serait ainsi jusqu'à ce qu'Asmat se relève de ses couches.

Avant l'aurore, la caravane s'ébranla lourdement et, tel un python indolent, sinua en direction de Kaboul. Au fil des semaines, Asmat reprit peu à peu des forces, ses joues rosirent, ses cheveux redevinrent brillants. Les enfants, joyeux et bien nourris, recouvrèrent l'insouciance propre à leur âge ; ils marchaient d'un pas conquérant à l'avant de la caravane, taquinaient les chameliers ou les esclaves, et seule l'intervention énergique de leur mère les convainquait de grimper sur une bête pour se reposer. Seul Ghias n'étais pas gagné par leur insouciance. Il n'avait toujours pas d'argent pour rémunérer une nourrice et, bien qu'alimentée au lait de chèvre,

Mehrunnisa s'affaiblissait de jour en jour. Il s'en voulait par moments d'avoir laissé les trois mohurs aux nomades… Non, il avait bien fait de leur octroyer ses dernières pièces. Ce fut du moins ce que répondit Ghias à son épouse lorsqu'elle lui demanda où le pécule était passé. En détournant le regard du visage hâve de sa fille.

Un mois après la naissance de Mehrunnisa, la caravane établit son campement près de Jamrud, au sud des montagnes de l'Hindu Kush. À la tombée du jour, le ciel virait à l'ocre et devant les collines neigeuses se détachaient les silhouettes bleu-gris des premiers rochers et le brun de la végétation desséchée. Le froid de l'hiver s'infiltrait insidieusement sous les habits de laine. Près du campement brillaient les lumières du dernier village qu'ils allaient voir avant des semaines. Et, plus loin, on apercevait le premier chemin menant à la passe de Khyber qui les séparait de l'Inde.

Ghias aida Asmat à rassembler des brindilles pour le feu, puis il s'assit près d'elle et la regarda couper un chou fané ainsi que quelques carottes avec un jarret d'agneau pour le *kurma*, le curry. Elle avait les mains desséchées par le froid, les jointures blanchies. Enveloppée dans ses langes, Mehrunnisa dormait sous la tente. Muhammad, Abul et Saliha jouaient avec les autres enfants aux dernières lueurs du crépuscule et piaillaient en échangeant des boules de neige.

– Ils vont attraper froid, dit Asmat.

Elle posa une grille de fer forgé sur la chula improvisée : trois pierres plates disposées en triangle autour du feu.

– Laisse-les s'amuser, conseilla doucement Ghias.

Asmat versa un peu d'huile dans le creuset qu'elle posa sur le feu avant d'y ajouter des gousses de cardamome, quelques clous de girofle et une feuille de laurier. La viande d'agneau suivit qui se mit aussitôt à grésiller.

– Qui t'a appris à cuisiner ? demanda soudain Ghias.

Elle sourit et chassa une mèche derrière ses oreilles sans cesser de surveiller sa viande.

– Je n'ai jamais appris, tu le sais bien. Toute ma vie, je n'ai mangé que des repas préparés par d'autres. J'avais l'habitude de les voir servis à l'heure prévue sans me soucier de qui les avait faits ni comment. C'est l'occupante de la tente voisine qui m'a donné la recette de ce kurma.

Elle leva sur lui un regard anxieux :

– Tu en as assez de manger toujours la même chose ? Tu veux que je lui demande de m'enseigner un autre plat ?

Il eut un léger sourire :

– Non, pas du tout... Même si c'est notre ordinaire depuis un mois.

– Vingt-deux jours, rectifia-t-elle en ajoutant les légumes dans le creuset.

Quelques pincées de sel, de poudre de piment et d'autres épices, et Asmat put recouvrir le plat et s'asseoir tranquillement pendant que le repas cuisait.

– Au moins je ne le fais plus brûler, observa-t-elle.

– Femme, je voudrais te parler.

Mais, déjà, elle se détournait de son mari pour s'emparer d'un récipient de cuivre dans lequel elle versa cinq poignées de farine qu'elle entreprit de pétrir avec de l'eau et de l'huile pour en obtenir des *chappatis*.

– Il faut que je prépare le dîner, Ghias.

– Asmat...

Il parlait doucement, mais elle refusait de le regarder dans les yeux, ne lui offrant que son dos raide et ses mouvements trop brusques.

De l'intérieur de la tente, Mehrunnisa émit un cri. Un geignement faible qui cessa vite, comme si elle était à bout de forces. Asmat reprit son travail sur la pâte avec une énergie redoublée. Ses cheveux lui tombèrent sur le visage, pour mieux le dissimuler à son mari. Une larme tomba dans la pâte, suivie d'une autre. Ghias se leva pour prendre la jeune femme dans ses bras et elle se blottit contre lui, les mains couvertes de farine. Ils restèrent un long moment sans bouger.

– Femme, dit-il soudain, nous ne pouvons nous permettre de garder Mehrunnisa.

– Ghias, je t'en prie !

Elle leva vers lui un visage anxieux :

– Je vais encore essayer de la nourrir. Ou elle prendra le lait de la chèvre, ou nous tâcherons de lui trouver une nourrice. J'ai entendu les femmes parler d'une paysanne qui venait d'avoir un bébé. Nous pourrions aller la voir.

Ghias détourna les yeux.

– Et comment la payer ? Je ne puis demander de l'argent à Massoud, il nous a déjà tant donné... Non, il vaut mieux la laisser ici, au bord de la route. Quelqu'un la trouvera et s'occupera d'elle. Nous ne pouvons plus rien pour elle.

– Tu aurais dû garder...

Un sanglot interrompit sa dernière objection. Asmat ne le savait que trop : Ghias avait raison. Comme toujours. Cet argent revenait aux Kuchi. Désormais, ils n'avaient plus de quoi nourrir l'enfant et Asmat ne cesserait de pleurer.

Ghias se leva, laissant sa femme devant le feu, et entra dans la tente. Il n'avait que trop réfléchi à tout cela. Asmat n'avait plus de lait pour nourrir l'enfant et, chaque fois qu'elle l'entendait pleurer, son cœur se brisait, car l'enfant réclamait le lait qu'elle n'avait pas. Alors ils lui faisaient boire de l'eau sucrée en y trempant un chiffon qu'elle pouvait téter à son aise, mais ce n'était pas suffisant. Elle avait perdu beaucoup de poids, au point de paraître plus menue qu'à sa naissance. La décision qu'il devait prendre le terrifiait. Mais il ne supportait plus de voir Mehrunnisa s'affaiblir de jour en jour. S'il l'exposait en place publique, quelqu'un la trouverait et la recueillerait. Ce ne serait pas la première fois que cela se produirait. Il arrivait qu'on découvrît un enfant au bord du chemin, qu'on le ramenât chez soi et qu'on l'élevât comme l'un des siens.

Ghias prit une lampe à huile ainsi que l'enfant qui s'était rendormie mais tressaillait de temps à autre, tant elle avait faim. En sortant de la tente, il dit simplement à sa femme :

– Je préfère le faire tout de suite, pendant qu'elle dort.

Laissant Asmat verser des larmes silencieuses, il s'éloigna du campement. En vue du village, il enveloppa la fillette dans son châle, cadeau de Massoud, et la déposa au spied d'un arbre puis alluma la lampe à côté d'elle. Bientôt quelqu'un l'apercevrait : il ne faisait pas encore nuit et c'était une route très fréquentée. En murmurant une prière, Ghias regarda le village accroché à flanc de montagne. Un coup de vent lui apporta des odeurs de bois brûlé. Qu'Allah fasse qu'un cœur compatissant vînt à se pencher sur cette malheureuse enfant ! Elle était si petite, si faible que son souffle gonflait à peine le châle qui l'entourait.

Ghias se détourna et repartit, bientôt suivi d'un gémissement. Bouleversé, il retourna sur ses pas pour aller caresser la joue de la pauvre petite fille.

– Dors, mon trésor, murmura-t-il en persan.

Le bébé soupira, comme apaisé, et se rendormit.

Son père la contempla encore un instant puis s'éloigna sur la pointe des pieds. Une dernière fois, il jeta un regard derrière lui. La lumière tremblotait dans la nuit qui tombait et l'arbre étendait ses lourdes branches sur sa protégée. C'était tout juste si Ghias distinguait encore le petit paquet de linges.

Au crépuscule, les montagnes se teintèrent de mauve et la neige scintilla un instant avant que le silence de la nuit n'engloutît ces restes de vie. Seuls les feux de camps étincelaient encore dans le vent du nord qui balayait les arbres aux branches dénudées. Un coup de mousquet résonna dans les montagnes et son écho se répercuta plusieurs fois avant d'aller mourir au loin. C'est alors que monta un gémissement aigu.

Les chasseurs arrêtèrent leurs montures et Malik Massoud leva la main pour les faire taire. Ils se trouvaient à proximité du campement et, un court instant, ils n'entendirent plus que les crépitements des feux. Puis le gémissement s'éleva de nouveau.

Massoud se tourna vers l'un de ses hommes :

– Va voir ce que c'est.

Le serviteur s'élança en direction des cris. Peu après, il s'en revint, portant Mehrunnisa dans les bras.

– J'ai trouvé un bébé, sahib.

Massoud examina le visage grimaçant de l'enfant et tressaillit à la vue du châle qui la protégeait.

Comment le Persan pouvait-il ainsi abandonner une si belle enfant ? Il suivit ses compagnons sans se départir de son air songeur. Dès leur rencontre, il avait décelé derrière ses vêtements déchirés et l'air hagard de Ghias l'intelligence et la culture – deux qualités que l'empereur Akbar prisait entre toutes. Et puis il y avait quelque chose d'attachant dans sa personnalité. Depuis un mois qu'ils se connaissaient, ils conversaient plusieurs heures ensemble presque tous les soirs : Ghias rappelait à Massoud son fils aîné, désormais installé à Khurasan.

Arrivé au campement, il descendit de son chameau et ordonna à un serviteur de lui amener Ghias. Quelques minutes plus tard, le Persan pénétrait sous la tente de Massoud.

– Assieds-toi, mon ami, ordonna celui-ci. J'ai eu la chance de trouver un bébé abandonné non loin d'ici. Si je ne me trompe, ta femme ne vient-elle point d'accoucher ?

– Oui, Massoud.

– Alors, pourrais-tu lui demander d'élever cette enfant pour moi ?

Massoud lui montra Mehrunnisa. Ghias écarquilla les yeux et le vieil homme lui sourit.

– Je la considère déjà comme ma fille, continua ce dernier en sortant quelques mohurs d'or d'une bourse brodée. Tiens, prends ces pièces pour te dédommager de ta peine.

– Mais…

Machinalement Ghias avait tendu les bras pour accueillir Mehrunnisa, et la petite leva sur lui ses yeux bleu saphir.

Massoud balaya l'objection d'un geste.

– J'insiste. Je ne peux imposer un nouveau fardeau à ta famille sans pourvoir à ses besoins.

Ghias baissa la tête. Encore une dette qu'il ne pourrait jamais rembourser à son bienfaiteur.

Asmat se trouvait sous la tente quand Ghias y entra avec Mehrunnisa. D'instinct, elle tendit les bras vers elle.

– Tu l'as ramenée ? s'écria-t-elle.

– Non, c'est Massoud.

– Allah veut que nous la gardions ! lança Asmat en étreignant l'enfant. Nous sommes bénis !

Le bébé s'était mis à gazouiller et sa mère sourit de bonheur.

– Mais comment… ? demanda-t-elle.

Ghias sortit silencieusement les mohurs d'or qui scintillèrent à la lumière de la lampe.

– C'est vrai qu'Allah veut que nous la gardions !

Le lendemain, Dai Dilaram, qui voyageait avec eux, accepta de nourrir ce bébé en même temps que le sien.

La caravane traversa sans encombre la passe de Khyber puis se dirigea vers Lahore, où elle fit halte brièvement avant de gagner la nouvelle capitale qu'Akbar venait d'ériger. Six mois après la naissance de Mehrunnisa, en cette année 1578, la caravane fit son entrée dans Fatehpur Sikrî dont les splendeurs, disait-on, défiaient l'esprit.

Quelques semaines plus tard, un jour d'audience publique, Massoud s'en alla présenter ses hommages à l'empereur Akbar, accompagné de Ghias. Restée dans la maison du marchand, Asmat attendait son époux à l'orée du jardin, son bébé sur les genoux. Mehrunnisa babillait malgré le visage sérieux de sa mère, comme si elle s'efforçait de lui arracher un sourire. Mais Asmat ne semblait pas remarquer son manège. Elle se demandait s'ils avaient atteint le but de leur interminable voyage, si leurs fatigues allaient enfin cesser, s'ils allaient pouvoir refaire leur vie sur cette terre inconnue. Si l'Inde allait devenir leur pays.

1

Lorsque ma mère atteignit son terme, Akbar l'envoya dans la maison de Shaikh afin que j'y naisse. Alors, ils me donnèrent le nom de Sultan Salim, mais je n'entendis jamais mon père m'appeler Muhammad Salim, ou Sultan Salim, mais toujours Chaiku baba.

Mémoires de Jahangir.

Le soleil blanc de midi baignait la ville de Lahore. En temps normal, les rues étaient désertes à cette heure, mais ce jour-là le bazar de Moti grouillait de passants qui flânaient en évitant, au centre de l'étroite venelle, une vache placide fort occupée à ruminer son repas d'herbe et de foin.

Assis devant leurs échoppes alignées le long des murs, les marchands interpellaient la foule. Du haut d'un balcon de bois sculpté, quelques femmes drapées dans leurs mousselines criaient à un homme qui tenait en laisse un petit singe :

– Fais-le danser !

Il salua, déposa son instrument de musique sur le sol puis se mit à jouer. L'animal, revêtu d'une tunique bleue, un fez à gland sur la tête, commença de sautiller en rythme. Lorsqu'il eut fini, les femmes applaudirent et jetèrent des pièces d'argent que l'homme s'empressa de ramasser avant de reprendre son chemin. Au coin de la rue, des musiciens jouaient de la flûte et du *dholak*, un tambour à tête de cuir. Les gens bavardaient gaiement, criant parfois pour se faire entendre ; les vendeurs présentaient leurs sorbets au citron vert dans des gobelets de laiton et les clientes marchandaient avec vigueur.

Dans le lointain, entre deux rangées de maisons et de boutiques, apparaissaient les murailles rouge brique de Lahore qui cachaient aux yeux du monde les palais et jardins impériaux.

La ville était en fête. Le prince Salim, fils aîné d'Akbar et héritier présumé du trône, allait se marier dans trois jours, en ce 13 février 1585. Il était le premier des trois princes du sang à prendre épouse et, malgré une chaleur inhabituelle en cette saison, malgré la poussière et la clameur, la foule se bousculait dans le bazar.

Dans la maison attribuée à Ghias Beg, le silence régnait sur le jardin intérieur, brisé de loin en loin par les accents flûtés du *shenai* des musiciens du bazar. L'air embaumait des lourds parfums de roses et de jasmins dans leurs pots d'argile. Une fontaine chantonnait dans un coin, projetant des gouttes d'eau fraîche sur les pierres brûlantes du chemin. Au centre, un grand *peepul* étalait ses branches aux feuilles triangulaires.

À l'ombre fraîche de l'arbre, cinq enfants assis en tailleur sur des nattes de jute penchaient studieusement la tête pour mieux écrire à la craie sur leurs ardoises. De temps à autre, l'un d'entre eux levait la tête pour écouter la musique dans le lointain. Un seul semblait trop concentré sur le texte du livre persan étalé devant eux.

La bouche entrouverte sur un bout de langue pointue, Mehrunnisa s'appliquait à tracer les lignes et les courbes de son écriture, et rien n'aurait su la distraire de cette tâche.

Elle était entourée de ses frères, Muhammad et Abul, ainsi que de ses deux sœurs, Saliha et Khadija.

Une cloche résonna dans le silence.

Les deux garçons se levèrent aussitôt et coururent dans la maison, bientôt suivis de Saliha et Khadija. Seule Mehrunnisa resta immobile. Le *mollah* de la mosquée, qui venait leur donner des leçons, ferma le livre, joignit les mains sur ses genoux et contempla l'enfant.

Asmat sortit en souriant. Ce ne pouvait qu'être bon signe. Après tant d'années de plaintes et de scènes, de « pourquoi est-ce que je dois étudier ? » et de « je m'ennuie, maji », Mehrunnisa semblait avoir enfin pris goût à ses leçons. Naguère, elle était encore la première à se lever dès que sonnait la cloche des repas.

– Mehrunnisa, ma fille, il est l'heure de déjeuner, lança Asmat.

Au son de la voix de sa mère, la fillette leva la tête et posa sur elle ses yeux de saphir tandis qu'un sourire à fossettes illuminait son visage. La rangée de ses quenottes parfaitement blanches était interrompue en son milieu par un trou où viendrait bientôt pousser une dent permanente. Elle se leva, salua le mollah et se dirigea vers sa mère en faisant onduler ses longues jupes.

Elle trouvait Asmat la plus jolie de toutes les femmes, toujours parfaitement mise, ses cheveux scintillants entretenus par une odorante huile de coco et noués en chignon dans sa nuque.

– La leçon d'aujourd'hui t'a plu ? demanda celle-ci à sa fille.

Mehrunnisa plissa le nez.

– Le mollah ne m'enseigne que des choses que je connais déjà. On dirait qu'il ne sait plus rien.

Voyant que sa mère prenait ombrage de ses paroles, elle s'empressa d'ajouter :

– Maji, quand est-ce que nous allons au palais royal ?

– Ton bapa et moi devons assister au mariage, la semaine prochaine. Nous avons reçu une invitation. Bapa sera à la cour parmi les hommes et moi, je suis convoquée au *zénana* impérial, au quartier des femmes.

En suivant sa mère, Mehrunnisa dut ralentir le pas. À huit ans, elle lui arrivait déjà à l'épaule et ne cessait de grandir. Elles traversèrent sans bruit la véranda, leurs pieds nus effleurant à peine le sol de pierre tiède.

– Comment est le prince, maji ? demanda l'enfant d'une voix aussi calme que possible.

Asmat réfléchit un instant.

– Il est beau, charmant.

Elle laissa échapper un petit rire avant d'ajouter :

– Mais peut-être un peu irascible.

– Est-ce que je le verrai ?

– Pourquoi ce subit intérêt pour le prince Salim ?

– Pour rien, se hâta de répondre Mehrunnisa. Un mariage royal et nous serons à la cour… Qui épouse-t-il ?

– Tu n'y assisteras que si tu as terminé tes leçons de la journée. Je dois m'entretenir de tes progrès avec le mollah. Et je pense que Khadija aimerait y assister elle aussi, tu ne crois pas ?

Khadija et Manija étaient nées après l'arrivée de la famille en Inde, et la petite dernière était à peine sortie de ses langes.

– Peut-être, répondit Mehrunnisa avec un geste d'impuissance.

Ses bracelets de verre glissèrent de ses poignets à ses coudes dans un cliquetis harmonieux.

– Mais, ajouta-t-elle, Khadija ignore tout de l'étiquette de la cour.

Asmat partit d'un éclat de rire.

– Mais toi, tu la connais ?

– Bien sûr.

Mehrunnisa considérait sa petite sœur comme un bébé incapable de rester plus de vingt minutes assise au même endroit. Elle se laissait distraire par tout ce qui lui passait sous les yeux, un oiseau, un écureuil, le soleil dans les branches du peepul.

– Qui le prince Salim doit-il épouser, maji ? répéta-t-elle.

– La princesse Man Bai, fille du rajah Bhagwan Das d'Amber.

– Les princes épousent-ils toujours des princesses ?

– Pas forcément. La plupart des mariages royaux sont politiques. Pour celui-ci, l'empereur Akbar désire affirmer son amitié avec le rajah et Bhagwan Das tient à resserrer ses liens avec l'empire dont il vient de devenir le vassal.

– Je me demande ce que cela doit faire d'épouser un prince, murmura Mehrunnisa rêveuse, et de devenir princesse...

– Ou impératrice, ma fille. N'oublie pas que le prince Salim est l'héritier du trône et que sa femme, ou ses femmes, seront toutes impératrices.

... Mais assez parlé de ce mariage, poursuivit-elle en lui caressant les cheveux. Dans quelques années, tu nous quitteras toi aussi pour rejoindre la maison de ton époux. Nous verrons alors ce qu'il en sera.

Mehrunnisa jeta un regard en coin à sa mère. Impératrice de l'Hindoustan ! Lorsque bapa rentrait à la maison, il racontait sa journée, de petites anecdotes sur les décisions de l'empereur Akbar, sur les femmes du zénana cachées derrière une grille pour suivre les débats de la cour, parfois en silence, mais sans se priver d'émettre un commentaire ou une plaisanterie de leurs voix mélodieuses. L'empereur les écoutait toujours, tournant la tête dans leur direction. Quel délice de faire partie du harem de l'empereur, de vivre à la cour ! Combien Mehrunnisa regrettait de n'être pas née princesse ! Elle eût pu épouser un prince, peut-être même Salim. Cependant, Asmat et Ghias n'auraient pas été ses parents et cette pensée l'emplit d'effroi. Elle glissa la main dans celle de sa mère et toutes deux se rendirent ensemble dans la salle à manger.

Juste avant d'entrer, elle réitéra sa première question :

– Maji, s'il te plaît, est-ce que je pourrai aller avec vous au mariage ?

– Nous verrons ce que ton bapa en dira.

À leur arrivée, Abul tapota la place libre sur le divan, près de lui :

– Mehrunnisa, viens t'asseoir ici.

La petite s'exécuta avec un sourire. Abul avait promis de jouer au *gilli-danda* avec elle sous le peepul, cet après-midi. Il était meilleur qu'elle à ce jeu qui consistait à lancer une balle à l'aide de deux bâtons et à la rattraper au vol ; il y parvenait six ou sept fois avant que le gilli finisse par tomber. Mais c'était un garçon et, la seule fois où Mehrunnisa avait voulu lui apprendre à coudre un bouton, il s'en était tiré avec des égratignures sur tous les doigts. Tandis qu'elle parvenait à toucher le gilli quatre fois d'affilée.

Elle joignit les mains et attendit que bapa lançât le signal du début du repas.

Les serviteurs avaient tendu une nappe de satin rouge sur les tapis persans et apportaient maintenant les plats fumants, pilafs au safran baignés de bouillon de poulet, curry de chevreau à l'épaisse sauce brune, gigot d'agneau rôti à l'ail et au romarin, salade de concombre et de tomates assaisonnée de sel gemme, de poivre et d'un trait de jus de citron. Le chef des serviteurs s'agenouilla et remplit à la louche les assiettes de porcelaine. La famille mangea en silence, en se servant uniquement de la main droite. Quand ils eurent fini, on apporta des bols emplis d'eau chaude et de morceaux de citron vert, afin qu'ils puissent se laver les mains. Puis ils dégustèrent une tasse de thé au gingembre et à la cannelle.

Ghias s'adossa contre les coussins de soie de son divan et promena un regard non dénué d'orgueil sur sa progéniture. Déjà deux fils et quatre filles, chacun doué à sa manière, chacun débordant de vie. Muhammad, l'aîné, était un peu atrabilaire et manquait parfois ses leçons par caprice, mais cela s'arrangerait avec l'âge. Abul semblait le plus apte à suivre les traces de son grand-père, le père de Ghias. Il avait hérité de lui son tempérament égal, mâtiné d'un rien de malice qui le poussait à taquiner ses sœurs que, par ailleurs, il aimait tendrement. Saliha devenait une jeune fille rougissante, même devant son bapa. Khadija et Manija n'étaient encore que de toutes petites filles, néanmoins vives et curieuses de tout ce qui les entourait. Quant à Mehrunnisa...

Ghias sourit intérieurement tout en dévisageant la fillette. Son enfant préférée était marquée par la chance. Sans être particulièrement superstitieux, il avait l'impression que sa naissance lui avait porté bonheur. Après la tempête de Kandahar, il n'avait plus connu que des événements heureux.

Huit années avaient passé depuis leur fuite de Perse. De sa paisible retraite, Ghias se laissa subitement projeter dans l'époque de sa présentation à l'empereur Akbar par Malik Massoud. Ils avaient passé la garde farouche qui interdisait l'entrée aux intrus, pour se retrouver dans l'aveuglant soleil du *Diwan-i-am*, la cour d'audiences publiques de Fatehpur Sikri. L'endroit grouillait de monde. Au fond, les éléphants de guerre de l'empereur se balançaient d'une patte sur l'autre, le front orné d'or et d'argent, leurs cornacs à califourchon sur leurs nuques épaisses, les genoux enfoncés dans leurs oreilles. À côté se tenait une troupe de cavaliers sur des chevaux arabes d'un noir d'ébène. Ensuite venait le troisième rang, le plus éloigné pour les gens de peu. Le deuxième rang, autour du trône impérial, était réservé aux marchands et aux membres de la petite noblesse et ce fut là que Ghias et Massoud prirent place, derrière les courtisans.

Lorsque l'empereur fut annoncé, tous s'inclinèrent dans un profond salut. Ghias jeta un coup d'œil derrière lui : les éléphants s'agenouillaient, penchant dangereusement leurs cornacs, tandis que chevaux et cavaliers inclinaient la tête. En se relevant, il contempla avec émerveillement la silhouette lointaine qui trônait dans un océan de turbans et de pierres précieuses.

Tous restaient silencieux alors que le Mir Arz, chargé des pétitions officielles, lisait l'ordre du jour de sa voix chantante. Ghias écoutait de toutes ses oreilles, regardait de tous ses yeux. Le nuage d'encens de santal, l'éclat incomparable du trône de l'empereur avec ses colonnettes d'or constellées de jaspe et ses coussins de velours rouge, le sol de marbre gris qui y menait, tout l'éblouissait. Finalement, Massoud fut appelé. Ghias l'accompagna et, ensemble, ils exécutèrent le *tassili*, le profond salut main droite sur le front.

– Sois le bienvenu, mirza Massoud, dit Akbar.

– Merci, Votre Majesté, répondit celui-ci en se redressant.

– Nous espérons que tu as fait bon voyage.

– Par la grâce d'Allah et de Votre Majesté.

– Est-ce tout ce que tu nous en as rapporté ? reprit l'empereur en désignant les chevaux et les plateaux emplis de soieries et de fruits arrivés avec la caravane.

– J'ai encore un cadeau, Votre Majesté.

Massoud adressa un signe de tête vers Ghias et ajouta :

– Si je puis humblement présenter mirza Ghias Beg à la cour…

– Avance-toi, mirza Beg. Nos yeux ne sont plus aussi précis qu'autrefois. Approche, que nous te voyions bien.

Ghias fit quelques pas vers l'homme au regard bienveillant et remarqua qu'il avait un grain de beauté sur la lèvre supérieure.

– D'où viens-tu, mirza Beg ? Qui est ton père ?

En bafouillant un peu, Ghias lui raconta son histoire et chacune de ses paroles lui parut résonner dans ses oreilles. Lorsqu'il eut fini, il jeta un regard anxieux à l'empereur. Lui avait-il plu ?

– Très bonne famille, commenta Akbar.

Se tournant sur sa droite, il ajouta :

– Qu'en penses-tu, Chaiku baba ?

Ghias aperçut alors l'enfant assis à côté de l'empereur, un petit garçon de huit ou neuf ans, les cheveux tirés en arrière, revêtu d'un court *peshwaz* cintré et de culottes de brocard doré : le prince Salim, héritier de l'empire. Celui-ci hocha solennellement la tête, agitant la plume de héron qui ornait son turban. S'efforçant d'imiter le ton de son père, il déclara de sa voix fluette :

– Nous l'aimons, Votre Majesté.

Akbar sourit.

– En effet. Reviens nous voir bientôt, mirza Beg.

Ghias s'inclina.

– Votre Majesté est trop bonne. Ce sera un grand honneur pour moi.

Akbar pencha la tête vers le Mir Arz qui lut le nom du solliciteur suivant. Malik Massoud fit signe à Ghias et tous deux saluèrent encore avant de regagner leurs places. Ils ne dirent plus rien. Lorsque le *darbar* s'acheva, Ghias quitta l'enceinte du palais encore abasourdi par l'affabilité de l'empereur à son égard.

Il retourna à la cour dès le lendemain et attendit plusieurs heures que l'empereur acceptât de le recevoir. Après quelques jours, Akbar finit par lui allouer un *mansab*, une charge officielle qui le rendait responsable de trois cents chevaux, ainsi qu'une place à la cour.

Le système des mansabs était utilisé par les rois Moghols pour conférer honneurs et propriétés à ceux qu'ils en jugeaient dignes. Ces faveurs officielles se traduisaient par des parcelles de terrain mises au service de la cavalerie et de l'infanterie de l'armée impériale. Une nouvelle vie commençait pour Ghias, car les coutumes des Moghols étaient très différentes des mœurs qu'il avait connues en Perse.

Les années passant, il sut se rendre indispensable auprès d'Akbar, l'accompagnant à la chasse et en campagnes, le distrayant par ses anecdotes sur la vie de ses anciens compatriotes. L'empereur le récompensa de ses efforts en lui offrant des terres et deux magnifiques maisons, l'une à Agra, l'autre à Fatehpur Sikrî.

Quelques mois plus tôt, une nouvelle menace avait point à la frontière nord-ouest de l'empire. Les espions impériaux rapportèrent qu'Abdulhah Khan, roi d'Ouzbékistan, envisageait d'envahir l'Inde. Quoique capitale de l'Empire, Fatehpur Sikrî se trouvait trop loin au goût de l'empereur qui désirait se rapprocher de l'expédition menée contre le roi ouzbek et avait donc décidé de porter sa cour vers Lahore, quitte à déserter la capitale qu'il avait créée.

Allah s'était montré bon envers la famille de Ghias. D'épais tapis de Perse et du Cachemire s'entassaient sur les sols. Les murs blanchis à la chaux étaient recouverts de tableaux et de miniatures encadrées de cuivre. De petites tablettes de tek et de santal présentaient des bibelots venus du monde entier : porcelaines de Chine, boîtes d'or et d'argent de Perse, figurines en ivoire d'Afrique. Les enfants étaient vêtus des plus belles mousselines et des plus belles soieries, et Asmat portait assez de bijoux pour nourrir une famille pauvre pendant une année.

Il ne parvenait toujours pas à croire aux bienfaits qui s'étaient déversés sur sa famille et sur lui ces dernières années. Les enfants avaient grandi ici, forts et résistants, comme si ce peuple et ce pays étaient les leurs. Au début, Abul, Muhammad et Saliha s'étaient montrés un peu réticents à l'idée d'apprendre de nouvelles langues ou de jouer avec les enfants nobles du voisinage. Malgré leur jeunesse, ils n'avaient pas oublié le long et pénible voyage depuis la Perse. Pour Mehrunnisa, tout semblait nouveau et merveilleux. Elle avait assimilé sans peine les dialectes d'Agra. La chaleur étouffante des plaines indogangétiques ne semblait pas la déranger ; jusqu'à l'âge de cinq ans, elle avait gambadé à travers la maison en sari de coton, rechignant à l'idée de s'habiller pour les fêtes et les invitations qu'elle recevait. Elle trouvait tout naturel de déménager d'un logis à l'autre, toujours plus beau, toujours plus grand, jusqu'à ce qu'Akbar leur offrît leur propre demeure. Ghias s'était davantage inquiété pour Asmat qu'il avait arrachée à ses racines pour venir vivre ici. Lorsque son père la lui avait confiée, celui-ci ne s'était certainement pas attendu à ce que son gendre l'emmenât aussi loin.

Maintenant, il la considérait avec autant d'amour que d'admiration. Elle commençait une nouvelle grossesse, mais son ventre ne s'était pas encore arrondi. Le temps n'avait pas de prise sur sa beauté, même s'il avait teinté de gris quelques mèches de ses cheveux et creusé quelques sillons sur son visage. Mais Ghias y voyait toujours les mêmes traits aimés, les mêmes yeux confiants. Elle lui offrait sa force la nuit, quand ils reposaient ensemble en silence, et le jour quand il travaillait ou lisait et qu'elle passait par là, ses chaînes de cheville tintinnabulant, sa longue jupe effleurant le sol. La loi islamique autorisait un homme à prendre quatre épouses, mais, avec Asmat, Ghias avait trouvé la paix et l'équilibre.

Un mouvement capta soudain son attention. Assise au bord de son divan, les yeux brillants d'excitation, lissant les plis de sa *ghagara*, sa longue jupe, Mehrunnisa semblait brûler d'impatience, comme si elle voulait dire quelque chose. Son père ne put s'empêcher de repenser aux huit années qui venaient de s'écouler, de ce qu'elles auraient été sans sa présence. Un énorme fossé se serait ouvert dans leurs vies, impossible à combler quel qu'eût été le nombre de leurs autres enfants. Combien lui eût manqué son musical « Bapa ! » lorsqu'il rentrait à la maison et qu'elle se jetait dans ses bras en s'écriant : « Embrasse-moi avant tout le monde. Moi d'abord ! Moi d'abord ! »

Ghias inclina la tête. *Je te rends grâce, ô Allah !*

Posant sa tasse, il déclara :

– Sa Majesté était de bonne humeur au darbar, ce matin. Le prochain mariage du prince Salim la comble de joie.

– Bapa…

Abul et Mehrunnisa avaient crié en même temps, soulagés de voir enfin rompre le lourd silence du repas. Asmat et Ghias tenaient à ce que personne ne parlât en mangeant. Tous devaient attendre que le père eût pris la parole pour en faire autant.

– Oui, Mehrunnisa ? dit Ghias en faisant signe à Abul de se taire.

– Je veux aller au palais royal pour le mariage, dit-elle.

Elle se hâta d'ajouter :

– S'il vous plaît !

Ghias haussa un sourcil en direction de sa femme et celle-ci hocha la tête.

– Tu peux emmener les garçons, décréta-t-elle. Mehrunnisa et Saliha viendront avec moi.

Mehrunnisa tira sur le voile de sa sœur :

– Tu vois quelque chose ?

– Non, gémit Saliha.

À cet instant, une dame du balcon du zénana les bouscula, ouvrant la voie à la foule qui vint se presser derrière la dentelle de marbre de la grille.

Mehrunnisa eut beau tendre le cou, se hisser sur la pointe des pieds, elle ne vit que les dos des femmes du harem d'Akbar qui se pressaient en piaillant pour observer les cérémonies se déroulant dans le Diwan-i-am.

Elle retomba sur ses talons, frappant le sol d'un pied impatient. Ce jour de mariage tant attendu se déroulait à quelques pas d'elle et elle ne pouvait rien en voir. Quelle injustice que ses frères aient le droit de tout suivre de la cour d'audience, tandis qu'elle restait confinée derrière le *parda* avec le harem royal ! Elle qui n'avait même pas l'âge de porter le voile !

Elle se mit à sautiller sur place, dans l'espoir de voir par-dessus la tête des dames, sans plus songer qu'elle se trouvait au beau milieu du palais impérial, car elle ne pensait plus qu'à Salim. Lorsque les portails s'étaient ouverts, lorsque les gardes féminines les avaient dévisagées d'un œil suspicieux avant de les laisser entrer au zénana, Saliha les avait saluées avec extase. Quant à Mehrunnisa, elle ne les avait seulement pas vues, tant elle regardait partout autour d'elle, sans remarquer les soieries arc-en-ciel, ni les bijoux scintillants ou les visages impeccablement maquillés. Et voilà qu'elles avaient été poussées vers l'arrière parce qu'elles étaient plus jeunes et plus petites que les autres.

– Je vais les pousser à mon tour pour regarder.

– Tu ne peux pas faire ça ! murmura Saliha horrifiée. Nous sommes dans le harem de l'empereur, parmi les dames les plus importantes du pays.

– Et les plus mal élevées, rétorqua Mehrunnisa. J'ai été bousculée au moins quatre fois. Comment veux-tu que nous admirions le prince Salim, dans ces conditions ? Elles ne sont pas faites d'eau, que nous puissions voir à travers elles.

S'arrachant à l'emprise de sa sœur, elle courut à l'avant du balcon, tapa l'épaule d'une des concubines et, lorsque celle-ci se retourna, se glissa dans l'intervalle pour coller son visage contre la grille.

Clignant des yeux pour s'adapter à la lumière éclatante du soleil sur le Diwan-i-am, elle examina d'abord la silhouette assise sur le trône. Akbar avait revêtu une de ses fastueuses tenues de cérémonie et les joyaux de son turban scintillaient dans la lumière. Il portait sur son fils un œil étrangement brillant.

À son tour, Mehrunnisa regarda le prince Salim et retint son souffle. De sa place, elle ne l'apercevait que de profil. Il se tenait debout, très droit, avec beaucoup de grâce et de fermeté, la main droite posée sur la dague incrustée de pierres précieuses glissée dans sa ceinture. À côté de lui, la princesse Man Bai disparaissait sous son voile de mousseline rouge brodé d'or. Elle empêchait la fillette de bien voir le jeune prince. Peut-être en se penchant un peu vers la droite… Le *qazi*, qui procédait à la cérémonie, venait de se tourner vers la princesse Man Bai.

C'est alors qu'une main brutale tira Mehrunnisa par l'épaule. Elle se retourna et découvrit le visage furieux de la concubine qu'elle avait bousculée.

– Petite impudente ! siffla-t-elle entre ses dents.

La fillette allait répondre quand son interlocutrice lui appliqua sèchement un soufflet, lui ouvrant la joue d'une de ses bagues.

Mehrunnisa passa un doigt tremblant sur son visage. Personne au monde ne l'avait jamais frappée, pas même ses parents.

Incapable de retenir ses larmes, elle ne put que les essuyer du revers de la main. La concubine se pencha sur elle pour mieux l'impressionner, mais la fillette soutint son regard en se mordant les lèvres, avec l'impression d'entendre encore l'écho de la gifle se répercuter dans ses oreilles. Elle se sentait soudain très seule. Loin derrière, elle aperçut Saliha, rouge comme une tomate. Mais où était maji ?

– Je vous prie de l'excuser.

La voix d'Asmat venait juste de s'élever à sa gauche et la jeune femme écarta sa fille de la concubine.

– Ce n'est qu'une enfant...

– Et c'est bien ainsi !

Mère et fille firent volte-face vers celle qui venait de prendre la parole. Ruqayya Sultan Begam, la première épouse d'Akbar. Les autres dames se détournèrent de la cérémonie, l'air émoustillé. Ruqayya intervenait si rarement dans une dispute que cette enfant devait être quelqu'un d'extraordinaire. Un chemin s'ouvrit entre Mehrunnisa et la bégum. Celle-ci n'était pas à proprement parler une belle femme. Elle semblait plutôt ordinaire, avec ses cheveux grisonnants, qu'elle ne cherchait pas à cacher sous une teinture de henné, et ses petits yeux noirs qui animaient un visage rondelet.

Mais sa place auprès d'Akbar ne lui venait pas de ces courts instants de félicité physique qu'il pouvait trouver auprès de n'importe quelle concubine. Il appréciait sa finesse et son assurance. Sa position solidement établie dans le zénana, Ruqayya ne fit plus aucun effort pour captiver l'empereur – ce qui n'eût été qu'une perte de temps : tant de nouvelles intrigantes apparaissaient chaque jour au harem ! Akbar recherchait sa compagnie pour tout autre chose. Cette particularité lui donnait une attitude impavide, mâtinée de suffisance. Elle était la bégum Padchah.

Elle tendit à Mehrunnisa une main potelée constellée de bijoux.

– Viens ici.

Se tournant vers la concubine, elle ajouta froidement :

– Tu aurais pu te dispenser de frapper une enfant.

La coupable alla se réfugier dans un coin en marmonnant, ses yeux bordés de khôl étincelants de colère.

La bouche sèche, Mehrunnisa s'approcha de la bégum. Elle essuya ses mains moites sur sa ghagara tout en regrettant de ne pouvoir se glisser dans un trou de souris.

Lorsque l'impératrice lui souleva le menton, un parfum de fleurs de kétaki effleura les narines de Mehrunnisa.

– Ainsi, tu désires voir ce mariage ?

Ruqayya possédait un timbre étonnamment suave.

– Oui, Votre Majesté, répondit la fillette d'une voix étouffée.

Elle baissa la tête pour cacher la dent qui lui manquait.

– Aimes-tu le prince Salim ?

– Oui, Votre Majesté.

Mehrunnisa hésita un instant puis s'enhardit et releva les yeux.

– Il est… Il est plus beau que mes frères.

Les dames éclatèrent d'un rire sonore qui se répercuta à travers toute la cour.

Ruqayya leva la main pour les faire taire.

– Cette enfant trouve que Salim est beau, commenta-t-elle. Je me demande dans combien de temps elle le trouvera séduisant.

Les rires repartirent de plus belle.

Stupéfaite, Mehrunnisa regardait autour d'elle.

La cérémonie du mariage venait de s'achever et les dames reportèrent leur attention vers le paravent tandis que Mehrunnisa courait se réfugier dans les bras de sa mère. Asmat la poussa vers la porte et fit signe à Saliha de les suivre. Derrière elles retentit la voix de Ruqayya :

– Cette fillette m'amuse. Ramène-la moi vite !

Mehrunnisa et Asmat saluèrent puis sortirent.

Les festivités durèrent encore près d'une semaine ; néanmoins la fillette, impressionnée par sa rencontre avec l'impératrice, refusa de s'y rendre. La concubine l'avait humiliée mais la bégum, avec son autorité et son regard perçant, lui faisait peur. Quant à Asmat et à Ghias Beg, ils allèrent chaque jour prendre part aux réjouissances.

Quelque temps plus tard, Ruqayya leur fit parvenir l'ordre d'amener Mehrunnisa au zénana impérial.

2

Cette bégum conçut une grande affection pour Mehrunnisa ; elle l'aimait plus que quiconque et la garda toujours en sa compagnie.

Brij Narains – *Chronique hollandaise de l'Inde Moghole*

Un grand eunuque à la moustache hérissée vint chercher Mehrunnisa et Asmat à l'entrée du palais de l'impératrice Ruqayya. Il tendit le bras devant Asmat.

– Seulement l'enfant, annonça-t-il.

Devant l'expression inquiète de la mère, il se radoucit quelque peu :

– Nous la reconduirons chez elle en toute sécurité, mais elle seule peut entrer.

Asmat comprit qu'il était inutile d'insister et se pencha vers sa fille.

– Sois sage, lui murmura-t-elle à l'oreille. Tu n'as rien à craindre.

Après quoi elle s'éloigna, laissant Mehrunnisa avec ce curieux gardien.

– Ainsi, tu es l'enfant qu'elle apprécie tant ! observa-t-il d'un ton bougon.

Il s'effaça pour la faire entrer dans une antichambre à peine éclairée par une percée qui donnait sur le jardin.

L'eunuque l'attrapa par la main pour l'empêcher d'aller plus loin.

– Tourne-toi.

Elle s'exécuta lentement, et sa pesante ghagara brodée suivit le mouvement. Pour l'occasion, sa mère lui avait aussi fait revêtir un large corsage qui lui pendait aux épaules bien qu'il fût étroitement lacé dans le dos. D'ordinaire, Mehrunnisa portait de fines ghagaras de mousseline et des *sarouals*, ces longues culottes resserrées aux chevilles qui lui permettaient de sauter et gambader en toute liberté. L'eunuque lui arrangea sa natte sur l'épaule et en mesura la longueur sur sa hanche, puis il lui caressa les joues et vérifia ses dents. Mehrunnisa se détourna en rougissant. Cette inspection l'emplissait autant de honte que de fureur. La prenait-on pour une bête de somme ?

L'eunuque se mit à rire, dévoilant une mâchoire rosie aux feuilles de bétel.

– Que tu es donc maigre ! s'esclaffa-t-il. Regarde-moi ces os qui saillent de partout. Comment tes parents te nourrissent-ils ? Cette femme ne peut pas être ta mère ! Elle est si jolie. Mais toi… Avec ce trou au milieu de la bouche ! Elle va vite se lasser de toi… Viens.

Il la tira par le bras et ses ongles longs lui entaillèrent la chair.

– Surtout ne répète pas ce que je viens de te dire. Que ce soit ta première leçon, ma fille. Ne parle jamais de ce que tu as entendu au zénana.

Riant encore, il l'entraîna dans un corridor qui menait aux bains et de jeunes esclaves les saluèrent au passage. Le cœur battant à tout rompre, Mehrunnisa ne voulait plus quitter la main de son compagnon ; loin de sa maji, elle se sentait affreusement apeurée devant cet étrange personnage au teint terreux. Qui était-il ? Et pourquoi avait-il un tel pouvoir en ces lieux, dans le quartier des femmes ?

Lorsqu'ils entrèrent dans le hammam, l'impératrice s'apprêtait à prendre son bain. Mehrunnisa sentit son front et ses bras devenir moites. L'autre jour, la bégum l'avait tellement impressionnée qu'elle redoutait cette entrevue. L'eunuque lui lâcha la main pour s'incliner vers le fond de la pièce.

– Voici l'enfant, Votre Majesté.

Sans attendre la réponse de Ruqayya, il sortit à reculons.

Restée seule dans le soleil dispensé par une lucarne à croisillons, Mehrunnisa ne bougea plus. Un cliquetis de bracelets d'or attira son attention vers un coin et, lorsque sa vue se fut accoutumée au clair-obscur du reste de la pièce, elle découvrit l'impératrice assise sur une chaise tandis que des esclaves aux muscles brillants, la peau colorée de motifs ocrés, lui ôtaient ses bijoux qu'elles déposaient sur un plateau d'argent porté par un eunuque. Aux pieds de la fillette, un bassin octogonal était creusé dans le sol, agrémenté d'un banc de bois qui courait le long de ses parois.

– Viens ici, mon enfant.

Au son de la voix de l'impératrice, Mehrunnisa s'approcha de quelques pas. Elle ne vit tout d'abord que le sari bleu canard rehaussé de broderies d'or. Son bras était encore meurtri des pincements de l'eunuque mais elle regrettait soudain son absence. Rien ne lui paraissait plus alarmant que de se retrouver seule ici, dans cette pièce sombre où toute la lumière et tous les regards se concentraient sur sa petite personne.

– *Al-salam alekum*, Votre Majesté.

– Bonjour, Mehrunnisa. Tu portes un bien joli nom. Viens t'asseoir.

Elle obéit et Ruqayya tendit la main pour caresser ses épais cheveux noirs.

– Tu en as de beaux yeux ! Tu es persane ?

– Oui, Votre Majesté.

Le visage rond de Ruqayya se plissa d'intérêt.

– Qui est ton père ?

– Mirza Ghias Beg, Votre Majesté.

– Qui est ton grand-père ?

Elles bavardèrent ainsi quelques instants : l'impératrice posa des questions à l'enfant, sur Asmat, sur Ghias et sur ses frères, demandant ce qu'ils apprenaient, avec quel mollah ils étudiaient, ce que Mehrunnisa avait lu récemment. Bientôt, celle-ci se sentit plus à l'aise. La bégum lui parlait avec bienveillance, tandis que ses esclaves la dépouillaient de sa robe et entreprenaient d'oindre son corps épais d'huile parfumée au jasmin. Lorsque les doigts bruns de la masseuse glissèrent sur sa nuque puis sur ses épaules, Ruqayya poussa un soupir de délassement et baissa la tête pour mieux s'abandonner à ces mains énergiques.

Puis, les cheveux dénoués, elle descendit lentement dans le bassin. Toujours revêtues de leurs culottes de coton et de leurs étroits cholis, les esclaves suivirent l'impératrice dans l'eau pour la savonner, avant de lui laver la tête.

Soudain, elle se redressa et demanda sèchement à l'une de ses filles :

– Tu as fait ta toilette, aujourd'hui ?

Son interlocutrice, une fillette, leva sur elle un regard effrayé :

– Oui, Votre Majesté.

– Fais voir.

Sans autre forme de procès, Ruqayya renifla ses cheveux et ses aisselles avant de décréter d'un ton d'un calme terrifiant :

– Va-t'en ! Et ne reviens jamais dans mon bain si tu n'es pas propre.

L'esclave sortit en hâte du bassin et s'enfuit, toute dégouttante d'eau parfumée, laissant des flaques à chaque pas.

La voix sifflante de Ruqayya fit frissonner sa jeune visiteuse qui se blottit dans un coin en espérant que l'impératrice l'avait oubliée. Elle y demeura les deux heures suivantes, le temps que la bégum achevât sa toilette et finît de se faire parer, maquiller et habiller, choisissant et rejetant une tenue après l'autre. Lorsqu'elle quitta le salon des bains, elle parut soudain se souvenir de la présence de la fillette.

– Rentre chez toi, à présent. Et reviens demain.

Ce fut tout.

Au cours des mois qui suivirent, Mehrunnisa dut répondre à chacun des appels de l'impératrice, parlant avec elle lorsqu'elle désirait lui parler, attendant en silence lorsque Ruqayya rien était perdue dans ses pensées. Elle put ainsi constater que ses esclandres étaient le plus souvent feints. Ainsi, lui expliqua la bégum, lorsqu'elle avait envoyé son esclave se laver, c'était simplement parce que celle-ci la dévisageait d'un air insolent. Il arrivait néanmoins qu'elle fît de grandes colères mais, la plupart du temps, elle se contentait de hausser légèrement la voix. Nul ne prenait son titre de bégum Padchah à la légère. Tout ce qui advenait entre les murs du harem, et presque tout ce qui advenait à l'extérieur, lui revenait aux oreilles par l'un de ses espions. Rien ne lui paraissait anodin, ni insignifiant.

Chaque maladie, chaque grossesse, chaque retard de menstruation, la plus petite intrigue, le moindre éclat entre épouses et concubines ou esclaves – tout lui parvenait aux oreilles d'une façon ou d'une autre.

Mehrunnisa prenait goût à ces rencontres avec l'épouse favorite d'Akbar. Elle était fascinée par ses sautes d'humeur, par son calme imposant qui précédait parfois de fulgurants accès de rage. Elle admirait son prestige et ne s'en réjouissait que plus à l'idée que Ruqayya pût la trouver intéressante, elle !

Un jour, en franchissant les limites du zénana après avoir passé un après-midi avec l'impératrice, elle entra par erreur dans le palais attenant et se perdit dans une enfilade de corridors. Il se faisait tard et un silence de plomb régnait sur la demeure. Même les innombrables serviteurs, même les eunuques demeuraient cachés dans l'ombre des chambres, attendant que le soleil se couche. Mehrunnisa entreprit alors de revenir sur ses pas. Les jardins lui parurent immaculés, l'herbe d'un vert étonnant sous cette chaleur accablante, les bougainvillées croulantes sous le poids de fleurs couleur de pastèque. Elle déboucha dans une cour intérieure pavée de marbre, entourée de vérandas aux innombrables colonnades blanches, étincelantes de chaleur. Mehrunnisa entoura de ses bras une colonne et y appuya son front humide de sueur. D'ici une ou deux heures, peut-être, quelqu'un finirait bien par la trouver et lui montrerait le chemin. En ce moment, elle était trop épuisée pour faire un pas de plus.

C'est alors que parut une silhouette vêtue de blanc, aux mains chargées d'un coffret d'argent. Mehrunnisa se redressa pour l'interpeller et se figea soudain. C'était le prince Salim. Aussitôt, elle se blottit derrière la colonne et inspecta les alentours. Comment se faisait-il qu'il fût seul, sans un serviteur pour l'assister ?

Le prince se rendit à l'opposé de la cour et s'assit sur un banc de pierre sous un *neem* aux branches alourdies par des grappes de fruits jaunes. Il fit claquer sa langue et Mehrunnisa réprima un cri de surprise : des centaines de pigeons se posaient aux pieds de Salim et gonflaient leur jabot vert aux plumes iridescentes. Salim ouvrit le coffret et en sortit une poignée de blé qu'il jeta en l'air. Les grains captèrent l'or du soleil avant de se répandre en pluie sur le marbre et les oiseaux se précipitèrent en grand désordre pour les picorer.

À la vue de quelques petites têtes se levant vers lui comme pour lui en demander davantage, le prince se mit à rire.

– Vous êtes trop gâtés ! Si vous en voulez encore, venez les chercher.

Bien cachée derrière sa colonne, Mehrunnisa regardait les oiseaux avancer prudemment, reculer, revenir en hésitant. Soudain, l'un d'eux s'enhardit et vint se poser sur l'épaule du prince ; alors tous les autres voletèrent pour ne pas trop s'éloigner, cachant presque le prince à la vue de la fillette.

– Qu'est-ce que tu fais ici ?

Une main énergique attrapa Mehrunnisa par l'épaule et la fit virevolter. Elle se redressa en chassant la poussière de sa ghagara et leva la tête vers l'eunuque.

– Je me suis perdue.

– Petite sotte ! maugréa-t-il en la poussant devant lui. Tu es au *mardana*. Tu ne sais pas qu'il t'est interdit de te rendre dans le quartier des hommes ? Va-t'en, avant que le prince Salim te voie. Il déteste qu'on le dérange quand il nourrit ses oiseaux.

– Alors qu'est-ce que vous faites là ? protesta la fillette.

L'eunuque haussa un sourcil.

– Je suis Hoshiyar Khan.

À son tour, Mehrunnisa haussa un sourcil :

– Et moi, je suis Mehrunnisa. Mais ça ne me dit pas quel est votre rôle ici.

– Je… peu importe. Il faut t'en aller, maintenant.

Mehrunnisa jeta un dernier regard à Salim, qui chantonnait à l'adresse de ses pigeons. Lorsque l'un d'eux se posa sur sa tête, il s'esclaffa et tâcha de le regarder sans le faire fuir.

– Allez, allez ! s'impatienta l'eunuque. Aucune femme n'est admise au mardana, tu le sais. L'empereur te fera couper la tête s'il l'apprend.

– Mais non ! Je me suis perdue. Je n'ai pas fait exprès !

– *Bap re !* soupira Hoshiyar.

Il la poussait toujours devant lui, si bien qu'elle faillit trébucher sur les pans de sa ghagara.

– Et ça rouspète en plus ! grommelait l'eunuque. Je la trouve en train de rouler des yeux comme des soucoupes vers le prince Salim et elle prétend qu'elle s'est perdue !

Il l'emmena vers la sortie du palais, lui montra les grilles.

– Va. Et que je ne te revoie jamais par ici ou c'est moi qui te couperai la tête.

Mehrunnisa lui tira la langue et s'enfuit en courant. Quand elle se risqua à jeter un coup d'œil par-dessus son épaule, elle s'aperçut que l'eunuque ne l'avait pas poursuivie pour son insolence. Il était demeuré sur place et lui tirait la langue à son tour.

*
* *

– Tu vas voir l'impératrice ?

Mehrunnisa sursauta dans une pluie d'épingles à cheveux qui touchèrent le sol en tintant quand elles ne glissèrent pas sous le tapis.

– Regarde ce que tu as fait ! s'exclama-t-elle, consternée.

Elle se pencha pour les ramasser, mais ne les retrouva pas toutes et s'avisa qu'elle ferait mieux de ne pas trop marcher pieds nus les jours prochains. Elle se redressa et se regarda dans la glace.

Adossé à la porte, Abul avait croisé les bras. À quinze ans, il était pourtant assez grand pour ne plus taquiner ainsi sa cadette. Mais elle savait qu'il n'avait rien à faire cet après-midi et qu'il en profiterait pour chercher querelle à ses sœurs. Dans ces moments-là, Saliha faisait comme s'il n'existait pas ; quant à Khadija et Manija, elles se mettaient à hurler quand il leur tirait les cheveux ou relevait leurs ghagaras sur leurs têtes pour les aveugler puis se hâtait de battre en retraite avant que maji ou bapa n'arrivent pour le gronder. Aussi venait-il ennuyer sa sœur la plus proche, dès que ses amis ne l'emmenaient pas à la chasse, ou dans quelque taverne – en cachette de bapa, bien sûr.

Oubliant les préceptes de maji sur le maintien que devrait observer une dame de qualité, Mehrunnisa adressa une affreuse grimace au reflet de son frère dans le miroir.

Celui-ci émit un « tsst-tsst » de désapprobation.

– Tu vas rester comme ça toute ta vie et personne ne voudra plus t'épouser. Mais tu n'as pas encore répondu à ma question.

– Et je n'en ai pas l'intention, lâcha-t-elle en reprenant sa dignité.

Qu'Allah préserve que la prédiction d'Abul s'accomplît jamais !

– Ça ne te regarde pas, ajouta-t-elle. Va-t'en et laisse-moi me coiffer en paix.

– Viens au jardin avec moi, Nisa. Nous jouerons au polo... sans chevaux, bien sûr.

– Je ne peux pas. Je vais au palais. Laisse-moi tranquille ou je dirai à bapa que tu es allé au *nashakhana* hier soir.

– Et je dirai à bapa que tu es venue avec moi, habillée en homme, avec une moustache dessinée au khôl, et que tu t'es enivrée en trois gorgées de vin, qu'il a fallu que je te porte jusqu'à ton lit, que mes amis me demandent toujours qui était ce gringalet à l'estomac si mal accroché.

Mehrunnisa courut fermer la porte de la chambre après avoir vérifié que personne n'écoutait derrière. Elle pinça son frère.

– Es-tu devenu fou ? Personne ne doit savoir que je t'ai accompagné au nashakhana. D'abord, c'est toi qui m'y as forcée.

Il sourit.

– Je n'ai pas dû beaucoup insister. Tu ne demandais que ça. Estime-toi heureuse que Khadija ne se soit pas réveillée en se demandant pourquoi tu n'étais pas dans ton lit. Bapa t'aurait battue jusqu'au sang s'il l'avait appris.

– Tu ne dois jamais en parler à personne, Abul, ordonna Mehrunnisa, qui admettait pourtant en son for intérieur avoir commis une belle erreur. Promets-le moi !

Elle le pinça encore plus fort.

Abul se dégagea en grimaçant.

– C'est bon, *baba* ! Je promets. Mais viens avec moi, ce soir. Je t'aiderai à te travestir et nous sauterons le mur ensemble.

– Non merci, une fois m'a suffi. Je voulais juste voir quel effet cela me ferait. Pourquoi vas-tu là-bas, d'abord ? Avec tous ces hommes qui s'enivrent et traînent sur les divans, avec ces servantes à peine vêtues… c'est horrible ! Je ne veux pas que tu y retournes. Ce n'est pas bien.

Il enroula un doigt dans les cheveux de sa sœur et tira.

– Ça ne te regarde pas, Nisa. Tu m'as demandé de t'emmener, j'ai accepté. Mais tu n'as pas à me dire ce que je dois faire ou non. Quant à moi, je ne révélerai rien à bapa tant que tu ne me feras pas la morale, c'est bien compris ?

Elle lui jeta un regard noir et saisit un peigne d'un mouvement trop brusque qui lui fit renverser une bouteille de khôl sur le précieux plateau.

– Tu m'as l'air bien tourmentée, aujourd'hui ! remarqua Abul. C'est ce mariage au palais royal qui te chagrine ?

– Quel mariage ? demanda Mehrunnisa en haussant le bout de son nez. Tu veux parler de celui du prince Salim ?

– Parfaitement. Le deuxième mariage du prince Salim. Avec la princesse de Jodhpur, fille d'Udai Singh. On l'appelle Mota Rajah, le roi bouffi. Je l'ai vu et je puis te jurer que ce surnom lui va très bien. Je me demande si Jagat Gosini est aussi grasse que lui.

Ce disant, il déboucha une délicate bouteille de verre, propageant une odeur d'encens à travers toute la pièce.

Mehrunnisa lui donna une tape vigoureuse sur la main.

– Tu vas casser cette bouteille, lança-t-elle tout en brossant sa longue crinière brune.

Lorsque tous les nœuds eurent cédé et que ses cheveux se répandirent sur ses épaules comme un voile iridescent, elle les divisa en trois mèches.

– Tu m'as l'air bien contrariée, petite sœur !

– Pas du tout ! Le prince a le droit d'épouser qui il veut.

– En tout cas, il m'a l'air de se composer aussi un beau harem. Deux mariages en deux ans, alors qu'il n'a que dix-sept ans ! Il a déjà un enfant de sa première épouse, une fille, malheureusement. Cependant, il s'efforce de vite donner un héritier à l'Empire.

– Et alors ? demanda Mehrunnisa en tressant promptement ses cheveux dans la nuque. (Sa natte étant assez longue, elle la posa sur son épaule pour continuer sa coiffure.) En quoi cela me concerne ? ajouta-t-elle.

Abul renversa la tête en arrière pour mieux s'esclaffer.

– Tout le monde sait que tu rends visite à l'impératrice Ruqayya dans l'espoir d'apercevoir le prince. Qu'est-ce que tu crois ? Que tu vas bientôt l'épouser ? Jamais il ne voudra de toi !

Mehrunnisa sentit ses pommettes virer à l'écarlate.

– Pourquoi pas ? rétorqua-t-elle en posant un regard de défi sur son frère. Du moins… si moi, j'avais envie de l'épouser, bien sûr ! Qui nous en empêcherait ?

Abul s'esclaffa de plus belle, manquant de tomber de son pouf. En comptant sur ses doigts, il expliqua à sa jeune sœur :

– Premièrement, tu es trop jeune. Tu n'es qu'un bébé, Mehrunnisa. Les princes n'épousent pas des fillettes de neuf ans. Deuxièmement, tous les princes font des mariages politiques et ne s'allient qu'à des princesses. Pourquoi t'épouserait-il ?

– Je suis peut-être jeune, mais je vais grandir. Et maji dit que tous les mariages royaux ne sont pas forcément politiques.

– Mais tous ceux du prince Salim le seront. Du moins tant qu'il sera prince. C'est ainsi qu'Akbar maintient la cohésion de son empire. Tu n'as aucune chance. D'ailleurs, le temps que tu grandisses, le prince sera certainement un jeune homme dissolu. Tu n'as pas entendu ce qu'on dit de lui ?

– Non, quoi ? s'exclama Mehrunnisa qui n'avait pu réprimer sa curiosité.

– Il se serait mis à boire, murmura Abul d'un ton de conspirateur. Jusqu'à vingt coupes de vin par jour.

– Mais c'est beaucoup trop ! s'écria la fillette, les yeux écarquillés.

Elle connaissait le penchant de Salim pour l'alcool, car Ruqayya ne cessait de s'en plaindre. Quelques mois auparavant, alors que Salim menait campagne près d'Attock pour mater une rébellion afghane, mirza Muhammad Hakim avait laissé entendre que le vin permettrait au prince de surmonter sa fatigue. Maintenant, il ne pouvait plus s'en passer, prétendait Ruqayya ; cependant, Mehrunnisa savait que l'impératrice se laissait parfois emporter par son sens de l'exagération. Et voilà qu'Abul confirmait cette rumeur !

Mehrunnisa resta un instant silencieuse, suivant du bout des doigts les incrustations d'un coffret à bijoux en argent.

– Pourquoi me racontes-tu ça ? demanda-t-elle soudain.

– Ma chère Nisa, rétorqua Abul d'un ton moqueur, dans quelques années, le prince Salim sera peut-être mort d'avoir trop bu. Heureusement que l'empereur a deux autres fils : il ne te reste qu'à épouser Mourad ou Daniyal pour être sacrée impératrice.

– Va-t'en, à présent. J'ai à faire. L'impératrice m'attend, commenta Mehrunnisa d'un air hautain.

– Oui, *Votre Majesté.*

S'inclinant dans un profond salut, Abul rejoignit la porte à reculons comme s'il se trouvait en présence d'une princesse du sang. De rage, Mehrunnisa lui jeta un peigne d'ivoire au visage, mais manqua sa cible. Abul lui fit un pied de nez et disparut alors qu'elle s'emparait d'un coffret d'émail.

La fillette revint à son miroir, contrariée. Qu'y avait-il de si inconcevable à vouloir épouser l'héritier du trône ? Après tout, son père n'était-il pas un familier de l'empereur, un conseiller respecté ? De plus, les princes Moghols épousaient qui ils voulaient.

Elle se changea hâtivement, prenant à peine le temps de vérifier sa tenue devant la glace. L'impératrice n'aimait pas attendre. Le zénana allait bourdonner de bavardages sur la nouvelle princesse, sur la dot qui l'accompagnait, sur son père, sur ce que Salim pouvait penser d'elle. Le moindre détail serait analysé, décortiqué, exagéré dans la plus grande excitation. Mehrunnisa se demandait comment cette jeune princesse allait s'intégrer dans le palais. La première épouse, telle une petite souris, émettait parfois d'imperceptibles piaulements, marquant à peine son sillage dans le harem impérial. On murmurait que la deuxième possédait plus d'aplomb et qu'il serait amusant de la voir se mesurer à Ruqayya. Et si un jour – non point si, mais quand – Mehrunnisa deviendrait l'épouse de Salim, elle devrait se souvenir de surveiller cette princesse.

En attendant, elle ignorait totalement de quelle façon elle parviendrait à réaliser son rêve, mais elle y arriverait, ne serait-ce que pour faire avaler sa langue à cet arrogant d'Abul.

Elle ramassa son voile, le drapa sur sa tête et sortit de la maison suivie de Dai, sa nourrice. Maji avait trop à faire avec son dernier petit frère, Shahpur, né quelques mois plus tôt. Dans la cour ombragée, Mehrunnisa se jucha sur les coussins soyeux du palanquin et se laissa mener au palais pour féliciter l'impératrice Ruqayya tout en imaginant les espiègleries qu'elle destinerait à ses rivales.

*
* *

La même année, Salim se maria pour la troisième fois, cette fois avec Sahib Jamal, fille de Khwaja Hasan. L'année suivante, à Lahore, la première épouse de Salim, la princesse Man Bai, donnait le jour à un fils qu'on appela Khusrau. L'empereur fut transporté de joie à l'arrivée de ce nouvel héritier du trône. Les fêtes succédèrent aux festins tout au long de la semaine qui suivit cette naissance.

Quittant Lahore, en cet automne 1588, la cour impériale se dirigea vers Srinagar, capitale du Cachemire. Cette contrée enchâssée dans une vallée de l'Himalaya avait longtemps résisté à la puissance moghole mais avait fini par se soumettre.

Les premières collines, revêtues de leurs couleurs automnales, rouge sang et brun, se penchaient sur des champs dorés de blé mûr, traversés par les eaux argentées de la Jhelum qui serpentait entre les vallons. Derrière, les montagnes aux neiges éternelles présentaient leurs cimes majestueuses au bleu du ciel et envoyaient sur la ville un air pur et enivrant comme l'*amrit*, le nectar des dieux.

L'année suivante, Akbar éleva Ghias au rang de *diwan* de Kaboul. Cette fonction de trésorier représentait un hommage à sa clairvoyance et un gage de respect de la part de l'empereur. Enchâssée dans un bassin triangulaire entre les hautes et inhospitalières montagnes de l'Asmaï et du Sherdawaza, Kaboul représentait un avant-poste stratégique au nord de l'empire Moghol, tant pour le commerce que pour la défense.

Ghias et sa famille s'installèrent donc à Kaboul. Ses nouvelles fonctions le forçaient à se coucher tard dans la nuit, afin de vérifier les livres du Trésor. Mehrunnisa venait souvent s'asseoir à ses côtés pour qu'il lui racontât sa journée, lui rapportât quels gens il avait rencontrés, ce qu'il leur avait dit et pourquoi. Parfois, elle restait tranquille à lire un livre. Parfois, il se tournait vers elle pour qu'elle l'aidât à additionner une colonne de chiffres, ou pour lui raconter les ennuis rencontrés avec ses clercs, ou pour se plaindre qu'un comptable de l'armée eût encore multiplié les dépenses inutiles. Un soir d'hiver, alors qu'un vent froid courait le long des murs de la maison, Mehrunnisa et Ghias s'étaient blottis l'un contre l'autre pour se tenir chaud. Elle avait pris appui sur le dos de son père, les pieds tendus vers le brasero, et écoutait les nouvelles de Kaboul :

– Un nouveau prêtre hindou est arrivé en ville. En rentrant à la maison, je l'ai entendu réciter aux passants le *Ramayana* sous un figuier banian. Il paraît qu'il connaît par cœur presque toute l'œuvre de Valmiki.

Mehrunnisa leva sur lui des yeux brillants d'enthousiasme.

– Bapa, est-ce que nous pourrions aller l'entendre ? Il le déclame en sanskrit ?

– Ta mère mourrait de honte si tu sortais. Mais nous pourrions peut-être le faire venir à la maison ?

Elle s'agrippa à ses bras.

– Oh, bapa, oui, s'il te plaît !

– J'en parlerai à ta maji.

Le lendemain, Ghias s'entretint avec Asmat, mais celle-ci résista. Quel âge avait ce prêtre ? Était-il convenable de le faire entrer dans une maison habitée par de très jeunes filles ? Que diraient les gens ?

– Voyons, Asmat, ce serait l'occasion pour les enfants de parfaire leur instruction ! Nous ne pouvons les en priver.

Sa femme se rembrunit et tritura d'un geste machinal une mèche de cheveux.

– Nous devons prendre garde à ne pas en apprendre trop aux filles. Sinon, comment trouveront-elles un mari ? Moins elles en sauront, moins elles voudront découvrir le monde. Mehrunnisa réclame suffisamment souvent de sortir.

– Je sais, murmura Ghias en souriant. Elle se demande pourquoi une femme doit rester à la maison quand un homme peut se promener chaque fois qu'il en a envie.

Une lueur inquiète traversa le regard d'Asmat.

– Ne l'encourage pas. Nous devons prendre garde à ce que les gens ne trouvent pas nos filles trop arrogantes pour faire de bonnes épouses.

– Je te le promets. Mais cela me fait plaisir d'avoir au moins un enfant qui s'intéresse à mon travail.

Ghias déposa un baiser sur le front soucieux de sa femme.

– Elles seront bien assez tôt confinées derrière le parda, et pour le restant de leurs jours. Ne les privons pas du peu que nous pouvons leur donner.

Asmat releva la tête.

– Moi aussi j'aimerais entendre ce prêtre. Tu me le permets, Ghias ?

– Bien sûr. Nous l'écouterons tous ensemble.

Aussi le prêtre brahmane vint-il quatre soirées par semaine. C'était un homme mince et élancé, aux côtes apparentes, au crâne rasé à l'exception d'une petite natte à l'arrière du crâne. Malgré le froid ambiant, il ne portait en général qu'un maigre *dhoti*, une simple jupe nouée à la ceinture. Son visage sombre ne s'animait que lorsqu'il récitait les vers de la saga indienne du *Ramayana*, de sa voix mélodieuse. Quand elle en avait le temps, Asmat se joignait à ses filles derrière le fin rideau de soie qui les séparait des hommes. La décence voulait qu'elle demeurât derrière le parda ; alors Mehrunnisa s'asseyait au premier rang, le visage plaqué contre l'étoffe. Lorsqu'elle posait des questions au prêtre, celui-ci prenait chaque fois la peine de lui répondre avec gravité.

Et les jours s'écoulèrent ainsi. Les enfants recevaient tous une instruction religieuse et étudiaient également les mathématiques, la géométrie, l'astronomie et les textes classiques. Outre ces leçons, Asmat tenait à ce que ses filles sachent peindre, coudre, broder et diriger les domestiques. Un soir, en rentrant chez lui, Ghias trouva sa femme et ses filles occupées à broder sur un divan bas.

– Les messagers ont apporté des nouvelles de la capitale, annonça-t-il en brandissant une lettre.

Asmat jeta un coup d'œil à la missive rédigée en turc. Babour, grand-père d'Akbar et premier empereur Moghol, avait imposé sa langue maternelle comme langue officielle de la cour pour perpétuer la tradition de son ancêtre, Tamerlan. Ni Asmat ni Ghias ne connaissaient le turc en arrivant en Inde, mais ils s'étaient donné la peine de l'apprendre. Dans les cours persanes, les nobles conversaient en arabe et en hindi, basé sur le sanskrit, avec quelques emprunts au persan. Désormais, ils parlaient couramment toutes ces langues. À la maison, les discussions formaient un étrange amalgame de persan, d'hindi et d'arabe, les enfants préférant les dialectes de l'Hindoustan au persan de leurs parents.

– Montre-moi, maji, demanda Mehrunnisa.

Sa mère lui tendit la lettre qu'elle déchiffra rapidement avant de retourner à ses broderies. Le prince Salim avait encore un fils. Sa troisième épouse venait de donner naissance au prince Parviz. Déjà deux héritiers pour l'Empire. Mehrunnisa n'avait aucune nouvelle directe de l'impératrice depuis qu'elle habitait Kaboul. Ruqayya n'aimait pas rédiger des lettres, pas même les dicter à un scribe ; pourtant, sans attendre de réponse, Mehrunnisa lui écrivait de temps en temps. Elle apprenait ce qui se passait au harem par le truchement d'épouses de courtisans restées en relation avec sa mère. Celles-ci racontaient que la princesse Jagat Gosini, la deuxième épouse de Salim, était une jeune femme au caractère emporté et qui n'avait peur de rien ni de personne. Néanmoins, elle ne semblait toujours pas capable de donner d'enfant à son époux, ce qui entretenait son humeur maussade.

Mehrunnisa planta son aiguille dans son ouvrage qu'elle déposa à côté d'elle pour s'abîmer dans la contemplation du paysage qu'elle apercevait par la fenêtre, les hautes montagnes couvertes de neige. Elle avait regretté de devoir quitter Lahore, mais elle savait qu'ils y reviendraient dans quelques années. En attendant, elle voyait du pays et se faisait de nouveaux amis. Elle avait enfin fait la connaissance de mirza Malik Massoud, son père adoptif, celui qui l'avait recueillie sous un arbre et l'avait rendue à bapa et maji. Le marchand l'avait quelque peu intimidée avec son visage tanné par le soleil, mais il avait su tout de suite la conquérir :

– Je suis un peu ton bapa, ma fille. Tu ne dois pas avoir peur de moi.

Il lui avait apporté un cadeau, un rouleau de mousseline dorée pour s'en faire un voile, une étoffe si finement tissée qu'on pouvait la passer à travers un anneau. Par la suite, il captiva la fillette durant des heures avec des anecdotes de voyage : attaques de bandits de grand chemin, chameaux qui refusaient de bouger car ils étaient possédés par les démons, tentes qui s'envolaient dans le vent, laissant la caravane à nu, grelottant dans la nuit froide. Elle regretta de le voir repartir et promit de lui écrire tous les mois.

Bapa était très respecté à Kaboul ; les gens venaient de loin pour le voir, pour lui demander conseil et l'écouter avec vénération. Ils lui laissaient toujours un petit cadeau sur la table : un sac brodé lesté de victuailles de mangues, ou de pâtisseries au miel, quand ce n'était pas un cheval, déposé un jour par un noble dans la cour. C'étaient des privilèges afférant au poste de diwan, disait bapa, des privilèges dont toute la famille profitait. Mais, songeait Mehrunnisa avec nostalgie, tout cela n'avait rien à voir avec le zénana impérial, ses femmes magnifiques, ses jalousies mesquines et ses fascinantes intrigues. L'esprit caustique de Ruqayya lui manquait. Comment l'impératrice s'accommodait-elle de l'orageuse deuxième épouse du prince Salim ?

– Quand allons-nous retourner à Lahore, bapa ? demanda-t-elle soudain.

Ghias leva la tête du document qu'il étudiait.

– Quand l'empereur le commandera. Pourquoi ?

– Pour rien.

Mehrunnisa reprit sa broderie, incapable de cacher son impatience. Plus elle grandissait (elle allait sur ses quinze ans), plus bapa et maji lui imposaient de règles. Ne sors pas trop ; n'élève pas la voix ; mets ton voile quand un inconnu, ou tout homme étranger à la famille, vient nous rendre visite. Désormais, ces restrictions allaient codifier sa vie puisqu'elle était une femme. Mais, malgré leur existence cloîtrée, les femmes du zénana impérial trouvaient encore le moyen de franchir les limites du harem, pour visiter des temples et des jardins ou pour voyager. Elles possédaient des terres dans l'Empire et s'entretenaient avec leurs intendants sans causer le moindre émoi. Ruqayya inspirait Akbar sur les cadeaux qu'il fallait faire, sur les mansabs à distribuer ou sur ses campagnes. Malgré son voile, elle restait un conseiller avec lequel il fallait compter. Nulle part dans l'Empire les femmes ne jouissaient d'une telle liberté ; aucune épouse noble ne pouvait espérer tant d'indépendance. L'appartenance à la famille royale donnait aux pensionnaires du harem impérial une émancipation inaccessible à toutes les autres.

Mehrunnisa émit un claquement de langue irrité quand elle s'aperçut que ses points avaient dépassé son modèle de fleurs. Elle retira son aiguille du fil rose et, à l'aide de la pointe, défit les points un à un. Curieusement, le zénana représentait la puissance de l'empereur, sa plus importante possession – parfois plus importante que le trésor ou l'armée. Bien que fermé au reste du monde, il étendait ses tentacules dans chaque domaine de l'Empire.

Elle avait compris cela en s'éloignant du zénana aussi bien qu'en grandissant, car, désormais, elle perdait de sa liberté de mouvement. À quatorze ans, elle était déjà considérée comme bonne à marier.

Peut-être valait-il mieux qu'ils fussent si loin de la cour. La distance savait renforcer le désir. Mais il fallait absolument que bapa retournât à la cour, désormais. Ainsi Merhunnisa pourrait-elle observer Ruqayya, une simple femme, exercer son pouvoir sur les subalternes qui accouraient chaque fois qu'elle les appelait. Ainsi verrait-elle de ses yeux les épouses de Salim. Et Salim ? Il fallait bien qu'il la remarquât enfin, sinon comment deviendrait-elle impératrice ?

3

Baba Shaikuji, ce Sultanat allait te revenir,
Pourquoi m'avoir ainsi attaqué ?
Pour m'ôter la vie, point n'était besoin d'injustice
Je te l'aurais donnée si tu me l'avais demandée.

Munktakhab-ut-Tawarikh

Les doux accords d'un sitar s'échappaient d'un balcon pour envahir la salle de réception du fort de Lahore. Les rideaux de mousseline accrochés aux arcades se gonflaient de la brise qui balayait la cour. Les volutes de fumée bleutée de l'encens s'élevaient en ondulant, répandant des arômes de musc et d'aloès dans la pièce. Le sol de marbre blanc brillait faiblement à la lumière des lampes ; aucun meuble ne le garnissait, sauf un divan couvert de satin dans un coin, flanqué d'éclatantes tentures persanes.

Le prince Salim y avait pris place, la tête renversée sur un étui de velours, un gobelet posé en équilibre instable sur sa poitrine. Il regardait une jeune esclave évoluer dans ses mousselines transparentes au son rythmé de la *tabla* et du sitar, les bracelets de ses chevilles tintant à chacun de ses mouvements. Salim leva les yeux vers le balcon où jouait l'orchestre, puis ils se promenèrent sur les jolis visages qui l'entouraient.

Les dames de son zénana siégeaient auprès du prince, magnifiquement vêtues et délicatement parfumées, si minutieusement apprêtées qu'aucun cheveu ne dépassait. Elles ne portaient pas de voile, ce qui expliquait pourquoi les musiciens étaient enfermés : si les dames du harem apparaissaient sans leur parda devant leur seigneur, nul autre homme ne pouvait être présent. Salim ne recevait que les membres du quartier des femmes : épouses, concubines, petites esclaves et eunuques.

Une brume d'ivresse baignait la salle. Salim leva un doigt languide pour faire signe à une esclave. Elle se précipita, salua gracieusement et versa de l'alcool dans sa coupe de jade. Le prince la porta à ses lèvres et but avidement, les fortes vapeurs picotant ses narines. Dans sa hâte, il renversa un peu de liquide jaune d'or sur sa qaba.

Jagat Gosini, sa deuxième épouse, lui toucha le bras.

Il lui jeta un regard peu amène :

– Qu'y a-t-il ?

– Seigneur, proposa-t-elle doucement, aimerais-tu goûter à ces raisins ?

L'expression de Salim se radoucit et il ouvrit la bouche, la laissant le nourrir comme un enfant, de grains mauves, mais ils lui firent l'effet d'une gorgée de sable. Depuis cinq années qu'il buvait, il avait perdu tout appétit. Il repoussa la main de la jeune femme d'un geste impatient.

À sa droite siégeait Man Bai, à qui il avait donné le titre de bégum Chah, grande princesse de son harem. N'était-elle pas la mère de son premier fils, Khusrau ? Jagat Gosini adressa un signe à Man Bai, si bien que lorsque son époux se tourna vers elle, celle-ci lui offrit des confiseries.

Irrité, le prince regarda dans le vague en tapotant sa coupe de jade contre le marbre, au rythme de la musique. Soudain, il l'envoya se fracasser contre une colonne et elle explosa en mille éclats verdâtres. Déconcertés, les musiciens cessèrent de jouer et les princesses s'immobilisèrent.

– Altesse… murmura Jagat Gosini en posant une main sur son bras.

Mais il la repoussa et se mit debout d'un mouvement incertain.

– Pourquoi ce vieillard ne meurt-il pas ? s'emporta-t-il. Voilà trente-cinq ans qu'il règne. Il est temps qu'une nouvelle génération prenne place sur le trône de l'Hindoustan.

Un lourd silence lui répondit.

Les poings serrés, la face écarlate, Salim arpentait le tapis en titubant quelque peu. Jusque-là il s'était contenté de sa position d'héritier, mais depuis plusieurs mois ses courtisans lui faisaient remarquer, non sans raison, l'injustice qui maintenait Akbar encore en vie quand le prince avait atteint assez de maturité pour assumer à son tour la charge de l'État.

Ses jambes flanchèrent et il s'effondra. Des domestiques se précipitèrent pour l'aider, mais il les chassa et resta étendu, les yeux au plafond, fixés sur un haut-relief de fleur de lotus dorée.

Il avait tout ce qu'il désirait : la beauté, la virilité, doublement prouvée par la naissance de ses deux fils, plusieurs épouses et un nombre égal de concubines. Cependant, cela n'était rien tant qu'il ne possédait pas la couronne. Il devrait se rebeller, ainsi que le lui avaient suggéré Mahabat Khan et ses autres compagnons. Cela donnerait une leçon à Akbar.

À peine cette idée s'était-elle formée dans son esprit embrumé qu'il gémit. Akbar était un empereur redoutable. Jamais il ne laisserait son trône sans se battre. Mais pourquoi ? N'y était-il pas monté à l'âge tendre de treize ans ? Alors que lui, Salim, atteignait les vingt-deux ans et pouvait fort bien diriger le pays.

De rage, le prince martela le sol à coups de poings. Akbar pouvait vivre encore de longues années ; quand il mourrait, il serait peut-être trop tard, Salim serait vieux. À quoi bon, dès lors, devenir empereur ? Il se recroquevilla sur le tapis en pleurant à chaudes larmes.

Jagat Gosini fit signe à tous de s'éloigner. Les musiciens et les serviteurs saluèrent et sortirent en silence. Elle se pencha sur son époux.

– Dors, maintenant, mon prince, tu es fatigué.

Salim s'essuya les joues.

– Quand serai-je empereur ?

– Bientôt, seigneur. Viens te reposer.

Il se laissa ramener vers le divan où il se laissa tomber en hoquetant. On éteignit les lampes et la salle fut plongée dans l'obscurité. Sous la caresse de son épouse, il pleura encore longtemps et finit par s'endormir.

Salim ouvrit les yeux et contempla ces lieux où il ne se reconnaissait pas. Pourquoi avait-il dormi dans la salle de réception ? Il se souleva légèrement puis retomba sur le divan en gémissant, la tête assaillie par une violente migraine, la bouche sèche, empestant l'alcool ranci. Il s'humecta les lèvres et hurla :

– De l'eau !

Les souvenirs de la veille lui revinrent à l'esprit. Il devait agir. Il se leva et se rendit comme il le put à ses appartements où il se plongea jusqu'à la taille dans un bassin d'eau chaude, laissant la vapeur chasser l'alcool de son corps et l'engourdissement de ses pensées. Allait-il devoir entreprendre ce que Mahabat et les autres avaient conseillé… non, insinué ? Mais comment pouvait-il infliger un tel sort à son propre père ? Un père qui l'adorait, dont le regard s'illuminait dès qu'il apercevait son fils ? Cependant, qu'était Salim sans le trône ?

Il emplit ses mains d'eau et s'en aspergea le visage. Non, il devait agir. Mahabat disait que Humam était fiable, qu'il se chargerait d'Akbar sans le faire trop souffrir, juste en le mettant hors d'état de régner. Alors son fils Salim deviendrait empereur…

Quelques heures plus tard, le médecin personnel d'Akbar, *hakim* Humam, entra dans les appartements du prince. Salim fit sortir tous ses serviteurs et s'enferma une heure avec l'hakim. Puis ce dernier sortit, portant à la main gauche un lourd sac brodé, qui servait habituellement de bourse à mohurs d'or.

Salim le suivit des yeux et faillit lui crier de revenir mais changea d'avis. Il avait l'esprit confus à la suite de sa prise matinale d'opium. Peut-être, songea-t-il en se laissant glisser le long de la porte sur le sol de marbre, rien n'allait-il se passer. Ni Salim ni l'hakim n'avaient remarqué l'un des serviteurs d'Akbar adossé à une colonne de la cour.

Quelques jours plus tard, le palais bruissait de rumeurs. L'empereur souffrait d'un accès de coliques et ne semblait pas s'en remettre. Les médecins ne pouvaient rien faire pour le soulager.

Alors qu'il nourrissait ses pigeons dans la cour intérieure de son mardana, Salim apprit que son père était entré en agonie. L'eunuque qui lui apportait la nouvelle toussota pour attirer son attention. Salim écouta ce qu'il avait à dire sans le regarder et lui intima l'ordre de sortir d'un mouvement de la tête. Un pigeon donna un léger coup de bec sur son poing fermé. Salim l'ouvrit et laissa tomber le grain en regardant les oiseaux se bousculer à ses pieds. Fallait-il croire que l'empereur était vraiment malade ? Ou ne s'agissait-il que d'une rumeur amplifiée, comme il en courait si souvent au palais ? Et si Akbar venait à mourir ?

Salim se redressa et lança :

– Hoshiyar !

Caché derrière une colonne, l'eunuque s'avança. C'était le chef eunuque du zénana de Salim, l'homme le plus important des lieux après le prince. C'était lui qui régissait le harem tel un métronome, réglant les querelles des femmes, épouses, concubines, esclaves, domestiques et cuisinières. Il leur distribuait aussi leurs rentes et les conseillait sur leurs placements.

Comme tout un chacun, il avait reçu pour instruction de ne pas déranger le maître, mais il ne se tenait jamais loin de lui. Cette fois encore, il écouta, salua et s'éloigna sous l'œil pensif de Salim. Ce qui était fait était fait. Humam lui avait promis qu'Akbar vivrait. Il avait d'autres choses à penser maintenant.

Avec l'aide d'Hoshiyar, il envoya des espions dans le palais de son frère, le prince Mourad, afin de vérifier ses activités. À vingt et un ans, Mourad était lui aussi prétendant au trône ainsi que Daniyal. Le droit d'aînesse n'étant pas aussi primordial dans l'Inde moghole qu'en Europe, les trois fils d'Akbar pouvaient briguer sa succession.

Les espions rapportèrent que Mourad n'était pas en état de lui disputer la couronne. Ivrogne invétéré, il ne retrouvait sa lucidité que quelques heures par jour. Dénué de toute ambition, il se contentait du vin et des femmes. Quant à Daniyal, il était encore trop jeune pour représenter une menace. Aucun de ces deux princes ne pourrait inspirer confiance aux nobles de la cour qui se tourneraient tout naturellement vers Salim.

Dans sa chambre, Akbar souffrait en silence sans oser exprimer son effroi. La douleur labourait son corps et la soif le torturait. Mais ses tourments physiques n'étaient rien comparés à la douleur qui lui étreignait le cœur. La veille, l'un des domestiques au service de Salim avait demandé une audience et ses paroles avaient empli Akbar d'une incroyable détresse.

L'empereur ne cessait de s'agiter dans son lit. Comment porter crédit à une accusation si infamante contre son fils ? Cependant tous les faits concordaient et son état empirait de jour en jour ; c'était un homme encore robuste pour ses quarante-neuf ans, qui ne s'autorisait aucun excès et avait toujours joui d'une bonne santé. Pourtant, les coliques ne cessaient pas et les douleurs redoublaient d'intensité. Il ne se sentait plus que l'ombre de lui-même.

Il se tourna encore en gémissant et Ruqayya se leva de son divan, dans un coin de la pièce, pour faire signe aux serviteurs de s'en aller. Elle se rassit lourdement en détournant les yeux de son époux, car elle souffrait de le voir si affaibli. Salim n'était pas son fils, mais elle le connaissait et l'aimait depuis sa plus tendre enfance. Son acte défiait la raison. Mais infiniment plus grave était le chagrin d'Akbar. Si les coliques ne le tuaient pas, sa peine aurait raison de lui et toutes ces années au cours desquelles le harem entier et l'empereur lui-même avaient prié pour voir venir un héritier mâle, pas plus que leur joie à la naissance de Salim, ne signifieraient plus rien. Ils avaient tous échoué dans leur devoir d'en faire un homme droit.

Cependant, une autre pensée s'insinuait dans son esprit... Akbar n'était-il pas responsable des faiblesses de son fils ? Combien de fois Ruqayya avait-elle alerté l'empereur, lui conseillant de confier quelques responsabilités au prince, afin qu'il passe moins de temps au zénana et davantage parmi les chasseurs, les guerriers et les hommes de science ? Néanmoins, Akbar faisait la sourde oreille : s'il envoyait son fils en campagne ou poursuivre ses études avec d'illustres mollahs, il ne l'aurait plus auprès de lui. Pieds nus, un domestique se glissa dans la chambre et se pencha à l'oreille de l'impératrice. Elle écouta puis s'approcha du lit de son époux.

– Seigneur, l'hakim Humam est arrivé.

– Qu'il entre.

Ruqayya ordonna aux eunuques qui gardaient la porte de laisser passer l'hakim. Tandis qu'elle se voilait, elle entendit l'empereur articuler :

– Merci.

De lourdes larmes glissèrent sur ses joues rebondies. Elle serra la main pâle entre ses paumes.

– Je voudrais pouvoir faire cent fois plus pour toi, mon roi.

Humam entra et salua. Akbar lui fit faiblement signe d'approcher. L'hakim vint s'agenouiller devant lui.

– Nous nous passerons désormais de tes services.

Humam leva un visage étonné sur Akbar qui le fixait avec une surprenante sévérité.

– Mais, Votre Majesté, je vous ai servi et vous servirai toujours, au prix de ma vie s'il le faut.

Jamais il n'avait vu l'empereur si dur ni si cassant. Akbar était connu pour son caractère égal, et cette soudaine décision n'en semblait que plus terrifiante.

– Assez ! rugit celui-ci. Hors de ma vue, et que je ne revoie jamais ta méprisable face !

Deux domestiques s'emparèrent vivement de lui et l'éloignèrent du lit. Devant la porte, Humam inclina la tête, salua et sortit à reculons.

L'impératrice Ruqayya le regarda partir en se demandant s'il était conscient de sa chance d'avoir encore la tête sur les épaules. S'il ne s'était agi que d'elle, Humam n'eût jamais revu le soleil se lever, mais l'empereur avait insisté pour qu'on ne punît pas l'hakim – sans doute, songeait-elle, parce que c'eût été reconnaître la culpabilité de Salim.

Toute la semaine qui suivit, Akbar fut entre la vie et la mort. Puis, lentement, avec l'aide de médecins et de ses épouses dévouées, il guérit. Mais l'empereur ne fut plus jamais le même : il se montra désormais plus calme, plus réservé, et bientôt la cour put se rendre compte que les relations entre Akbar et son héritier s'étaient considérablement dégradées.

Alors que le soleil couchant annonçait la fin du jour, Ghias Beg reposa lentement sa plume près de l'encrier et posa les coudes sur son écritoire, laissant les rayons dorés jouer sur ses papiers. Il observa l'obscurité dévorer peu à peu la lumière derrière les montagnes jusqu'à ce qu'elles disparaissent à sa vue. Alors seulement il se détourna de la fenêtre.

Devant lui s'étalait un *farman* impérial, un décret par lequel Akbar le félicitait de ses quatre années de service en tant que diwan de Kaboul et le priait de revenir à la cour de Lahore.

Quatre ans, songea Ghias avec une bouffée de bonheur. Quatre longues années de travail harassant. Son père eût été fier de lui. Au début, ce poste avait rebuté Ghias qui ne voulait pas quitter la cour, mais quel moyen de résister à un ordre de l'empereur ? Au risque de voir s'y enliser sa carrière, il avait bien dû obéir et s'installer à Kaboul.

Toutefois, ses craintes n'étaient pas justifiées. Ghias contempla une fois encore le farman marqué du lourd sceau impérial. Au lieu de l'oublier, Akbar semblait l'avoir observé ces quatre années tant par le biais de ses espions que par les rapports que son diwan lui envoyait régulièrement de Kaboul.

Des bracelets de cheville tintèrent à sa porte et Ghias sourit. Il s'était passé tant de choses en quatre ans ! Abul et Muhammad avaient pris femmes ; un peu tôt pour Muhammad, mais Ghias avait espéré que le mariage l'assagirait un peu. Malheureusement, il n'en fut rien et son second fils se montrait plus distant que jamais. Ghias soupira. Peut-être que si un enfant lui venait… La paternité devrait bien l'apaiser. Une fois que Muhammad fut établi, une très belle *rishta*, une alliance inespérée, s'était présentée pour Abul et lui aussi s'était marié. Cependant, Saliha l'avait devancé en épousant un gentilhomme du nom de Sadiq Khan. Il n'eût pas été bon pour elle de rester fille et d'assister aux noces de ses frères. La nouvelle famille de Saliha était chaleureuse et

Ghias leur confia sa fille aînée sans inquiétude. Il pourrait repartir pour Lahore le cœur léger.

Quant aux autres filles, Mehrunnisa, Manija et Khadija, elles poursuivaient leurs études, de même que Shahpur.

Ah ! Mehrunnisa avait maintenant seize ans et faisait honneur à son nom, Soleil des femmes ! Comment le temps avait-il pu passer si vite ? De leur vie, ni Asmat ni lui n'avaient fait preuve de la moindre préférence pour aucun de leurs enfants, mais avec Mehrunnisa c'était parfois difficile. Son sourire, son rire, l'éclat malicieux de ses yeux bleus emplissaient Ghias d'une satisfaction toute paternelle. S'il avait été admis qu'une fille pût vivre toute sa vie sous le toit de ses parents, Ghias eût choisi Mehrunnisa sans la moindre hésitation.

Ce soir-là, lorsque les domestiques se furent retirés après avoir éteint les lampes, Asmat et Ghias demeurèrent étendus côte à côte dans un agréable silence.

Ce fut Asmat qui parla la première :

– Il serait temps de songer à établir Mehrunnisa.

Ghias se tourna pour deviner l'ombre du visage de sa femme.

– Oui, elle a déjà seize ans.

– Elle va bien nous manquer, souffla Asmat.

Ghias lui prit la main et la serra tout en cherchant des mots qui ne trahiraient pas son propre désarroi.

– Elle sera un atout pour nous autant que pour son futur époux. Nous l'avons bien éduquée.

– Ce doit être un grand mariage, Ghias. Avec quelqu'un qui comprenne ses besoins et stimule son esprit. Je sais qu'elle fera une excellente épouse.

– Tes paroles sont sages, ma chérie. Je vais me mettre en quête parmi nos amis d'un époux digne d'elle et, lorsque je l'aurai trouvé, j'irai me présenter à l'empereur.

Comme pour tout mariage concernant un membre de la cour, Ghias devait demander son autorisation de principe à Akbar. En réfléchissant à un époux digne de sa fille, Ghias s'endormit d'un sommeil agité.

De l'autre côté du jardin, Mehrunnisa gisait tout éveillée sur son matelas de coton. Quelque part dans la nuit, un chien aboya puis gémit : une pierre avait dû le frapper. Mehrunnisa ne bougeait pas, les mains sur le ventre, l'esprit bourdonnant de rêves. Enfin, ils allaient rentrer à Lahore. Enfin, elle allait revoir la cour, le zénana impérial, l'impératrice avec son esprit vif et ses sarcasmes mordants. Mais, par-dessus tout, elle se rapprocherait de Salim.

Elle se tourna sur le côté, la tête reposant sur un bras, et ferma les yeux, un sourire aux lèvres.

Ils s'engagèrent dans la longue expédition de retour vers Lahore. Sur son robuste cheval des montagnes, Ghias se rappelait un autre voyage au cours duquel ils avaient traversé la passe de Khyber pour entrer dans l'Hindoustan. La vie était alors incertaine, chaque jour apportant son lot d'insécurité. L'hiver mordait leurs corps fatigués. Mais aujourd'hui ils s'installaient dans d'épaisses tentes de toile, dormaient sur des matelas de plumes, posaient la tête sur des coussins recouverts de soie. Ses fils, devenus des hommes, chevauchaient à ses côtés, alors que les femmes de sa famille voyageaient dans des *howdabs*, ces litières couvertes installées sur des chameaux.

En arrivant à Lahore, Ghias se précipita pour présenter ses hommages à l'empereur. Après le profond *konish* d'usage, il leva les yeux sur Akbar et en resta stupéfait : celui-ci avait les cheveux presque blancs et, bien que sa physionomie paisible n'eût pas changé, elle trahissait une profonde tristesse. Ghias lança un regard rapide vers le prince Salim, assis près du trône. C'était donc vrai. Des rumeurs lui étaient parvenues jusqu'à Kaboul, qui lui avaient appris la maladie de l'empereur et l'attitude de l'hakim Humam. De tels événements ne restaient jamais longtemps secrets.

– Tu as bien servi l'empire à Kaboul, commença Akbar.

– Votre Majesté est trop bonne, je n'ai fait que remplir ma mission.

– Nous sommes contents de ton travail.

Sur un signe d'Akbar, un domestique s'approcha, portant un grand plat d'or sur lequel reposait une épée incrustée de joyaux et une robe d'honneur. Ghias s'agenouilla et Akbar lui remit ces présents.

D'un balcon grillagé, le harem impérial assistait à la cérémonie. Dès que Ghias se fut relevé, Ruqayya Sultan Begam éleva la voix :

– Seigneur, pourrais-tu demander à mirza Beg que son épouse et sa fille, Mehrunnisa, viennent se présenter ici ?

Akbar interrogea Ghias du regard.

– Il en sera fait selon vos vœux. Elles seront honorées d'apprendre que vous souhaitez leur présence, répondit celui-ci en regagnant sa place.

À la fin de l'audience matinale, le visage de l'empereur se crispa soudain de fatigue. Le prince Salim tendit la main vers son père puis la retira en le voyant se détourner. Cela s'était passé si vite qu'outre Ghias peu de courtisans s'en aperçurent. Ghias rentra chez lui en songeant aux événements de ce darbar. Au cours des semaines suivantes, il interrogea ses amis pour tâcher d'en apprendre davantage sur l'histoire de Humam. Était-ce vrai ? ou ne s'agissait-il que d'une calomnie répandue par les ennemis de Salim ? Quel fardeau que la couronne ! Les rois ne cessaient de combattre frères, pères et fils pour la garder.

Lorsque Mehrunnisa pénétra dans les appartements de Ruqayya, le lendemain matin, deux concubines jouaient aux échecs, entourées de dames qui les observaient en silence. Des vapeurs d'encens de santal s'échappaient de brûleurs d'or et d'argent, répandant des volutes de fumées à travers la pièce. De petites esclaves et des eunuques servaient du vin et des sorbets ou éventaient les femmes à l'aide de plumes de paon. Un pépiement d'oiseau alerta Mehrunnisa qui se retourna pour découvrir une concubine allongée sur un divan, les épaules soutenues par un traversin de velours, une perruche perchée sur ses doigts. Elle fit vibrer ses lèvres, comme si elle voulait l'embrasser, et l'oiseau tendit le bec vers sa bouche. En récompense, il reçut un éclat d'amande et battit joyeusement des ailes. Mehrunnisa reporta son attention sur l'impératrice en se demandant s'il fallait ou non se manifester à elle.

C'est alors que Ruqayya l'aperçut et lui fit signe d'approcher vers le divan où elle fumait la *hukkah*, une pipe à eau. Mehrunnisa vint lentement à elle, soudain intimidée. Voilà quatre années qu'elle n'avait vu Ruqayya : ses cheveux étaient désormais gris et des rides creusaient son visage rond. Mais son regard n'avait pas changé, toujours aussi sombre, pénétrant et vif.

– Ainsi, te voici de retour ? demanda-t-elle en guise d'accueil.

– Oui, Votre Majesté. Nous sommes rentrés hier.

Ruqayya savait mettre ses interlocuteurs à l'aise, du plus humble serviteur à l'empereur en personne, si bien qu'en peu de temps sa visiteuse eut l'impression de n'être partie que de la veille. Et Mehrunnisa se promit d'apprendre à faire de même. Un jour, Salim lui en saurait gré.

– Comment as-tu trouvé Kaboul ? J'ai cru comprendre que ton père s'y était distingué.

La jeune fille allait répondre quand un enfant aux cheveux bouclés entra en trottinant et vint se percher sur les genoux de Ruqayya.

– Ma, gâteaux, réclama-t-il en tendant une main potelée.

Mehrunnisa ne put s'empêcher d'écarquiller les yeux. Ruqayya n'avait pas d'enfant, alors qui pouvait être ce petit garçon ? Certes, il y avait de nombreux bébés nés dans le zénana, mais jamais elle n'en avait vu se comporter aussi familièrement avec l'autocratique bégum Padchah.

Celle-ci souriait à pleines dents. Elle se pencha vers un plateau d'argent et tendit quelques *burfis* au miel à l'enfant sans se soucier qu'il posât des doigts collants sur son choli ni sur son ventre nu.

– Voici mon fils, Mehrunnisa. Il s'appelle Khurram.

– Votre fils ? bégaya la jeune fille.

– Parfaitement, mon fils à moi ! roucoula l'impératrice en étreignant l'enfant.

Celui-ci se débattit si bien qu'elle déposa un baiser sur ses boucles et le laissa s'échapper. Tandis qu'il courait hors de la pièce, suivi par ses serviteurs, Ruqayya considéra Mehrunnisa avec défi :

– Ce n'est pas moi qui l'ai mis au monde, mais c'est quand même mon fils.

– Certes, Votre Majesté.

– Raconte-moi plutôt ton séjour à Kaboul.

Sur ce, l'impératrice s'adossa de nouveau à ses coussins et reprit sa hukkah.

Une heure entière, Mehrunnisa l'entretint à voix basse pour ne pas déranger les joueuses, interrompue de temps à autre par une question de son interlocutrice. Celle-ci reprit vite sa belle humeur habituelle et finit par caresser le visage de la jeune fille.

– Tu es devenue très jolie. Quel âge as-tu, à présent ?

– Seize ans, Votre Majesté.

– Il serait temps de te marier, ma petite ! Sinon tu ne seras plus bonne à rien. Allons, maintenant, tu peux te retirer, mais reviens demain matin.

Sitôt rentrée à la maison, Mehrunnisa interrogea sa mère sur Khurram. C'était le troisième fils de Salim, que lui avait donné Jagat Gosini voilà deux ans ; il vivait dans les appartements de Ruqayya, persuadé qu'elle était sa mère. Akbar l'avait appelé Khurram, « Joie », en souvenir de la liesse qu'il avait provoquée à sa naissance.

Et Ruqayya Sultan Begam avait aussitôt demandé à l'élever elle-même. Incapable de rien lui refuser, Akbar avait ordonné qu'il fût retiré à sa mère pour être remis à la bégum. Pourquoi cet enfant en particulier ? Le prince héritier en avait d'autres, pourtant c'était celui-ci que Ruqayya avait choisi, fils de la seconde épouse de Salim, la princesse de fer, la seule qui eût jamais osé tenir tête à la maîtresse du zénana. Tout en écoutant sa mère, Mehrunnisa souriait intérieurement. L'impératrice était cruelle, impitoyable et dangereuse. La princesse Jagat Gosini eût mieux fait de l'amadouer en arrivant dans le harem de Salim. Voilà ce qu'il en coûtait de laisser libre cours à son arrogance !

Mehrunnisa se rendait au palais tous les jours après ses leçons, contente d'abandonner ses livres. Ses relations avec l'impératrice avaient évolué ; celle-ci ne la traitait plus comme une enfant : elle lui permettait même de rester lorsque ses intendants venaient lui rendre compte des terres qu'elle possédait à travers l'empire.

– Écoute bien, Mehrunnisa, disait-elle. Tâche de ne jamais l'oublier. Aucune femme ne devrait totalement dépendre d'un homme, ni par la fortune ni par l'amour.

Elle faisait de plus en plus confiance à la jeune fille, surtout en ce qui concernait le prince Khurram. L'impératrice lui vouait un amour exclusif, n'autorisant personne à risquer de lui voler son affection. Une noble dame avait pour charge de lui servir de nourrice et se levait à l'aube tous les matins, venait au zénana pour y remplir son office et ne le quittait que tard dans la soirée, après que Khurram fut couché. De temps à autre, ses responsabilités envers son mari et ses enfants lui interdisaient de venir et c'était alors Mehrunnisa qui s'occupait du jeune prince.

L'impératrice, d'ordinaire si pondérée, était complètement absorbée par l'enfant, au point que sa propre mère, la princesse Jagat Gosini, ne pouvait lui rendre que de rares et brèves visites, en général sous la surveillance de Mehrunnisa. La princesse ignorait autant cette dernière que toutes les autres femmes du zénana, du moins jusqu'au jour où il lui fallut bien l'affronter.

Khurram s'était montré particulièrement turbulent cet après-midi-là, refusant de faire la sieste, ne songeant qu'à s'amuser. Exaspérée par son incessant bavardage, l'impératrice l'avait envoyé au jardin attenant à ses appartements, avec mission, pour Mehrunnisa, de ne pas le quitter d'une semelle.

Ils étaient assis tous les deux sur la véranda à regarder le soleil former des arcs-en-ciel autour des fontaines. Dans un coin, un énorme peepul étendait ses larges branches sur quelques femmes qui s'étaient assises dans son ombre, leurs ghagaras relevées sur les genoux pour se dessiner des motifs au henné sur les pieds et sur les jambes. L'une d'elles venait de dégager les épaules d'une autre de son choli et, à l'aide d'une feuille roulée en cône emplie de henné, traçait un dessin. Lorsqu'il serait sec, la femme serait parée d'une forêt de fleurs rouges dans le haut du dos. C'était l'une des esclaves de l'empereur, qui devait danser le soir-même pour Akbar, à peine revêtue d'autre chose que de son henné. Quoique très pris par les affaires de l'État, Akbar ne dédaignait jamais les inventions de ses danseuses.

Pour quelques minutes de plaisir qu'elles lui octroyaient, elles pouvaient être récompensées par des bijoux d'une incroyable splendeur, par des propriétés ou des demeures où vivre confortablement le reste de leurs jours. Elles n'avaient pas toutes la fortune de l'impératrice Ruqayya ; celle-ci connaissait Akbar depuis l'enfance puisqu'ils étaient cousins, élevés ensemble, sachant qu'un jour ils allaient se marier. L'impératrice ne parlait jamais de cette époque. L'empereur l'avait-il convoitée ? Peut-être. L'avait-il désirée avec une concupiscence qu'aucune autre femme n'eût pu satisfaire ? Ou leur relation n'avait-elle jamais été autre que ceci : plaisante, stable, forte, teintée de cette confiance que nul ne pourrait atteindre ?

Une seule femme dans le harem pouvait prétendre à une telle intimité avec Akbar : Salima Sultan Begam, cousine de Ruqayya. Mehrunnisa avait appris, par les rumeurs du zénana, que Ruqayya avait accepté de bon cœur leur mariage. Les deux femmes entretenaient une véritable amitié mêlée de respect mutuel. Elles se connaissaient depuis l'enfance mais n'éprouvaient aucune jalousie l'une envers l'autre. Elles se partageaient l'affection d'Akbar dont la plus grande part allait subrepticement à Ruqayya, car elle était sa femme depuis longtemps.

Malgré cela, Mehrunnisa était convaincue que, pour sa part, elle ne pourrait partager Salim avec quiconque, ni sœur ni amie.

Elle regarda Khurram se lever et courir vers un massif. Il ramassa un morceau de bois et entreprit de creuser autour des coquelicots, jetant de la terre de tous côtés. La jeune fille contempla ses mains, qu'elle n'avait jamais colorées au henné. Un jour, on y dessinerait des motifs pour ses noces, et elle-même en ornerait tout son corps pour Salim. Cette idée la fit rougir et elle cacha ses mains derrière son dos.

Une masse de terre l'atteignit de plein fouet. Khurram continuait de labourer le massif avec une belle ardeur. Il poussa des hurlements quand elle voulut l'en empêcher.

– Lâche-moi, Nisa ! Lâche-moi !

– Votre Altesse ne doit pas toucher à la terre. Vous savez que c'est défendu. Je vous en prie, revenez sous la véranda.

– Non !

Luttant de toutes ses forces, il lui présenta un visage grimaçant de fureur.

Mehrunnisa préféra le lâcher de peur d'ameuter tout le zénana.

– Bon, mais nous pourrions faire autre chose, voulez-vous ?

– Joue avec moi, Nisa.

– À quoi voulez-vous jouer, Altesse ?

– À cache-cache. C'est moi qui vais me cacher.

Mehrunnisa faillit refuser. Elle ne savait que trop qu'il allait l'entraîner à ramper sous les palissades ou à grimper dans les grands *chenars* ; impossible de sortir propre de l'exercice. Mais elle devait obéir au prince.

– Je vais compter jusqu'à cinquante. Allez vous cacher, Altesse.

Elle appuya la tête contre une colonne, ferma les yeux et se mit à compter.

– ... Quarante-huit, quarante-neuf, cinquante. Êtes-vous prêt ?

– Oui, couina une petite voix.

Elle sourit en apercevant la plume de héron du turban de l'enfant dépasser de la palissade sur sa droite. Cependant, elle se dirigea vers la gauche avant de se mettre à quatre pattes :

– Où êtes-vous, Seigneur ? cria-t-elle.

Elle se sentit rapidement sale, sa ghagara pleine de taches d'herbe, des mèches s'échappant de son chignon. Elle essuya son visage en sueur, laissant des traces noires sur ses joues. Elle allait devoir faire mine de le chercher encore un peu.

Khurram laissa échapper un petit rire joyeux et Mehrunnisa se retourna pour le regarder derrière la palissade. C'est alors qu'elle aperçut deux pieds glissés dans des escarpins incrustés de pierres précieuses. Levant lentement la tête, elle découvrit d'abord la ghagara bleu ciel, les mains aux nombreuses bagues, le fin voile de mousseline qui voletait dans la brise. La jeune femme qui lui faisait face possédait une beauté des plus classiques, le teint cuivré, des yeux d'onyx sous de longs sourcils arqués, une bouche bien dessinée et de hautes pommettes.

Mehrunnisa se releva en hâte, manquant de trébucher sur les plis de sa jupe.

– Votre Altesse, souffla-t-elle. Je ne vous avais pas vue venir.

– Certes, dit Jagat Gosini. Qui es-tu ?

– Et *toi* ?

Toutes deux se retournèrent vers le prince Khurram qui s'était redressé, lui aussi, derrière la palissade, les mains sur les hanches. Un petit sourire échappa à Mehrunnisa tant il lui rappelait la posture préférée de Ruqayya quand elle réprimandait une esclave.

Une lueur de tristesse assombrit le regard de Jagat Gosini qui répondit :

– Je suis la princesse Jagat Gosini.

Princesse Jagat Gosini, nota mentalement Mehrunnisa, et non pas « ta maman ». Au fait, que faisait-elle ici ? Ruqayya serait furieuse si elle apprenait cette visite impromptue.

Khurram tendit un bras impérieux vers le portail du jardin :

– Va-t'en. Je joue avec Nisa.

– Je suis venue te voir, Khurram.

Soulevant ses jupes, Jagat Gosini passa par-dessus la barrière, la main tendue.

Mais l'enfant lui échappa pour aller se réfugier contre la ghagara de Mehrunnisa.

– Va-t'en, répéta-t-il. Ou je le dis à ma.

– Non, je t'en prie… Je m'en vais.

Elle jeta un regard mauvais à Mehrunnisa.

– Toi, tu ne dis rien à l'impératrice, c'est compris ?

– Oui, Votre Altesse.

– Qui es-tu, d'abord ? Où est la gouvernante de Khurram ?

– Mirza Ghias Beg est mon père, Votre Altesse.

– Ah oui ?

Les sourcils magnifiques se soulevèrent.

– Je n'ai jamais entendu parler de lui. Envoie immédiatement chercher la gouvernante de Khurram.

Mehrunnisa sentit le rouge lui monter aux joues et prit une longue inspiration pour recouvrer son calme.

– Votre Altesse, l'impératrice nous enverra chercher dès qu'elle aura terminé sa sieste. Nous devons rentrer maintenant.

– Soit, mais surtout pas un mot à l'impératrice. Si tu dis quoi que ce soit, tu le regretteras.

– J'obéirai, Votre Altesse, j'obéirai.

Mehrunnisa posa une main sur la tête du petit garçon pour l'entraîner avec elle et aperçut alors le regard empli de haine que lui décochait Jagat Gosini. Elle eût peut-être compati au chagrin de la princesse si celle-ci ne lui avait témoigné une telle animosité. Khurram se serrait tellement contre ses jambes qu'elle se pencha pour le soulever de terre ; alors il posa la tête sur son épaule et considéra sa mère d'un air étonné.

La princesse se détourna et quitta rapidement le jardin. Mehrunnisa coucha l'enfant à l'ombre d'un neem et il ne tarda pas à s'endormir sur ses genoux. Une douce quiétude envahit la jeune fille qui se mit à contempler les grands tournesols dans la brume de midi. Ainsi, elle avait rencontré la deuxième épouse de Salim. Il se disait, dans le zénana, que Jagat Gosini était très puissante au harem de Salim, qu'elle menait le prince baguette par le bout du nez. Mehrunnisa, quant à elle, la trouvait arrogante et bien peu courtoise.

Peut-être pourrait-elle changer tout cela. Pour le moment, Salim ne l'avait pas encore vue depuis son retour de Kaboul. Il ne venait dans les appartements de Ruqayya qu'une fois par mois, le soir, lorsque Mehrunnisa était déjà partie. De toute façon, elle n'était pas pressée de le rencontrer. Au cours des derniers mois, elle avait observé les dames du harem et, le soir, discutait politique avec son père. Elle bavardait aussi avec sa mère qui l'emmenait voir d'autres harems, ce qui lui permettait de se faire une idée assez précise non seulement de la vie au zénana, mais aussi des goûts de Salim et de la situation à la cour. Ghias, qui avait toujours pour habitude de suivre ses impulsions, était pourtant parvenu à inculquer à sa fille la vertu de la patience et elle en usait avec cette belle confiance conférée par la jeunesse et la beauté.

Néanmoins, l'heure était venue de se faire remarquer par le prince, et les paroles cruelles de Jagat Gosini ne l'y incitèrent que davantage. Elle détailla son reflet dans le bassin. On lui disait souvent qu'elle était devenue jolie, mais cela suffirait-il à retenir l'attention de Salim ?

Sous le peepul, l'esclave se retrouvait à présent couverte de motifs au henné sur tout le haut du dos ainsi que sur les mollets. Étendue sur le ventre, les bras écartés, elle attendait que la pâte sèche. C'était une question de pouvoir, se dit Mehrunnisa. Ces femmes savaient s'en emparer et le garder. De Ruqayya, elle avait appris l'importance de la conversation et de l'aisance. Ici, elle comprenait ce que pouvait apporter la beauté.

Elle sourit en contemplant la tête bouclée qui reposait encore sur ses genoux. Sans doute Jagat Gosini se montrerait-elle plus prudente lorsque son époux et son fils seraient aux pieds de Mehrunnisa.

Alors que la jeune fille continuait de rêver dans les jardins impériaux, Ali Quli Khan Istajlu se faisait annoncer dans le Diwan-i-am de l'empereur. Il pénétra lentement dans la salle des audiences publiques et, devant le trône, s'inclina dans un profond salut, touchant le sol du dos de la main avant de la porter à son front et de se redresser.

Akbar inclina légèrement la tête tandis qu'Ali Quli jetait un regard en coin vers le khan-i-khanan, le commandant en chef des armées impériales, son mentor à la cour. Abdur Rahim lui adressa un léger signe. Ali Quli avait bien exécuté le tassili, son salut à l'empereur.

Ali Quli n'était pas un habitué de la cour. Comme Ghias Beg, il avait fui la Perse mais seulement après l'assassinat du chah Ismail II, en 1578. Il avait été son *safarchi*, son serveur à table. Déjà, à l'époque, il savait que ce n'était pas là un emploi qui lui convenait. Aussi s'était-il enrôlé dans l'armée du khan-i-khanan qui se dirigeait alors vers la vallée de l'Indus pour y assiéger le roi de Thatta. Au bout de six mois d'âpre lutte, Thatta s'était rendu et Ali Quli s'était fait remarquer par sa bravoure. Impressionné par ce valeureux combattant, Abdur Rahim avait promis de le présenter à l'empereur.

– Est-ce le courageux soldat dont tu nous as tant parlé, Abdur Rahim ? demanda Akbar.

– Oui, Votre Majesté.

L'empereur dévisagea Ali Quli. Âgé d'une trentaine d'années, grand, d'une puissante carrure, la peau tannée par le soleil, il le fixait d'un regard sans peur.

– Nous avons apprécié ton dévouement et ta loyauté envers le trône, reprit Akbar.

Un serviteur apporta la robe d'honneur et l'épée ciselée de joyaux. Akbar lui offrit également un petit mansab de deux cents cavaliers et fantassins. Subjugué par ces cadeaux, Ali Quli tomba à genoux et remercia l'empereur.

Akbar sourit.

– Nous avons encore beaucoup à t'offrir, Ali Quli. Nous espérons que tu resteras encore longtemps dans notre armée.

– Certainement, Votre Majesté.

Ali Quli salua de nouveau et sortit du Diwan-i-am.

L'empereur le suivit des yeux, songeur. Il connaissait beaucoup de jeunes gens de la trempe du Persan : brave, audacieux mais incapables de tenir en place. Abdur Rahim, habituellement plutôt avare de compliments, n'avait tari d'éloges sur ce jeune homme. Mais combien de temps encore Ali Quli servirait-il la couronne ?

Il avait besoin de se fixer, de se sentir accroché à l'empire moghol par un point d'ancrage qu'il ne pourrait briser. Le mariage y pourvoirait.

Les yeux d'Akbar parcoururent l'assemblée silencieuse. Qui parmi ses courtisans avait une fille susceptible de faire une bonne épouse pour le soldat persan ?

Tout d'un coup, son regard se posa sur un homme et l'empereur fit appel à sa puissante mémoire pour passer en revue les membres de sa famille. Voilà qui conviendrait à la perfection. Dès cet après-midi, il s'entretiendrait avec la Padchah Begam Ruqayya ; celle-ci saurait bien lui dire s'il prenait une décision judicieuse.

Les paupières plissées de contentement, Akbar regardait Ghias Beg.

4

La fille née dans le désert... avait été élevée avec le plus grand soin. En musique, en danse, en poésie, en peinture, elle n'avait point d'égale parmi les personnes de son sexe. Ses dispositions étaient très étendues, son intelligence vive et acérée, son esprit noble et libre.

Alexander Dow – *Histoire de l'Hindoustan*

Le Mir Tozak, le maître des cérémonies lança d'une voix forte :

– Que mirza Ghias Beg vienne se prosterner devant Sa Majesté impériale, l'empereur Akbar.

La cour se tenait dans le *Diwan-i-khas*, la salle des audiences privées. Ghias s'avança et plongea dans le konish, posait sa paume droite sur sa tête avant de s'incliner devant l'empereur. En exécutant le konish, celui qui saluait plaçait sa tête dans la main de l'humilité et l'offrait à l'assemblée, prêt à accomplir tout ce qui serait exigé de lui.

Ghias se redressa et attendit. Nul n'avait le droit de s'asseoir en la présence de l'empereur et Ghias eût considéré cet acte comme sacrilège.

– Mirza Beg, nous t'avons fait venir dans un but précis.

– Je suis à vos ordres, Padchah.

– As-tu une fille en âge de se marier ?

Ghias en resta muet de surprise.

– Elle s'appelle Mehrunnisa, Seigneur, intervint Ruqayya derrière la grille qui dissimulait le zénana aux yeux de la cour.

– Oui, Mehrunnisa. Quel joli nom ! Ghias, j'ai à ma cour un valeureux jeune homme du nom d'Ali Quli Khan.

– Je me souviens de ce guerrier, Votre Majesté, répondit prudemment Ghias.

Ainsi, c'était le motif de la convocation impériale.

– Nous avons décidé de l'honorer. Et quel plus grand honneur pourrions-nous lui faire que de lui accorder la main de ta fille ? Vous êtes tous deux persans et partagez les mêmes coutumes. Nous désirons voir s'accomplir ce mariage.

– Oui, Votre Majesté.

Les désirs de l'empereur n'étaient-ils pas des ordres ? Il ne restait qu'à obtempérer. Ghias pouvait abandonner sa recherche d'un époux digne de sa chère Mehrunnisa. Ali Quli l'avait impressionné le jour de sa présentation à la cour. Chassant les inévitables doutes qui l'envahissaient, Ghias inclina la tête.

– Je vais immédiatement commencer les préparatifs des noces, Votre Majesté.

Ghias rentra chez lui au galop tout en se remémorant la moindre parole, la moindre inflexion de voix de l'empereur. Il ne doutait pas un instant que la Padchah Begam Ruqayya fût intervenue dans cette décision. Ne s'était-elle pas trahie en intervenant en pleine audience ? Décidément, il fallait y voir un gage de félicité pour cette union.

Le soir tombait lorsqu'il arriva en vue de sa maison et la rue s'emplissait des fumées montées des cuisines. L'odeur du feu de bois ramena de vifs souvenirs à Ghias : il se revoyait abandonnant Mehrunnisa à l'orée d'un village, persuadé qu'il ne reverrait jamais sa fille. Et voilà qu'elle allait de nouveau le quitter.

Le quatrième appel à la prière s'éleva des mosquées de Lahore à l'instant où il pénétrait dans la cour de sa maison. Il savait que, dans le jardin, Asmat et les enfants s'agenouillaient déjà face à La Mecque. Il descendit de cheval, abandonna ses rênes au valet d'écurie et courut les rejoindre.

Ils levaient les mains en articulant silencieusement les versets sacrés puis se prosternaient lentement. Ghias regarda Mehrunnisa, Khadija, Manija et Shahpur se relever puis rentrer dans la maison. La nuit tombait vite et les serviteurs s'activaient sans bruit, allumant les lampes à huile dans les pièces et le jardin.

Asmat vint à lui, les clochettes de ses chevilles tintinnabulant au gré de ses pas.

– Pourquoi es-tu en retard, aujourd'hui ? La prière est passée.

– J'ai été convoqué par l'empereur.

Le regard d'Asmat s'emplit d'interrogation.

– Il donne notre fille à Ali Quli.

Très lentement, Asmat s'assit sur le banc de pierre du jardin.

– Qui est-ce ?

– Un soldat, un valeureux guerrier qui a aidé le khan-i-khanan à conquérir Thatta.

Ghias hésita avant d'ajouter :

– Il vient de Perse, comme nous. Il a été le safarchi du chah Ismail II.

Asmat se rembrunit et réfléchit un instant :

– Dans ce cas, il doit être beaucoup plus âgé que Mehrunnisa.

– Femme, l'empereur commande.

Il lui prit la main et poursuivit :

– J'ai assisté à la présentation d'Ali Quli à la cour. Il s'est distingué sur les champs de bataille et fait maintenant partie des favoris de l'empereur. En lui donnant Mehrunnisa, Akbar nous témoigne un grand honneur. Il veut unir nos deux familles persanes.

– Cependant, Ghias, ce n'est qu'un simple soldat ! Que peut-il connaître aux textes classiques, à la poésie, à la musique ? Comment conviendrait-il à une fille si soigneusement éduquée, qui aime tant les arts, qui est si... raffinée ?

– Ce sera une bonne alliance, je te l'assure. Ali Quli sera un excellent époux, il saura s'occuper d'elle. Que pouvons-nous demander de plus d'une rishta, d'une alliance ?

Les yeux étincelant de colère, Asmat retira ses mains de celles de son mari.

– Entends-tu tes paroles ? Est-ce cela que nous voulions pour Mehrunnisa ? Es-tu à ce point aveugle aux aspirations de ta fille ? Tu as pourtant le devoir de la rendre heureuse.

– Assez ! rugit Ghias. Ordonne-lui de venir immédiatement.

Asmat se leva sans délai, le toisant d'un regard glacial.

– N'élève pas la voix avec moi, je te prie. Je ne me suis encore jamais dressée contre tes désirs. Mais envoyer notre enfant dans une telle maison…

Ghias la prit dans ses bras et l'attira contre lui, posant la tête sur son ventre parfumé de musc.

– J'en suis le premier désolé, souffla-t-il.

Il s'aperçut qu'elle avait détourné le visage et gardait les bras raidis le long du corps.

– Tu sais, insista-t-il, que je ne puis désobéir à un ordre de l'empereur. Ali Quli sera notre gendre et nous devons le traiter avec le respect qu'il mérite. Fais venir Mehrunnisa.

Elle se détacha de lui.

– Comme vous voudrez, monseigneur.

Asmat marcha vers la maison à grandes enjambées furieuses. Était-ce pour en arriver là qu'ils avaient repris Mehrunnisa ? Néanmoins, elle savait que Ghias avait raison. Dès l'instant où Akbar avait exprimé le désir d'unir la jeune fille à Ali Quli, la chose était arrêtée. Ghias ne pouvait rien faire pour l'empêcher. Aucune des deux familles n'oserait contredire l'empereur. Cependant… un soldat pour Mehrunnisa ?

Mehrunnisa s'approcha lentement de son père. Il était assis, l'air pensif. Elle se demandait quelle était la cause de tant d'émotion. Lorsqu'elle lui avait transmis le message de Ghias, sa mère semblait bouleversée, osant à peine la regarder. Et ses yeux brillaient, comme si elle pleurait.

Mehrunnisa s'arrêta devant le banc, posa une main sur l'épaule de son père.

– Bapa…

– Te voici, ma fille… Viens là auprès de moi. J'ai quelque chose d'important à te dire.

Mehrunnisa s'assit et le regarda dans les yeux. Il souriait, mais d'un sourire un peu forcé qui n'étirait pas ses yeux. Une vague d'effroi la traversa, qu'elle s'efforça de chasser.

– Mehrunnisa, je t'ai trouvé un époux.

– Ah !

Les mains de la jeune fille tombèrent de ses genoux pour s'agripper aux rebords du banc. Ce n'était pas possible. Fallait-il déjà la marier ?... Et Salim ?

– C'est un très bel homme, un brave soldat, un prince parmi les princes.

Un fol espoir s'empara de Mehrunnisa. Un prince ? Ghias ne pouvait tout de même parler de...

– Il s'appelle Ali Quli Khan Istalju. Comme nous, il vient de Perse. L'empereur nous fait l'insigne honneur d'avoir pensé lui-même à ce mariage. Nous avons ainsi l'occasion de le servir...

Ghias poursuivit ses explications, mais Mehrunnisa ne l'écoutait plus.

Elle contemplait sans le voir le jardin plongé dans l'obscurité. Elle allait épouser un soldat. Ainsi s'envolait son espoir de devenir un jour impératrice, de diriger le grand empire moghol. Aussi, qu'avait-elle été imaginer ? Ses rêveries stériles ne pouvaient appartenir qu'à l'enfance.

Quelque part dans le lointain, elle entendait les allumeurs de flambeaux qui s'interpellaient par les rues. Le parfum qu'elle avait tant aimé des *rath-ki-rani*, les fleurs Reine de la Nuit, lui paraissait soudain étouffant. Et les incessantes stridulations des grillons lui semblaient insupportables. Par-dessus tout, la voix monotone de son père...

– Mehrunnisa ?

Elle se rendit alors compte qu'il avait fini de parler et guettait sa réponse.

– Tu n'as rien dit, ma chérie.

– Puis-je répondre non ?

Ghias se rembrunit.

– As-tu parlé avec ta mère ?

– Qu'est-ce que maji vient faire ici ? C'est moi qu'on veut marier à un soldat. Pourquoi ?...

Pourquoi n'était-ce pas Salim ?

Ghias la regarda avec tant d'intensité qu'elle finit par relever les yeux.

– J'ai l'impression que je me suis montré beaucoup trop indulgent avec toi, Nisa, que je t'ai accordé trop de liberté. Cette fois-ci, je ne souffrirai pas de discussion. Il ne t'appartient pas de choisir ton époux. Je te parle de ta rishta ; la plupart des pères ne s'en seraient seulement pas donné la peine.

Chacune de ses paroles emplissait Mehrunnisa de honte et de remords. Elle avait répondu à son papa irrespectueusement. Jamais il ne lui avait parlé ainsi, lui qui savait si bien retenir sa colère.

– Je ferai tout ce que tu m'ordonneras.

– Ne veux-tu pas en savoir davantage sur ton futur époux, ma chérie ?

– Non…

Voyant l'air attristé de son père, elle s'empressa de reprendre :

– Si, je veux savoir, bapa. Plus tard, peut-être. Tout ceci est tellement… soudain.

Ghias l'embrassa sur le front.

– Oui. Ce n'est pas tous les jours qu'une jeune fille voit se présenter une si belle demande en mariage. Nous avons beaucoup de chance. Viens, maintenant, allons voir si le dîner est prêt. J'ai faim.

Elle avait envie de se jeter à son cou, de l'embrasser, de le supplier. La décision était-elle déjà arrêtée ? La rishta était-elle fixée ? N'y avait-il pas moyen de revenir en arrière ? Cependant, l'expression de son père la persuada de n'en rien faire. Elle pouvait poser d'autres questions – sur son futur époux –, mais pas celles-là. Elle se leva lentement, mais la voix de Ghias l'arrêta :

– Tu peux dire à ta maji que j'irai rendre visite demain à Ali Quli pour discuter des noces.

– Oui, bapa.

Merhunnisa traversa le jardin d'un pas hésitant, le cœur lourd de désespoir, et se retourna pour observer son père.

Toujours assis sur le banc, les épaules basses, il restait immobile, l'air accablé.

Le lendemain, Mehrunnisa se rendit au palais pour aller présenter ses respects à Ruqayya Sultan Begam. Chemin faisant, elle eut l'impression que tout Lahore était au courant de ses fiançailles. Les gardiennes du zénana, ces imposantes matrones du Cachemire, lui sourirent avec indulgence. Les eunuques ricanèrent et prononcèrent le nom d'Ali Quli lorsqu'elle traversa la cour ; même les esclaves prirent des airs de conspiratrices en la croisant. Cependant, Mehrunnisa poursuivit la tête haute jusqu'au palais de la bégum Padchah. Ruqayya se faisait masser par trois esclaves qui enduisaient son corps d'huiles parfumées.

– Alors, que penses-tu de ton futur époux ? demanda-t-elle en se hissant sur un coude.

– Je ne l'ai pas encore vu, Votre Majesté.

– Je l'espère bien ! Une fille qui se respecte ne voit pas son époux avant les fiançailles. Mais, dis-moi, que penses-tu de mon choix ?

– Votre choix, Votre Majesté ?

– Mais oui, rétorqua la bégum Ruqayya dans un grand éclat de rire. Alors, n'ai-je pas bien choisi ?

– Si, Votre Majesté, répondit Mehrunnisa tout bas.

Ainsi, l'impératrice était derrière cette décision... Mais pourquoi ? Et pourquoi ne pas lui en avoir parlé plus tôt ?

– Il est grand temps que tu te maries, ma petite. Ali Quli est un peu âgé, mais il fera de toi une épouse parfaite. Et puis, c'est un soldat. Peut-être te laissera-t-il ici, avec moi, lorsqu'il partira en campagne.

À présent, Mehrunnisa comprenait tout. Au fond, l'impératrice n'avait pensé qu'à elle-même.

– Je suis à vos ordres, Votre Majesté.

– Oui.

Ruqayya s'allongea de nouveau et ferma les yeux, non sans avoir auparavant pris la main de la jeune fille pour la tapoter.

– Maintenant, tu seras toujours avec moi. C'est une bonne rishta, tu sais ? L'empereur lui-même l'appelle de ses vœux.

– Je croyais que vous...

– Ce que veut l'empereur, je le veux.

Ruqayya posa sur elle un regard dur :

– Tu n'es pas contente ? Ton cœur pencherait-il déjà pour quelqu'un d'autre ?

– Non, Votre Majesté, bien sûr que non.

Mehrunnisa se détourna, mais elle sentit le regard de l'impératrice peser dans son dos.

– Ma petite, ajouta doucement celle-ci, tout est pour le mieux.

Mehrunnisa feignit de rajuster son voile. Ruqayya ne comprendrait jamais ; il était impensable pour elle que sa jeune amie eût osé rêver du prince Salim.

Quelques jours plus tard, Mah Banu, épouse du khan-i-khanan Abdur Rahim, remplaçant la mère d'Ali Quli, visita la maison de Ghias Beg et apporta des cadeaux pour la fiancée et sa famille. Ses servantes la suivaient, les bras chargés de plateaux de cuivres emplis de soieries, de satins et de bijoux de toutes sortes.

Mehrunnisa assista à la cérémonie de fiançailles dans une sorte de stupeur, vêtue d'un sari doré et d'un voile rose brodé qui lui couvrait le visage. Un seul regard sur son futur époux lui avait suffi. Il était entré à larges enjambées dans la salle, tout empli de son importance. C'était un homme de haute taille, beaucoup plus grand que son père mais, surtout, ils paraissaient du même âge. De fait, Ali Quli n'avait que six ans de moins que Ghias. Toutefois, là s'arrêtait la comparaison. Son fiancé avait tout du soldat, de la peau hâlée par le soleil aux rires gras et aux mains calleuses, plus habituées à brandir une épée qu'à ouvrir un recueil de poèmes.

Elle regardait s'évanouir ses rêves tandis que Ghias Beg promettait solennellement de la marier au valeureux soldat Ali Quli Khan Istalju. Durant toute la cérémonie, son père s'efforça de ne pas croiser son regard.

Le prince Salim souleva son turban et s'essuya le front avec un mouchoir imprégné de camphre. Il n'y avait pas un souffle d'air en ce milieu d'après-midi. Se protégeant les yeux d'une main, il regarda vers le soleil. Pourquoi s'était-il laissé entraîné jusque-là ?

– Nous arriverons bientôt, Altesse.

Il se tourna vers Jagat Gosini.

– Tu n'aurais pas pu choisir le soir ? Il y fait beaucoup plus frais qu'en pleine journée.

– Cette heure est plus appropriée, pendant que Sa Majesté Ruqayya Sultan Begam fait sa sieste. Nous pourrons passer un peu de temps seuls avec notre fils.

– Très bien.

Comme à son habitude, Salim avait tellement bu qu'il ne pouvait plus se mouvoir facilement. Il avait mal à la tête. Les serviteurs qui suivaient le couple princier parlaient trop fort et leurs rires ravivaient sa migraine.

Il n'eût jamais accédé à la requête de son épouse si l'empereur en personne ne lui avait rappelé ses devoirs paternels. Akbar ne s'en donnait pourtant pas la peine pour ses autres fils, Khusrau et Parviz ; il n'y en avait que pour Khurram. Sans doute parce que l'enfant vivait dans les appartements de Ruqayya.

Depuis que l'empereur avait failli succomber à ses coliques, deux années auparavant, il ne pouvait considérer Salim sans le soupçonner du pire. Et bien que ce dernier éprouvât un pincement de remords chaque fois qu'il songeait aux traitements de Humam, la déception le tenaillait encore. Il désirait toujours autant ceindre la couronne et, à cet effet, ne quittait plus Akbar, afin d'en apprendre le plus possible sur les affaires de l'Empire ; mais, entre eux, toute complicité avait été brisée. Et puis ses compagnons, Mahabat, Qutubuddin, Sayyid, qu'il connaissait depuis son enfance, lui étaient plus familiers que son propre père. Il était difficile de leur résister ou de se soustraire à leur influence.

Salim se détendit lorsque la petite troupe arriva devant la cour où donnaient les appartements de Ruqayya. Du coin de l'œil, il capta un mouvement de mousseline blanche et s'arrêta net.

Ya Allah ! Était-il au paradis ? Quelques versets du Saint Livre lui vinrent spontanément à l'esprit : « Les croyants seront accoudés sur des tapis doublés de brocart, et les fruits du jardin seront à leur portée. Ils y trouveront les *houris* aux regards chastes, qu'avant eux aucun homme ou djinn n'aura déflorées, aussi belles que le rubis et le corail. »

Elle était tout cela, et plus encore. Il la contempla fixement, car tout semblait s'effacer autour d'elle. Les serviteurs se turent et le dévisagèrent avec curiosité. Jagat Gosini posa une main sur son bras mais il repartait déjà, la laissant seule sous l'arche de pierre.

Sur la pointe des pieds, il pénétra dans la cour, craignant d'effaroucher la belle s'il faisait un geste trop brusque ; alors elle s'envolerait et il s'éveillerait de ce joli rêve.

Assise au bord d'un bassin où s'ébattaient des poissons rouges, la jeune fille laissait tremper un pied dans l'eau. Une chaleur étouffante régnait ce jour-là, mais la cour était rafraîchie par un ruisseau qui courait sous les dalles et s'épandait dans des vasques richement ornées. Lotus et lys épanouissaient leurs corolles blanches et rouges au bord des fontaines, et d'immenses figuiers prodiguaient leur ombre apaisante. Le silence n'était rompu que par les bourdonnements étouffés des abeilles et par le murmure musical de l'eau qui s'écoulait par les canaux.

Salim s'avança à pas furtifs pour s'arrêter à proximité de la jeune fille. Il admira sa brillante chevelure et ses longs cils qui se détachaient sur une joue de porcelaine. Une rose reposait sur ses genoux, dont elle avait accroché la tige entre ses mèches noires, et sa douce odeur embaumait l'air.

– Qui êtes-vous, belle dame ?

Surprise, Mehrunnisa leva la tête.

Et Salim tomba instantanément amoureux de ses yeux saphir.

Elle se redressa en hâte, renversant de l'eau sur le prince, et se tint toute droite, rouge de confusion.

Salim put ainsi la dévisager des pieds à la tête, ses ongles mouillés teintés au henné, sa longue ghagara constellée d'étoiles blanches, sa taille masquée par une mousseline blanche qui lui tombait des épaules. Il sentit le sang lui monter à la tête en découvrant la gorge palpitante qui disparaissait en partie sous un voile de cheveux.

– Je vous demande pardon, Votre Altesse, souffla-t-elle.

Si bas qu'il dut tendre l'oreille pour saisir ses paroles. Mais sa voix chantante ne l'en charma que davantage.

Il lui prit la main qu'elle retira aussitôt.

– Ne sais-tu pas qui je suis ?

– Si, Seigneur.

– Altesse !

Jagat Gosini surgit derrière Salim, l'expression impénétrable.

– Qui est-ce ? demanda-t-il sans quitter des yeux Mehrunnisa, qui venait de se détourner.

– La fille de quelque obscur courtisan, lâcha la deuxième épouse. Fille, qui est ton père ?

Les deux femmes se dévisagèrent, chacune se mettant au défi de soutenir le regard de l'autre. Mehrunnisa sourit.

– Votre Altesse sait qui je suis ! Nous nous sommes déjà rencontrées dans ces jardins.

– Vraiment ? lâcha la princesse avec dédain. Je ne m'en souviens pas.

– Vous ne pouvez avoir oublié, insista Mehrunnisa d'un ton cassant.

Elle ne supportait pas cette insulte faite à bapa ; alors, toute prudence oubliée, elle se laissa emporter par la colère :

– Je m'occupe du prince Khurram, le fils de l'impératrice Ruqayya.

– Mon fils !

Mehrunnisa se tourna vers les appartements de Ruqayya, cachés à l'ombre d'un banian.

– Oui, pardonnez-moi. Votre fils, bien sûr. C'est qu'il appelle l'impératrice « ma »…

Salim, muet, assistait à cet échange ; il ne put s'empêcher d'admirer cette jolie fille qui tenait si brillamment tête à son épouse. Elle ne manquait pas de courage. Rares étaient ceux qui osaient parler ainsi à la princesse. D'un ton paisible, il ordonna à sa femme :

– Laisse-nous un moment, je te prie. Je désire m'entretenir avec madame.

Jagat Gosini en rougit de dépit :

– Nous devons voir notre fils maintenant, Altesse.

– Va, je te rejoindrai plus tard.

Mais la princesse ne bougea pas.

Salim poussa un soupir. Cependant, Mehrunnisa saluait et se tournait pour partir.

– Quel est ton nom ?

Secouant la tête, elle s'éloigna sans un mot.

Le prince fit un pas puis s'arrêta, hésitant. Il la retrouverait bien. Les femmes du zénana étaient répertoriées et, si elle ne faisait pas partie du harem, les gardes sauraient qui elle était et d'où elle venait. Un pétale de rose tombé de ses cheveux gisait à terre. Salim se pencha pour le ramasser et le prit au creux de la main comme s'il s'agissait d'une pierre précieuse.

Puis il le laissa tomber dans le bassin et regarda les poissons rouges s'en approcher avec curiosité.

– Nous devons partir, Seigneur, lui rappela Jagat Gosini.

Salim se tourna vers elle :

– À quoi bon t'être ainsi emportée contre la fille d'un obscur courtisan ? Tu es princesse, tu ne dois pas t'abaisser ainsi.

– Pourquoi la défends-tu ? cria sa femme d'un ton indigné. Qui est-elle pour toi ? Tu ne connais même pas son nom !

Salim se frotta la mâchoire en observant la mine éperdue de la princesse.

– Voilà qui est fort intéressant, lâcha-t-il enfin. Je me demande ce qui peut tant te bouleverser venant d'une personne que tu ne connais pas. Viens, allons voir Khurram.

L'enfant ne parut pas enchanté de voir ses parents. On l'avait tiré de sa sieste pour le jeter dans des bras quasi inconnus et cela le rendit grognon. Salim, l'air absent, ne songeait plus qu'à Mehrunnisa. Il ne remarqua pas les regards furtifs que son épouse lui jetait de temps à autre.

Ce ne fut pas avant de regagner ses propres appartements qu'il apprit le nom de l'inconnue, de la bouche de son chef eunuque Hoshiyar Khan. Il se le répéta à haute voix, roulant sensuellement le « r ». Mehrunnisa… Certes, elle était bien le soleil des femmes. Quelle autre femme pourrait éclipser sa beauté ?

Dans la soirée, Jagat Gosini se surpassa pour distraire son époux, lui envoyant les plus belles danseuses, choisissant les mélodies les plus lascives. Ensorcelé par un seul regard de Mehrunnisa, Salim tenta de les approcher l'une après l'autre dans l'espoir de finir la nuit avec elles, mais il les rejeta toutes. Cependant, Jagat Gosini le surveillait, emplissait sa coupe et s'assurait que la hukkah contenait assez d'opium. Vers minuit, il était tellement grisé qu'il en avait oublié le visage qui tantôt l'obsédait. Il se laissait choir de son divan pour atteindre le tapis les bras en croix, déjà endormi. La musique s'arrêta, les lampes furent éteintes et une fraîche chemise de coton fut apportée pour couvrir le prince assoupi.

5

Lorsqu'il parut la dévorer des yeux, elle laissa tomber son voile, comme par hasard, et brilla sur lui de tous ses charmes. La gêne, qu'elle pouvait fort bien feindre à l'occasion, rehaussait la beauté de son visage.

Alexander Dow – *Histoire de l'Hindoustan*

Une brise murmurait à travers le jardin, effleurant les longues feuilles des manguiers. Les rideaux de mousseline ondulaient à l'intérieur de la pièce et laissaient s'infiltrer un rayon de lune. Quelque part dans le lointain, une hyène hurlait à la lumière blanche de l'astre.

Dans son lit, Mehrunnisa gardait les yeux grands ouverts. Khadija dormait à côté d'elle, le dos contre l'épaule de sa sœur, presque apaisante dans sa tranquillité. Dans la rue pavée, au-delà des jardins, retentissaient les sabots d'un cheval. Un hibou ululait discrètement tout en cherchant des souris à dévorer.

Les pensées de Mehrunnisa étouffaient les sons et les odeurs de la nuit. Enfin, elle avait rencontré le prince Salim. Tout en lui indiquait la noblesse, de sa précieuse qaba de soie brodée de rubis, à son collier de perles et à l'aigrette piquée dans une émeraude de son turban, jusqu'aux diamants sur ses doigts et sur les boucles de ses chaussures, tant de bijoux qui le faisaient resplendir comme un soleil. Mais, plus que tout, il avait une allure princière ; douceur et politesse imprégnaient son ton et ses manières.

Le cadre était parfait ; elle n'eût pu en rêver de plus adéquat. Il l'avait même regardée avec cet air extasié qu'elle s'était si souvent plu à imaginer.

Elle se retourna en soupirant, tâchant de trouver une place confortable dans le lit étroit. Elle était parvenue à capter l'attention du prince. Mais à quoi bon, désormais ? Elle venait d'être promise à un autre homme.

Depuis l'âge de huit ans, elle s'était toujours représenté le Salim comme un être parfait, gentil, charmant, passionné ; et leur courte entrevue lui avait suffi pour se convaincre qu'elle ne s'était pas trompée. N'avait-il pas tenté de renvoyer Jagat Gosini afin de pouvoir s'entretenir avec elle ? À ce souvenir, Mehrunnisa éprouva un authentique sentiment de triomphe : il avait rabroué avec tant de finesse l'arrogante princesse. Ainsi, il ne l'aimait pas. Rien ne pouvait davantage combler la jeune fille.

Lorsque Salim s'était approché d'elle, Merhunnisa pensait à Ali Quli. Elle ne parvenait pas à imaginer la vie qui l'attendait avec ce soldat. Sans doute devrait-elle rester confinée à la maison, à guetter son retour de la guerre, sans jamais savoir, lorsqu'il partirait se battre, s'il allait lui revenir ou si elle apprendrait un jour sa mort. Et alors... À cet instant, ce fut comme si le temps s'arrêtait, car elle venait de lever les yeux sur Salim.

Comme l'aube pointait sur la ville de Lahore, Mehrunnisa s'endormit enfin et ses rêves furent habités par Salim, son sourire charmant et, par-dessus tout, sa majesté.

Les préparatifs du mariage avaient commencé. Lorsqu'un tel événement s'annonçait dans une famille noble, les marchands se déplaçaient : ils présentèrent d'innombrables rouleaux de tissus, de soieries, de mousselines, de brocarts de toutes les teintes. Assise avec Asmat dans le petit salon, Mehrunnisa les regardait déployer leurs merveilles.

– Celui-ci, *sahiba* ! Votre fille aura l'air d'une princesse dans ce bleu assorti à ses yeux.

La mère et la fille se sourirent sous leurs voiles ; comment connaissaient-ils la couleur de ses yeux ? Par les domestiques ?

Les jours suivants, vinrent les bijoutiers, armés de boîtes de velours enveloppées de tissus blancs où ils étalèrent leurs colliers d'or et d'argent, leurs chaînes de cheville, leurs diadèmes, leurs boucles d'oreilles, leurs bracelets.

– Aimez-vous ce modèle, sahiba ? Ou celui-ci ? Nous pouvons transformer n'importe quel joyau en deux jours.

Les *bawarchis* se présentèrent afin de faire goûter leur cuisine : halvas de blé et de sésame saupoudrés de safran et de sucre ; pilafs d'agneau et de poulet agrémentés de raisins secs ; *gulab jamuns*, fromages blancs imprégnés de sirop de sucre ; savoureux currys d'agneau ; tranches de poisson rôties marinées dans l'ail et le citron vert.

Cependant, refusant d'admettre qu'elle allait vraiment épouser Ali Quli, Mehrunnisa espérait contre toute attente que Salim allait la convoquer. Passé le premier jour, elle se dit que ce n'était qu'un jour. Il allait certainement finir par découvrir qui elle était, qui était son père. Le lendemain, chaque fois qu'un serviteur allait répondre à la porte, elle s'attendait à voir entrer un garde ou un eunuque du palais. Puis elle décida que le prince ne pouvait décemment l'envoyer chercher. Il s'agissait de respecter l'étiquette. Il en parlerait donc à l'empereur Akbar et Akbar ferait venir son bapa et bapa l'en informerait. Aussi se mit-elle à guetter tous les soirs le retour de Ghias. Comment aborderait-il la question ? En serait-il heureux ? Forcément, puisque sa fille allait épouser le prince Salim. Ce serait un honneur inespéré pour lui, pour eux tous, grâce à elle.

Cependant, les jours s'écoulèrent, lentement, chaque minute s'étendant à l'éternité. Bapa ne rentra pas l'air particulièrement heureux. Aucune invitation ne lui parvint de Salim. Les espérances de Merhunnisa moururent à petit feu, écrasées par le temps qui passait. Et les préparatifs du mariage se poursuivaient.

Deux semaines après sa rencontre avec Salim, Ruqayya Sultan Begam lui fit parvenir une convocation impatientée.

Lorsque Mehrunnisa arriva au palais, elle fut accueillie par une bégum particulièrement contrariée :

– Tu ne viens plus me voir, mon enfant ?

La jeune fille demeura silencieuse, la tête basse.

– Est-ce à cause de Salim ?

Merhunnisa risqua un œil. Ainsi, Ruqayya avait eu vent de la rencontre, sans doute par l'un des membres de la suite de Salim, car elle, de son côté, n'en avait soufflé mot à personne.

– Oh oui, je sais ! répondit sèchement l'impératrice à sa question muette.

Puis elle se radoucit :

– Viens ici, mon enfant.

Mehrunnisa s'assit près de sa protectrice.

– Bien sûr que Salim est tout de suite tombé amoureux de toi. Mais, crois-moi, il n'y pense même plus. S'il te revoyait, il ne s'en souviendrait même pas.

La jeune fille se sentit défaillir. Ruqayya disait-elle vrai ? Sans doute. Voilà pourquoi Salim ne s'était pas manifesté… Non qu'il ait été occupé à quelque affaire d'État, mais simplement parce qu'il avait oublié !

– Tu n'y peux rien, ma chérie. De plus, tu es promise à un autre homme.

De l'index, Ruqayya lui releva le menton et poursuivit :

– Sa Majesté n'autoriserait jamais que tu rompes tes fiançailles. Jamais. Tu comprends ?

– Oui, Votre Majesté.

Mehrunnisa détourna la tête. Pourquoi ces avertissements ? Le prince ne voulait pas d'elle, et tout était dit.

L'impératrice fit claquer sa langue et soupira :

– Je n'en suis pas si sûre. Méfie-toi, ma fille. L'honneur de ta famille dépend de toi.

Au palais, le bazar de Mina battait son plein. Trois jours par mois, les quartiers des femmes étaient ouverts aux marchands qui pouvaient dresser des échoppes. Ils y envoyaient leurs épouses et leurs filles exposer leurs articles, afin que les dames du zénana s'y promènent sans voile.

Celles-ci faisaient leurs emplettes, discutant et marchandant de tout leur cœur, et l'empereur se joignait à elles. Le bazar leur donnait une telle impression de liberté et tant de plaisir qu'Akbar l'avait appelé Khushroz, les jours de joie.

Le prince faisait les cent pas, le regard vide, s'étirant, pliant les bras. Un éclat de rire retentit vers l'étal de bijouterie, qui attira son attention. C'était l'empereur, entouré de deux jolies concubines qui s'esclaffaient en le voyant marchander un bracelet d'émeraudes.

Les épouses de Salim ne le quittaient pas d'un pas, détaillant d'un œil morne les échoppes gaiement ornementées. Le prince leur décocha un regard irrité puis appela le premier eunuque de son propre harem :

– Hoshiyar, va aider mes femmes à se choisir quelques vêtements de satin et d'or.

– Oui, Votre Altesse.

Hoshiyar Khan salua, se tourna et leva la main pour prendre la tête de la petite troupe, l'air impassible. Cependant, l'apathie du prince l'intriguait. Depuis quelques semaines, son maître ne paraissait plus lui-même. En fait, depuis sa rencontre avec la jeune fille de la suite de l'impératrice Ruqayya.

Hoshiyar s'était tenu instruit de chaque détail qu'il avait pu glaner. Il était redevable à son réseau d'informateurs du rang où il se trouvait maintenant, et il le tenait avec toute la fourberie et la férocité nécessaires pour écarter d'éventuels rivaux. Dans le zénana, les dames le traitaient avec respect et un rien de frayeur car tout ce qu'Hoshiyar pouvait apprendre à leur détriment finissait invariablement par arriver aux oreilles de Jagat Gosini. En homme intelligent, il avait reconnu l'intelligence de la princesse et ne tentait jamais de la défier, car ce serait s'attaquer à une ennemie trop puissante. En ce moment, elle s'inquiétait à cause de Mehrunnisa. Pourquoi ? Salim semblait l'avoir oubliée… Quoique pas complètement ; il se conduisait en homme insatisfait, agacé, comme s'il aspirait à atteindre un objectif hors de sa portée. Et qu'il ne parvenait seulement plus à définir.

– Oh ! et prends-les toutes avec toi, je voudrais être seul.

Les servantes lui emboîtèrent le pas avec allégresse. Quant à Salim, il se détourna pour prendre la direction des jardins.

En chemin, il fut interpellé par une petite marchande :

– Votre Altesse, voyez ces jolis oiseaux !

Une jeune fille était assise à un stand, entourée de cages de cuivre où s'ébattaient des oiseaux de toutes les couleurs. Elle était assez jolie, ses traits lourds s'illuminant sur un large sourire. Salim la dévisagea d'un air expert. Profitant de l'occasion, elle lui présenta un mainate au bec jaune.

– N'est-il pas charmant ?

D'émotion, les mots s'étaient bousculés dans sa bouche, la faisant bégayer.

Salim sourit, amusé. Maintenant qu'il l'avait remarquée, l'audacieuse perdait toute sa bravoure.

– Combien ? demanda-t-il.

– Pour vous, je ferai un prix spécial, *buzoor*, articula-t-elle en battant des cils. Juste cinq roupies.

– Trois, trancha Salim sans perdre son sourire.

– Oh, buzoor ! soupira la marchande en éloignant la cage. J'aimerais pouvoir vous le vendre trois roupies, mais la vie est si chère…

Son visage s'éclaira :

– Disons quatre !

– Seulement si tu y ajoutes les deux pigeons.

Salim désignait deux oiseaux d'une blancheur immaculée.

– C'est entendu.

Il sortit quatre roupies d'argent qu'il tendit à la fille. Il avait envie de lui en donner davantage pour son talent mais cela gâcherait leur petit jeu. Cherchant du regard Hoshiyar, il ne tarda pas à le voir dans les parages, malgré son ordre d'emmener ses épouses.

Il lui tendit le mainate et prit les pigeons qu'il serra contre son cœur. Tous deux se mirent à roucouler, alors il frotta ses joues contre leur plumage et descendit les marches de pierre qui menaient au jardin. Le brouhaha du bazar ne tarda pas à s'estomper.

Devant lui s'étendaient les vertes pelouses encore imbibées de rosée ; des abeilles butinaient paresseusement, leurs ailes chatoyant dans la douce lumière du soleil.

Son regard s'arrêta sur les roses rouges d'un massif. Leurs épines avaient été arrachées une à une par les *malis* pour ne pas blesser les membres de la famille royale. Salim se pencha et leur doux parfum lui monta à la tête. Il se redressa, cherchant de nouveau Hoshiyar mais, cette fois, ne le trouva pas. Il aperçut alors une jeune fille voilée assise à l'ombre du chenar.

– Hé, toi !

Elle se leva et vint à sa rencontre.

– Tiens-moi ça.

Il lui tendit les pigeons et s'en alla cueillir les roses. Lorsqu'il revint, la jeune fille était toujours là, les yeux baissés, ne portant plus qu'un pigeon.

– Où est l'autre ? demanda le prince en colère.

– Votre Altesse, il s'est envolé.

– Comment cela ?

– Comme ça !

À la stupéfaction de Salim, elle ouvrit les mains, ses bracelets de verre bleu retombant sur ses bras dans un doux tintement, et lâcha le second oiseau qui s'envola à tire d'aile. Furieux, le prince se retourna vers la jeune fille qui suivait le pigeon des yeux. Soudain, il s'immobilisa, intrigué. Où avait-il déjà entendu cette voix ? Une brise légère parcourait le jardin et le voile ondula sur le visage de l'inconnue.

– Mehrunnisa !

– Votre Altesse, pardonnez-moi.

D'un geste impatienté, Salim laissa choir les fleurs à ses pieds.

– Peu importent les oiseaux. Pourquoi t'es-tu enfuie l'autre jour ?

– Je ne pouvais rester.

– Pourquoi ?

Salim lui prit la main. Elle avait de longs doigts minces, aux ongles teintés de henné, une peau nacrée comme les perles les plus fines. Ils demeurèrent ainsi à se sourire, et toute parole devint superflue, car, à lui seul, cet instant les comblait. Salim souleva le voile et le lui ôta puis poussa un grand soupir. Il avait soudain envie de lui caresser tout le corps, de sentir sa peau contre la sienne, d'entendre sa voix et son rire.

– Tu es la plus belle femme que j'aie jamais vue...

Elle leva la tête vers lui. Un souffle de vent fit courir une mèche sur sa bouche.

– Mais vous avez tant de belles femmes autour de vous, Votre Altesse ! Il en existe certainement une qui me surpasse.

Il pencha la tête de côté et répondit du même ton badin :

– Aucune, je te l'assure. Que fais-tu toute seule dans le jardin ? Pourquoi n'es-tu pas au bazar ?

– Cela m'ennuie.

– Moi aussi.

Il lui prit l'autre main, en porta les doigts à sa bouche et les caressa longuement puis descendit le long du poignet, effleurant ses bracelets.

– Votre Altesse, s'il vous plaît ! Sa Majesté réclame votre présence.

Hoshiyar se tenait sur les marches de pierre.

– Dis-lui que j'arrive.

– Tout de suite, Votre Altesse, insista Hoshiyar. Sa Majesté n'aime pas attendre.

Salim se pencha vers Mehrunnisa :

– Peux-tu patienter un instant ? Je n'en ai pas pour longtemps.

– Où irais-je, Votre Altesse ? Si vous me l'ordonnez, je ne puis qu'obéir.

Il se pencha encore, les yeux brillants :

– C'est la fille qui a laissé partir mes pigeons qui me dit ça ? Je n'ordonne pas, Mehrunnisa. Je demande. Attends-moi, s'il te plaît, que je puisse te revenir.

Il partit et Mehrunnisa se détourna, si bien qu'elle ne remarqua pas le regard pensif d'Hoshiyar posé sur elle. Cependant, l'eunuque se reprit et eut tôt fait de rejoindre son maître.

Mehrunnisa s'assit sur le banc de pierre tiède et rajusta son voile. Ainsi, le prince ne l'avait pas oubliée.

Un léger sourire se dessina sur ses lèvres. Elle l'avait vu venir longtemps avant qu'il ne l'aperçût. Elle s'était blottie contre l'arbre, certaine qu'ébloui par le soleil il ne pourrait la distinguer dans l'ombre. Elle s'était contentée de le regarder furtivement, trop heureuse que le destin lui offre cette nouvelle aubaine. Aussi avait-elle sursauté lorsque Salim l'avait priée de tenir ses oiseaux, et puis elle s'était levée sans réfléchir. Alors qu'il avait le dos tourné, elle avait intentionnellement lâché l'un des deux pigeons, curieuse de la réaction du prince.

Maintenant, elle s'était adossée à son banc pour mieux se remémorer la scène qui venait de se dérouler et se répéter chaque mot de Salim et revoir encore et encore son regard quand il l'avait dévoilée, et sentir le contact de sa bouche et...

Elle entendit des pas et leva la tête en souriant mais s'aperçut que c'était Ruqayya Sultan Begam qui faisait son entrée, suivie de ses servantes. Allah veuille que l'impératrice repartît avant le retour de Salim !

Mehrunnisa se leva et salua.

– Que manigances-tu encore, mon enfant ? demanda la bégum en s'asseyant.

– Je ne vois pas de quoi...

– Salim a sans doute l'air d'un homme, mais ce n'est qu'un enfant. Il cherche encore l'élue de son cœur.

Ruqayya marqua une pause sans quitter la jeune fille des yeux.

– Je constate, ajouta-t-elle, que tu connais le caractère du prince et que tu en tires parti.

– Votre Majesté ! protesta vigoureusement Mehrunnisa. Je ne fais rien de cela. Le prince s'intéresse à moi. Pourquoi ne devrais-je pas... l'encourager ?

– Parce que tu es quasiment mariée. Et que Sa Majesté n'apprécierait pas que tu mettes un terme à tes fiançailles.

– Mais pourquoi ?

– Ma chérie, tu n'étais pas à la cour lorsque cet incident a eu lieu. Sache que le prince Salim a tenté d'empoisonner l'empereur avec la complicité d'un de ses médecins.

– Ce n'est pas vrai… Ce n'est qu'une rumeur.

– Mettrais-tu ma parole en doute ?

Mehrunnisa fit non de la tête.

– Je te dis que c'est vrai, affirma l'impératrice. Et c'est la raison pour laquelle l'empereur et Salim sont en froid depuis deux ans. Enfin, l'empereur ne reviendra pas sur sa parole, ne serait-ce que parce que Salim l'a trop déçu.

– Je croyais que son père l'aimait beaucoup.

– C'est vrai. Il l'aime sans doute trop. Nous aimons tous Salim. Nous avions désiré sa venue, nous avons prié pour qu'il naisse et, lorsqu'il est venu au monde, ce fut comme si Allah nous adressait un sourire. Mais les années ont passé… et l'empereur et Salim sont très différents. Le prince désire une couronne qui lui est acquise mais qu'il n'a pas la patience d'attendre. Il écoute trop ses compagnons et pas assez sa famille. Il est trop impatient, trop dépité par la vie qu'il mène.

– Sans doute Sa Majesté devrait-elle lui accorder davantage de prérogatives ?

– Que peut demander un prince héritier à son père, que Salim n'a déjà ? Il est trop jeune pour monter sur le trône, trop attaché à satisfaire la moindre de ses envies. Cette histoire de poison bouleverse encore Sa Majesté. L'empereur se sent trahi par l'enfant qu'il a tant espéré, tant adoré. Moi-même, je n'y entends pas grand-chose, Mehrunnisa. N'espère rien d'autre que ton mariage avec Ali Quli. N'oublie pas que tes actions risquent de se répercuter sur le sort de ton père à la cour. Songe au mal que tu pourrais lui causer. Je suis certaine que tu ne le souhaites pas, n'est-ce pas ?

– Bien sûr que non, Votre Majesté. Mais en quoi mon père pourrait-il être affecté ?

– Souviens-toi que mirza Beg a promis de te marier à Ali Quli. L'empereur ne voudra pas revenir sur sa parole et, si tu persistes à encourager Salim, ton père devra en supporter les conséquences.

Un lourd silence tomba sur les deux femmes et l'impératrice observa sur la physionomie de la jeune fille les diverses émotions qui se succédèrent en son cœur.

– Que dois-je faire, Votre Majesté ?

– Votre Altesse, en ce moment, l'impératrice s'entretient avec Mehrunnisa, souffla Hoshiyar à l'oreille de Jagat Gosini.

– Parfait. Tiens-moi au courant de ce qui va se passer.

Hoshiyar s'apprêtait à repartir quand la princesse le rattrapa par la manche.

– Et, bien sûr, pas un mot à personne, c'est compris ?

Hoshiyar salua.

– Oui, Votre Altesse.

Jagat Gosini adressa un sourire à son époux assis près d'Akbar, au milieu du bazar, ses pieds rythmant une danse imaginaire. Ainsi, son seigneur et maître aspirait à retourner dans les jardins pour y retrouver sa nouvelle bien-aimée ? Elle fit mine de s'intéresser au jongleur qui s'exhibait devant la cour : il lançait des torches enflammées qu'il rattrapait par diverses acrobaties, sous une jambe, en tourbillonnant, en sautant ; les dames du zénana poussaient des exclamations et l'applaudirent follement quand il salua. Il fit alors place au charmeur de serpents accompagné d'une mangouste en laisse.

Jagat Gosini se passa une main sur le front. Cette Mehrunnisa lui déplaisait profondément et, elle devait bien se l'avouer, lui faisait peur. Un mauvais sourire lui tordit les lèvres. Sa naissance royale, son éducation de princesse avaient achevé de la persuader qu'elle était une femme hors du commun. Aussi, lorsque son mariage avec le prince Salim fut conclu, pensa-t-elle être parvenue au faîte de la gloire. Car Salim allait devenir empereur et elle dominerait le zénana comme Padchah Begam ; un jour, son fils

Khurram monterait à son tour sur le trône de l'empire moghol.

Alors pourquoi fallait-il qu'une menace vînt assombrir l'horizon de ses ambitions ?

Si Mehrunnisa accédait au zénana, toutes deux entreraient en conflit ouvert. Cette fille possédait une langue de vipère et refusait de se plier à l'étiquette, ignorant tout de l'attitude qu'il convenait d'adopter face à des princes du sang. Si Salim persistait à musarder avec elle, Jagat Gosini pourrait bien perdre la position avantageuse qu'elle s'était patiemment édifié, année après année. Mais elle ne se laisserait pas négliger sans combattre. Il lui avait fallu du temps pour obtenir la suprématie sur les mères de Khusrau et de Parviz, mais elle y était arrivée. Lorsque Salim deviendrait empereur, *elle* serait impératrice.

Quelqu'un lui toucha l'épaule :

– Les jardins sont vides, Votre Altesse.

– Merci, Hoshiyar.

Un sourire aux lèvres, Jagat Gosini s'éloigna du groupe qui entourait l'empereur.

*
* *

Le prince Salim obtint enfin l'autorisation de quitter l'empereur. Suivi d'Hoshiyar, il se précipita dans les jardins mais les trouva déserts.

– Où est-elle ? demanda-t-il à l'eunuque. Elle m'a promis d'attendre.

– L'attente s'est prolongée, Votre Altesse.

– Où la trouverai-je, maintenant ?

Hoshiyar hésita, cherchant une réponse appropriée. La princesse serait furieuse si elle l'apprenait, mais pourquoi ne pas dire au prince…

– Eh bien, Hoshiyar ? Hésiterais-tu parce que mes épouses sont jalouses ?

– Dans les appartements de Ruqayya Sultan Begam. Elle était venue rendre visite à l'impératrice.

Salim sourit.

– Fort bien. Tu t'es souvenu à temps que j'étais ton seul maître. Tu ne dépends que de moi, est-ce clair ?

– Tout à fait, Votre Altesse, répliqua Hoshiyar, impassible.

Le lourd été de Lahore fit place à un automne bienvenu. Le soleil commençait à monter moins haut dans le ciel et, dans l'après-midi, ses derniers rayons se ternissaient de fraîcheur.

Deux semaines s'étaient écoulées depuis la dernière rencontre de Mehrunnisa et du prince. Elle continuait ses visites auprès de Ruqayya durant la journée sans savoir que, presque tous les soirs, Salim passait voir sa belle-mère dans l'espoir d'y croiser la jeune fille. L'impératrice n'en disait rien à cette dernière, pas plus qu'elle n'avait parlé à Salim de sa conversation avec Mehrunnisa dans le jardin. Elle se contentait d'observer, avec malice, enchantée de pouvoir suivre le petit drame qui se nouait sous ses yeux. Un jour, cependant, alors que Mehrunnisa s'apprêtait à repartir chez elle, la bégum insista pour qu'elle s'attarde encore un peu.

– Puis-je sortir quelques minutes, Votre Majesté ? demanda Mehrunnisa.

Elle étouffait dans la pièce surchauffée, que la fumée des braseros alourdie par l'encens rendait irrespirable.

– Va, mon enfant, dit Ruqayya avec un geste alangui.

Elle avait décidé qu'aujourd'hui ils se rencontreraient, sous son égide afin qu'ils gardent un minimum de discernement. Cet engouement, quoique exaltant pour le reste du harem, ne pouvait mener à rien. Jamais l'empereur n'y souscrirait.

Mehrunnisa salua et sortit lentement. Le soleil se couchait à l'horizon, auréolant tours et minarets de sa gloire dorée. Des mosquées s'élevèrent les appels étouffés des muezzins. *Allah-u-Allah-u-Akbar…*

Mehrunnisa s'agenouilla sur la véranda pour prier. Puis elle se releva, appuya le front contre une colonne de grès et ferma les yeux. Elle était si fatiguée de feindre que rien ne s'était passé. Ruqayya n'évoquait jamais l'incident des jardins, bien qu'elle ne cessât de surveiller la jeune fille.

Poussant un soupir, elle alla s'accouder à la balustrade pour respirer l'air frais du soir tombant. Au moins maji et bapa ignoraient-ils tout de ce qui se tramait. Cependant, il en coûtait de plus en plus à Mehrunnisa de jouer les dissimulatrices. Elle ne mangeait ni ne dormait presque plus et des cernes noirs soulignaient ses yeux sur son teint pâle.

Malgré tout, elle ne cessait de songer à Salim. Cette pensée la fit sourire. Leur première rencontre au zénana s'était déroulée trop rapidement, car elle ne s'y attendait pas. La deuxième, durant le bazar de Mina, avait répondu à ses plus belles espérances, du moins jusqu'à ce que l'empereur rappelât le prince. Et ce dernier était parti en lui demandant de l'attendre. Plusieurs fois, il avait répété son prénom. Qu'il était doux de l'entendre sur ses lèvres !

– Mehrunnisa ?

Se pouvait-il… Cette voix qui berçait ses rêves, nuit après nuit…

Autour d'eux, la véranda était déserte. Le vent frais avait obligé à rentrer les derniers attardés.

Tous deux se regardèrent sans rien dire. Salim paraissait également fatigué et elle eut envie de passer une main apaisante sur son front soucieux. Néanmoins, elle songea d'abord à revêtir son voile, mais il l'en empêcha.

– Arrête.

Il tendit le bras puis se retint, comme s'il craignait de la toucher.

– Laisse-moi te regarder.

Après une courte hésitation, elle interrompit son geste. Qu'il la regarde donc, comme elle allait le regarder, sans l'entrave du voile. Ce serait la dernière fois. Soudain, il se prit d'audace et, relevant le visage de la jeune fille, se pencha pour lui effleurer la bouche de ses lèvres.

Une fièvre brûlante envahit le corps de Mehrunnisa. Jamais encore un homme ne l'avait embrassée, jamais un homme ne l'avait touchée avec une si douce tendresse. Alors qu'elle était promise à un autre.

Elle se redressa et le repoussa.

– Je ne puis, Votre Altesse.

– Pourquoi ? demanda-t-il en riant.

Pourquoi, en effet ? Submergée d'amour, elle lui caressa la joue, traçant le contour de son menton pour remonter de l'autre côté et attirer son visage vers elle. Alors elle déposa un chapelet de légers baisers sur ses sourcils, sur ses paupières, sur ses pommettes et parvint enfin à sa bouche qu'elle commença par frôler de son souffle, humant son odeur parfumée. Enfin, elle demeura un long moment le front simplement serré contre le sien.

– À moi de te rendre tout cela, murmura-t-il.

Il lui prit une main puis l'autre et les porta à sa bouche, les baisant avec une ferveur exquise. Puis il se pencha sur sa gorge, commençant par embrasser son cou avec une hâte merveilleusement retenue. Mehrunnisa poussa un gémissement et renversa la tête en arrière, tous les nerfs à vif sous les petits frôlements qui lui taquinaient la peau. Elle l'entoura de ses bras, huma la senteur de ses cheveux épais contre son visage.

Ce fut lui qui finit par se détacher de cette étreinte. Dans le crépuscule mordoré qui descendait sur eux, ils se regardèrent, à bout de souffle.

– Ta peau a l'odeur des roses…

– Ma mère… balbutia Mehrunnisa. Ma mère fabrique de l'eau de rose pour nos bains.

Il la dévisageait avec une intensité qui la fit frémir.

– Tu me reviendras bientôt, Mehrunnisa. Je sais que ton père est mirza Ghias Beg. Je vais solliciter l'empereur pour qu'il envoie une demande officielle à ta maison dès demain… Non, dès ce soir.

Un large sourire aux lèvres, il poursuivit :

– Qu'aimerais-tu comme cadeau de noces ? Une volière d'oiseaux précieux que tu pourrais libérer ?

Mais elle appartenait à un autre homme. Jamais elle n'aurait dû l'embrasser avec une telle avidité. Pourtant, lui seul occupait ses pensées. Pourquoi, Allah, s'étaient-ils rencontrés si rien ne devait en découler ? Pourquoi avoir donné la vie à cet homme s'il ne devait être sien ?

Elle lâcha d'une voix éperdue :

– Seigneur, je dois me marier dans quelques semaines.

Salim se rembrunit.

– Personne ne m'en a rien dit. Mais peu importe. Je vais demander à l'empereur de rompre tes fiançailles. Tu seras bientôt mienne, Mehrunnisa.

– Non, Votre Altesse, n'en faites rien, je vous en prie. Mon père a promis ma main. S'il devait revenir sur sa parole, sa réputation en souffrirait. De grâce...

– Ne t'inquiète pas. L'empereur a fait dissoudre plus d'un mariage, alors de simples fiançailles ! Un mot de lui...

– Non, Votre Altesse ! s'écria-t-elle.

Les avertissements de Ruqayya résonnaient encore à ses oreilles. Elle refusait pourtant de croire que Salim ait pu comploter contre son père ; pas le Salim qui se tenait devant elle ; ce n'était qu'une affreuse rumeur, et colportée par le mauvais esprit de la cour. Néanmoins, la mésentente entre père et fils ne relevait pas de l'invention. Soudain, des larmes lui emplirent les yeux. Devait-elle perdre Salim, au risque de ruiner la réputation de son père ?

Le prince lui essuya doucement la joue.

– Va, maintenant, ma chérie. Je m'occupe de tout. Ne t'inquiète pas.

Mehrunnisa obéit et ramassa les jupes de sa ghagara pour quitter plus vite la véranda sur ses pieds nus. Elle savait que Salim n'avait pas bougé mais préféra ne pas se retourner.

Elle s'enfuit du palais, appelant au passage son chaperon et ancienne nourrice, Dai Dilaram. En chemin, Mehrunnisa demeura immobile dans le palanquin. Après sa discussion avec l'impératrice, il lui avait bien fallu réfléchir : si ses fiançailles étaient rompues, tout le déshonneur retomberait sur son père. Or, elle eût préféré mourir que de causer du chagrin à Ghias. Obnubilée par son désir d'attirer Salim, elle s'était laissé courtiser sans réfléchir aux conséquences qui en découleraient. Ce soir encore... mais elle n'avait pu résister à sa soif de le toucher. Et voici que Salim avait décidé de l'épouser. Que se passerait-il s'il allait vraiment trouver l'empereur ? Elle verrait son père tomber en disgrâce. Les gens diraient qu'il avait délibérément envoyé sa fille au zénana afin qu'elle séduisît Salim. Et les rumeurs circuleraient : Ghias Beg n'était pas un homme de parole, nul ne pouvait lui faire confiance.

Le cœur de Mehrunnisa défaillit à cette pensée ; il ne lui restait qu'un expédient : tout raconter à sa mère. Asmat saurait comment agir. Pourtant Salim… son baiser… Non, il fallait tout dire à sa mère… Pas le baiser, mais tout le reste…

Ce soir-là, Asmat écouta sa fille dans un silence pesant. Elle parla aussitôt à Ghias et tous deux décidèrent que le mieux serait de s'en remettre à la Padchah Begam. Le lendemain matin, Asmat se rendit auprès de Ruqayya pour se plaindre de la conduite du jeune prince.

L'impératrice fut très contrariée. Elle n'avait cru qu'à une amourette de la part de ce beau-fils qu'elle croyait trop bien connaître. Las ! L'heure n'était plus aux regrets. Il fallait prévenir l'empereur.

L'après-midi même, Akbar se présenta dans ses appartements et Ruqayya s'empressa de lui rapporter la dernière tocade de Salim. Alors qu'ils s'entretenaient, le prince entra sans se faire annoncer.

– Votre Majesté, commença-t-il en venant s'asseoir aux pieds de son père, j'ai une demande à vous faire.

Dans sa hâte, il ne suivait pas l'étiquette. Toute personne en présence de l'empereur devait exécuter le tassili ou le konish, quels que fussent son âge, son statut ou son degré de parenté avec le souverain.

– Mon fils, tu t'oublies ! lança Akbar irrité.

Salim s'inclina dans un salut bâclé.

– Qu'est-ce encore ? demanda son père.

– Je voudrais épouser la fille d'un certain mirza Ghias Beg, Votre Majesté. Elle s'appelle Meh…

– C'est impossible, trancha aussitôt Akbar. Elle est fiancée et nous avons donné notre accord. Nous ne pouvons revenir sur notre parole.

Salim ouvrit de grands yeux. Qu'importait à son père que Salim épousât la fille d'un courtisan ? Il s'efforça cependant de conserver son calme :

– Mais, Votre Majesté, cet engagement peut facilement être contourné si vous l'ordonnez.

– Non, Salim. Les fiançailles ont eu lieu à notre demande et nous ne nous dédirons pas.

Là-dessus, Akbar se détourna de son fils.

Salim comprit qu'il était désavoué. Il se leva lentement, salua et sortit d'un pas lourd. Il n'allait cependant pas supplier son père. Il avait commis une trop lourde faute, quelques années auparavant, et Akbar ne semblait toujours pas prêt à l'oublier. Que n'avait-il pourtant essayé de montrer son remords, sans toutefois reconnaître sa responsabilité…

Passé le seuil de l'appartement, il appuya sa tête contre une colonne. *Mehrunnisa.*

Derrière lui, Ruqayya contemplait l'expression affligée de l'empereur. Il semblait si vieux, tout d'un coup ! Akbar secoua la tête en soupirant.

– Nous parlerons à mirza Beg.

Cette même semaine, les trompettes retentirent pour honorer l'arrivée d'Ali Quli chez Ghias Beg. Les hommes de la famille – Ghias, Muhammad, Abul et Shahpur – attendaient le fiancé devant l'entrée de la demeure du Persan. Ali Quli n'ayant pas de famille en Inde, le khan-i-khanan Abdur Rahim chevauchait à ses côtés, suivi des femmes de sa cour en palanquins.

Dans sa chambre, sous le poids du voile rouge de mariée brodé d'or, Mehrunnisa gardait la tête basse. Malgré ses mains décorées de motifs au henné, son corps doré à la pâte de santal, ses yeux soulignés de khôl, elle ne parvenait à exprimer la moindre joie. Les femmes qui se pressaient autour d'elle en caquetant, voisines, amies, cousines, ne cessaient de soulever son voile pour clamer sa beauté. Elles riaient de ses larmes, car c'était ainsi qu'une jeune mariée devait quitter la maison de son père. Asmat s'affairait çà et là, houspillant les domestiques, réclamant du thé et des plateaux de *ladoos* et de *jalebis*. Elle ne regardait pas sa fille. Cette dernière semaine, ni elle ni Ghias n'avaient beaucoup parlé à Mehrunnisa. On apprit seulement que le mariage avait été avancé sur l'ordre de l'empereur. Même Saliha n'avait pas eu le temps d'arriver de Kaboul pour les festivités.

Aussi Mehrunnisa attendait-elle que s'écoulent les longues heures qui précédaient la cérémonie, s'obligeant à vider son esprit de toute pensée. L'impératrice Ruqayya lui avait ordonné de ne plus sortir jusqu'à son mariage. Quant à Salim, elle n'en avait pas eu de nouvelles

La cérémonie du mariage en elle-même fut assez brève, mais les réjouissances durèrent toute la nuit. Au plus fort des festivités, Ali Quli emmena Mehrunnisa chez lui et pria les musiciens de les escorter avec leurs trompettes et leurs *dholaks*. Dans la cour, lorsque le moment fut venu de se hisser dans le palanquin, Mehrunnisa s'agrippa à Ghias Beg, si fort qu'il dut la repousser.

– Elle nous aime tant ! expliqua-t-il à Ali Quli.

Celui-ci partit d'un grand rire joyeux.

– Ainsi qu'elle m'aimera bientôt, moi aussi, mirza Beg.

Alors, sans un regard derrière elle, leur fille prit place dans la chaise ; elle garda les yeux baissés quand les porteurs la hissèrent sur leurs épaules et quittèrent en trottinant la cour familiale.

Dans la solitude de la chambre nuptiale, Ali Quli souleva le voile et vit pour la première fois le visage de Mehrunnisa. Il tendit la main pour lui effleurer la joue et suivit les petites pastilles blanches qui formaient son maquillage de mariée, de ses sourcils au creux de ses joues. Elle tremblait ; Ali Quli n'en tint pas compte. Il ne parvenait pas à croire sa chance. Il savait que cette union cimenterait son alliance avec Ghias Beg, mais jamais il n'eût imaginé que sa femme serait si belle.

Tandis qu'Ali Quli s'émerveillait de sa chance et goûtait sa nuit de noces, le prince Salim noyait ses dernières pensées cohérentes dans des coupes de vin.

6

Elle aspirait à la conquête du prince Salim et parvint, en un habile emploi de ses charmes et de ses talents, à le divertir et à le retenir par ses sortilèges. Mais elle était mariée à Sher Afkun, un noble Persan du plus grand courage et de la plus haute valeur.

Beni Prasad – *Histoire de Jahangir*

Le jour s'était éteint depuis quelques heures, et les ténèbres s'abattaient sur la ville au-delà du fort de Lahore. Une à une, les rues s'illuminaient de petites flaques de clarté, rares lucioles dans la grande nappe d'ombre le long des rives de la Ravi. Les bazars étaient vides, les échoppes closes, les maisons de briques, cachées derrière leurs hauts murs et la barrière des grands tamaris. La nuit, rares étaient ceux qui s'aventuraient au-dehors car, même à proximité de la cour impériale, l'on redoutait les mauvaises rencontres avec des voleurs, des assassins, des fantômes et autres démons.

Assis devant le jardin des femmes, Ghias Beg contemplait les dalles de grès de la cour et la profonde véranda qui illuminait toutes les chambres. Il laissait les angoisses du jour s'estomper avec la lumière. Arjumand dormait dans ses bras, le visage enfoui dans l'épais coton de la *kurta* de son grand-père, le front légèrement marqué par le relief des broderies. Il baissa les yeux sur l'enfant, sourit en constatant qu'elle gardait le doigt dans sa bouche ; ses petites jambes pendaient sur les genoux de Ghias et elle avait coincé l'autre main contre son torse, dans l'ouverture de la kurta. Il abaissa la ghagara de l'enfant pour la protéger de la brise.

Elle ressemblait à Mehrunnisa ; elle avait ces mêmes cheveux noirs déjà longs jusqu'à la taille, ce même regard malicieux, mais des yeux gris comme l'orage ; cependant, elle éclatait de rire avec la même gaieté et se renfrognait avec la même hargne lorsqu'elle n'obtenait pas gain de cause. Elle ressemblait à Mehrunnisa, mais ce n'était pas Mehrunnisa.

Ghias lui enleva doucement le pouce de la bouche. Elle résista dans son sommeil, mais finit par se laisser faire. Il estimait qu'à six ans elle devrait abandonner cette mauvaise habitude. Malgré leurs efforts, ni Abul ni sa femme n'étaient parvenus à l'en débarrasser. Ghias promena de nouveau le regard sur la cour où deux femmes étaient agenouillées.

Mehrunnisa et Asmat travaillaient en silence, plongeant les mains dans les poudres du *rangoli* rangées par couleurs dans leurs petits pots d'argile. À la lumière des torches, elles poursuivaient l'œuvre entreprise l'après-midi et, à présent, les dalles de la cour s'ornaient de superbes motifs multicolores, de jasmins dessinés à la poudre de riz, de délicats boutons de roses ou de fleurs écloses, de feuilles de manguier tracées à la poudre verte, d'hibiscus rouges, de lotus roses, de feuilles triangulaires de peepul veinées de brun.

Mehrunnisa s'assit sur ses genoux, les mains maculées jusqu'aux poignets.

– On croirait une improbable forêt, observa-t-elle, comme on en imagine dans les rêves.

Asmat sourit en répandant d'un geste habile une poudre verte qui allait tracer les veines d'une feuille de manguier auparavant esquissée à la craie.

– Plus le *rangoli* est coloré, mieux nous honorerons la nouvelle famille de Manija. Cette vieille coutume hindoue sera du plus bel effet pour son mariage.

Mehrunnisa s'essuya le front pour chasser une brusque douleur et laissa une traînée bleue sur ses sourcils.

– Que penses-tu de son mari, maji ?

– Qasim Khan Juviani ? Je ne l'ai qu'aperçu aux fiançailles. Ton bapa dit qu'il est d'une bonne famille. C'est un poète.

– Un poète… Et que compose-t-il ?

– Des poèmes d'amour. Il en a envoyé un hier à Manija.

La voix d'Asmat se précipita un peu :

– Il y dit que ses yeux ont soif de la voir, que son cœur bat au rythme des pas de sa bien-aimée, que son souffle ne sait que crier son nom…

Mehrunnisa partit d'un rire dont l'écho se répandit dans l'air de la nuit, puis ramassa une poignée de poudre jaune.

– Et nous peignons une forêt enchantée sur les dalles pour accueillir les femmes de sa famille. Que dirait-il s'il voyait le rangoli ?

– Mille choses, j'imagine. Mais il n'entrera jamais dans le quartier des femmes, tu le sais.

Mehrunnisa resta un instant rêveuse :

– Manija va se marier… D'abord Khadija, à présent Manija. Je n'arrive pas à le croire !

– Ton bapa et moi aimerions vous garder tous à la maison, comme Abul et Muhammad qui sont revenus vivre ici. Mais les filles appartiennent à leur belle-famille dès leur naissance. Nous n'en sommes que les gardiens temporaires. Elles grandissent, elles se marient, elles fondent leur vrai foyer et élèvent leurs enfants.

Mehrunnisa jeta un regard dans la direction de Ghias, Arjumand toujours sur ses genoux, puis baissa la tête. Malgré toute sa volonté, elle ne put retenir une larme qui glissa le long de sa joue et vint s'écraser sur le rangoli, telle une goutte de rosée sur la feuille de manguier. Elle se détourna en espérant qu'Asmat n'ait rien remarqué. Elle ne voulait pas avouer que ses paroles lui avaient soudain vidé le cœur. *Et elles élèvent leurs enfants.*

Voilà quatre années qu'elle avait épousé Ali Quli et leur maison restait sourde aux rumeurs joyeuses des enfants. Ce n'était qu'une maison, pas un foyer : Ali Quli y séjournait rarement. Cinq jours après leur mariage, il était parti en campagne avec le khan-i-khanan. Huit mois durant, il ne donna pas signe de vie, ne lui écrivit pas un mot. Seules les estafettes laissaient entendre qu'il était sain et sauf. Lorsque son mari revint, elle crut accueillir un inconnu, un homme qu'elle n'avait côtoyé que cinq jours. Il n'était pas mauvais, ne la battait pas, ne se montrait pas aussi cruel envers elle que certains époux qui traitaient leurs femmes en intouchables, tout juste bonnes à satisfaire leurs instincts charnels. Ali Quli ne lui causait pas cette peine, mais ses silences la chagrinaient presque autant. Elle avait l'impression de ne pas exister pour lui.

À la fin de leur première année de mariage, les menstruations de Mehrunnisa avaient cessé. La vue de la nourriture lui donnait la nausée, l'odeur des fleurs l'étouffait et elle souffrait de migraines. Elle glanait quelques instants de sommeil dans la journée, la nuit elle ne trouvait pas de repos. Un soir qu'elle prenait un bain chaud, l'eau se teignit de rouge. Les douleurs de cette fausse-couche lui donnèrent l'impression d'être écartelée par quatre éléphants, lentement, membre par membre, jusqu'à en perdre connaissance.

Longtemps elle porta la honte de ce malheur, d'autant qu'elle ne parvenait pas à concevoir d'autres enfants. Un jour, Ali Quli lui avait dit :

– C'est parce que tu m'es infidèle. Penses-tu à un autre ?

Elle avait levé sur lui un regard incrédule. Était-ce vrai ? Et si ses pensées envers Salim l'empêchaient de concevoir l'enfant d'un autre homme ? Mais elle ne pensait pas à Salim. Du moins pas tout le temps. Pas tous les jours. De temps à autre, quand elle était lasse, quand son cerveau lui désobéissait, elle se surprenait à se remémorer leurs rencontres fugaces, aux baisers enfiévrés qu'ils avaient échangés.

– Ma fille.

Asmat lui posa une main sur l'épaule et lui souleva la tête. Quand elle vit qu'une larme lui avait coulé sur la joue, elle l'essuya avec un coin de son voile.

– Cela t'arrivera, à toi aussi.

Mehrunnisa s'efforça de lui répondre par un sourire. Elle ne voulait pas susciter la pitié, pas même chez maji. Depuis quatre ans, ils s'apitoyaient tous sur son sort, Muhammad, Abul, Khadija, Manija. Muhammad et Abul avaient tous les deux des enfants. Quant à Khadija, mariée six mois auparavant, elle était déjà enceinte.

– Je crois, dit lentement Mehrunnisa, que cela se produira bientôt…

Asmat lui caressa la joue.

– Depuis quand ?

– Deux mois.

Asmat se mit à rire et l'entoura de ses bras, l'embrassa.

– Mais tu ne m'as rien dit ! Pourquoi ? Nous devons fêter cette nouvelle !

– Non maji, de grâce ! intervint sa fille alarmée. Pas encore, pas si vite !

– Pourquoi ? Nous vivons des temps de joie. Un mariage dans cette maison, un autre petit-enfant – que pourrais-je demander de plus ? Nous devons le dire à ton bapa.

Mehrunnisa empêcha de justesse sa mère de héler son époux de la main :

– Non, maji. Je ne veux encore rien dire à personne. Nous devons attendre. Je n'aurais pas dû te le dire…

– Pas même à moi, ma fille ? Comment pourrais-tu cacher une telle chose à ta mère ? Ali Quli est-il au courant ?

– Non.

– Pourquoi ?

Asmat se pencha sur sa fille :

– Il faut l'avertir. Tu n'as rien à lui cacher. C'est une occasion de nous réjouir. Un enfant dans la famille, peut-être même un fils ! Ton mari doit savoir.

Mehrunnisa secoua la tête, regrettant déjà d'avoir été trop bavarde. Mais comment expliquer la peur qui l'étreignait ? Comment avouer que, jour après jour, elle guettait l'eau de son bain de peur de la voir rougir ?

– Je ne puis lui en parler. Pas encore.

Asmat se détourna et entreprit de colorer une autre feuille.

– Mehrunnisa, expliqua-t-elle sans lever la tête, Ali Quli doit savoir qu'il va être père. Ton mari doit toujours en savoir plus long que nous, car c'est à lui que tu appartiens, désormais, plus à nous. C'est sa maison que tu vas honorer, toutes tes pensées doivent se porter sur lui. Comme moi je ne pense qu'à ton bapa.

– Mais nous ne vivons pas comme bapa et toi, maji ! s'écria-t-elle d'une voix tremblante. Ma vie n'a rien à voir avec la vôtre.

– Soit, je veux bien le reconnaître. Pourtant tu es mariée et c'est tout ce qui importe. Sans doute ton bapa et moi nous sommes-nous trompés à ton sujet, sans doute aurions-nous dû te marier à un autre, à un homme qui t'aurait mieux comprise. Mais que pouvions-nous faire après avoir reçu cet ordre de l'empereur ? Au moins, Ali Quli ne s'est pas cherché une autre épouse. En cela, il est comme ton bapa.

Les yeux de Mehrunnisa s'emplirent à nouveau de larmes.

– Bapa ne s'est plus marié parce que tu emplis son monde à toi seule, parce que nous sommes là et que cela lui suffit. Tandis que moi, je ne signifie à peu près rien pour Ali Quli. Pourquoi le défends-tu ? C'est de moi que tu devrais t'inquiéter. Tu es ma mère, non la sienne ! M'as-tu à ce point abandonnée à lui que tu ne t'inquiètes plus de ce que je deviens ?

En prononçant ces paroles, la jeune femme sentit qu'elle allait trop loin. Asmat ne leva pas les yeux de son travail ; au contraire elle les ferma, comme si elle avait reçu une gifle. Mehrunnisa voulut s'excuser, effacer le chagrin qu'elle venait de lui causer. Bien sûr, elle ne pensait pas un mot de ce qu'elle venait de dire. Elle savait que ses parents se souciaient de son bien-être à elle, plus que son propre mari. Mais ils devaient faire bonne figure, même devant elle. Asmat avait déjà enfreint plusieurs règles de la bienséance en lui parlant comme elle l'avait fait d'Ali Quli, en avouant son regret, et celui de Ghias, de l'avoir forcée à l'épouser. Il était des choses dont on ne devait même pas s'entretenir. Si le malheur avait voulu que son mariage fût un échec, ce n'en était pas moins un mariage et rien ne pouvait venir le briser.

– Nisa, souffla Asmat, j'aimerais tant que tu aies un enfant. Parce que tu en désires un. Parce qu'il te rendra heureuse. Si je pouvais empêcher les autres femmes de te demander constamment pourquoi tu n'es pas mère, je le ferais. Si je pouvais mettre un enfant dans ta maison, je le ferais.

– Maji, je n'aurais pas dû te parler ainsi.

– Non, ce n'est pas grave. Mais… lorsque tu rentreras chez toi, demain, tu devras tout dire à Ali Quli. Il aurait dû être le premier à savoir. Toutes tes actions doivent être justes, Nisa. Nul ne devrait pouvoir te montrer et dire que ce que tu fais est mal. Tu dois préserver les apparences à tout prix.

Mehrunnisa soupira. Toujours ces contraintes, ces coutumes, qui régissaient votre façon de vivre, de manger, de parler ou de se taire. Quand elle était plus jeune, ces règles lui paraissaient moins lourdes, sous l'égide de bapa et maji.

Comme en écho à ses pensées, Asmat reprit avec un léger sourire :

– Mais un enfant va venir. Nous sommes là, comme deux vieilles femmes, à nous faire peur. Sois forte, ma fille. Je vais prier Allah pour qu'il veille sur ton enfant et qu'il t'apporte le bonheur.

– Ne dis rien à bapa.

– Il comprendra. Que tu le veuilles ou non, il comprendra. Et un jour, tout comme il porte aujourd'hui Arjumand sur ses genoux, ce sera ton enfant qu'il bercera.

Toutes deux se tournèrent vers Ghias qui sommeillait contre la colonne, sa petite-fille dans ses bras. Les travaux de la journée et la tranquillité de la nuit avaient eu raison d'eux. Mehrunnisa se pencha de nouveau, contente que sa mère ne cherchât pas à la choyer, car si l'impensable se produisait à nouveau elle en aurait encore plus honte. Elle était contente qu'Asmat ne lui ordonnât pas d'aller se laver les mains pour se reposer, car cette occupation l'empêchait de trop réfléchir à ce qu'elle pourrait faire en ce moment si le destin l'avait voulu. Maji avait toujours eu l'esprit pratique. Elle avait trop à faire pour s'abîmer dans de stériles contemplations de la vie, de ce qui eût pu être et ne serait jamais.

Le matin suivant arriva trop vite au goût de Mehrunnisa, qui avait peu dormi. Sa mère et elle avaient commencé un nouveau *pahr* dans la soirée. Auparavant, Asmat était allée réveiller Ghias pour emmener Arjumand au lit, et son mari par la même occasion. Puis les deux femmes avaient terminé le rangoli en silence. De temps à autre, Mehrunnisa voyait sa mère la surveiller d'un œil inquiet lorsqu'elle portait une main à ses reins douloureux, ou suçait une tranche acide de mangue séchée qu'Asmat lui avait apportée de la cuisine. Leur œuvre achevée, toute la cour resplendissait de couleurs.

– Va dormir, à présent, Nisa. Tu dois être d'autant plus fatiguée que tu portes cet enfant.

Elle étreignit sa fille et toutes deux restèrent un moment serrées l'une contre l'autre. La tête sur l'épaule d'Asmat, Mehrunnisa huma le parfum de jasmin dont elle embaumait ses cheveux, ressentit le battement paisible de son cœur, et elle en éprouva un sentiment de réconfort tel qu'elle n'en connaissait plus depuis longtemps.

Le lendemain, elle quittait la maison de son père alors que le laitier arrivait avec ses vaches. Son voile sur la tête, elle regarda l'homme masser les pis gorgés de lait avant de tendre sa potiche de terre cuite à la servante. Celle-ci ne se priva pas d'inspecter le récipient auparavant pour vérifier qu'elle n'était pas emplie d'eau afin d'augmenter les bénéfices. Puis le laitier entreprit de traire ses bêtes tout en bavardant avec la servante. Mehrunnisa s'éloigna et regagna la maison de son mari, escortée à quelques pas par quatre serviteurs.

Maji lui avait intimé l'ordre d'avertir Ali Quli, aussi obéirait-elle. Car malgré sa fatigue de la nuit, malgré son dos douloureux et le goût âcre sur sa langue, elle se sentait beaucoup mieux. Ses confidences à sa mère lui avaient rendu courage. Maintenant, tout allait être différent. Ali Quli et elle auraient un enfant, l'enfant qu'elle portait. Son époux serait fier d'elle et tous deux fonderaient un foyer. Non pas comme celui de maji et bapa, mais tout de même un vrai foyer. Elle aussi aurait un enfant, ainsi pourrait-elle devenir une vieille femme acariâtre, sûre que cet enfant prendrait soin d'elle. Cette idée la fit rire. Et son rire résonna comme l'eau fraîche d'un ruisseau, comme un présage heureux.

Parvenue à la maison, elle traversa la cour pour rejoindre la chambre d'Ali Quli. Qasim, son serviteur, ronflait encore devant la porte. Mehrunnisa se pencha et lui secoua l'épaule.

Il s'éveilla en sursaut et ouvrit de grands yeux.

– Sahiba, quand êtes-vous rentrée ? Le sahib ne vous attend pas. Je vais lui dire…

– Inutile.

– Mais, sahiba…

Qasim se leva d'un bond de côté, comme un chat chiffonné.

– Il vaut mieux…

Mais sa maîtresse avait déjà ouvert la porte. Elle s'immobilisa sur le seuil. Ali Quli dormait dans le lit au centre de la pièce, les jambes étendues sur une esclave, la tête enfouie sous son épaule dénudée.

Foudroyée par la honte, Mehrunnisa crut qu'elle allait s'effondrer. Lentement, Ali Quli s'éveilla et aperçut son épouse. Il envoya une tape sur l'arrière-train de l'esclave pour la tirer de son sommeil.

– File !

La fille aperçut à son tour sa maîtresse et enfila en hâte son choli puis s'enfuit les yeux baissés. Mehrunnisa la laissa passer puis claqua la porte.

Ali Quli s'appuya tranquillement sur un coude.

– Ce n'est qu'une esclave, Mehrunnisa. Sois heureuse que je ne prenne pas une autre épouse.

– Et quand mon seigneur aurait-il du temps pour une autre épouse ? demanda-t-elle amèrement. Quand la verrais-tu ? Quand lui parlerais-tu ? Une autre épouse te retiendrait trop longtemps loin de l'armée. Elle serait exigeante, voudrait de nouveaux vêtements et compterait que tu l'admires.

– Tout comme toi, rétorqua Ali Quli qui s'enveloppa du drap de calicot bleu.

Mehrunnisa se cacha le visage dans les mains.

– Je te demande si peu ! Je ne me plains pas quand tu vas boire au nashakhana ou rendre visite aux danseuses. Mais pourquoi te comporter ainsi dans ma propre maison, dans le lit où je dors ?

– Un lit infertile ! hurla Ali Quli rouge de colère. Comment oses-tu me parler ainsi ? Qui te permet de me juger ? Je t'ai épousée parce que l'empereur me l'a ordonné. Va-t-il falloir qu'il te donne à présent l'ordre de porter un enfant ?

Paralysée d'effroi, Mehrunnisa ne parvenait plus à prononcer un mot. *Mais je porte un enfant ! Je venais t'annoncer la nouvelle et je te trouve au lit avec une autre femme !* Pourquoi cela la faisait-il tellement souffrir ? Elle savait qu'il aimait folâtrer avec les danseuses, et même parfois des esclaves, mais c'était la première fois qu'elle assistait à ses ébats.

– Je suis navrée, articula-t-elle lentement. Il serait sans doute préférable que tu prennes une autre épouse.

Ali Quli éclata de rire en s'adossant à ses oreillers, les mains sous la tête. Derrière lui, le soleil s'introduisait dans la pièce par les dentelles des fenêtres. Il plissa les yeux d'un air satisfait.

– Sans doute, en effet.

Sous les railleries de son époux, un sentiment de révolte saisit soudain Mehrunnisa. C'était la première fois qu'ils discutaient vraiment, en quatre années, presque la première fois qu'ils tenaient une si longue conversation. Elle répondit d'une voix à l'ironie cassante :

– Mon seigneur voudrait-il que je la choisisse pour lui ? Que désirerait-il ? De longs cheveux, un corps souple et mince, des yeux propres à inspirer un poète ? Une bonne famille ? Peut-être son père devrait-il être un ministre important à la cour ? Une telle alliance ne pourrait que lui être favorable.

Ali Quli sortit en trombe de son lit et attrapa le visage de Mehrunnisa dans sa large paume. Tout près d'elle, l'haleine lourde des beuveries de la nuit, il souffla brutalement :

– Tu parles trop pour une femme... Tu te prends pour une reine ? Où est l'or qui devrait te couler dans les veines ? Qui sont tes ancêtres ? Quelles terres ont-ils conquises ? Où sont les monuments dédiés à leur postérité ? Les tombeaux où ils reposent ? Et qui est ton père ? Un réfugié persan ! Un homme qui a fui son pays avec pour toute fortune les vêtements qu'il avait sur le dos, devenus des haillons le temps qu'il arrive en Inde !

Mehrunnisa tenta de se libérer mais il la tenait trop fermement, à lui en briser la mâchoire. Malgré la difficulté, elle parvint à répondre :

– Tu es aussi persan, que je sache. Ne l'oublie pas. Si mon père a trouvé refuge en Inde, toi de même. Dans les mêmes circonstances.

– Mais je suis un soldat. Je me bats, moi. Je répands le sang de nos ennemis. Alors que ton père… Il n'est rien de plus qu'un wakil qui aligne des chiffres.

Rassemblant toutes ses forces, Mehrunnisa tenta encore une fois de se libérer, cependant elle n'était pas de taille à lutter contre lui. Tout d'un coup, aussi subitement qu'il s'était jeté sur elle, il la relâcha et s'assit par terre. Leurs genoux se touchaient. Mehrunnisa se frotta les joues, consciente des marques qu'elle risquait d'arborer plusieurs jours. Elle ne pourrait se rendre au mariage de Manija, les gens risqueraient de jaser, et maji et bapa s'inquièteraient trop.

– Mon père est le Diwan-i-buyutat – le maître d'œuvre chargé des travaux impériaux, non un modeste wakil. Tu le sais. C'est grâce à sa position à la cour que tu jouis de tant de privilèges, un mansab élevé, le commandement d'une division… tout cela grâce à lui.

Elle savait qu'elle ne devrait pas lui parler ainsi, que les épouses n'élevaient pas la voix contre leurs maris. Mais en ce moment, elle méprisait tant Ali Quli, tremblait de dégoût à l'idée qu'elle portait son enfant et ne voulait plus jamais le voir, quelque réprobation que cela pût apporter sur elle. Comment osait-il insulter bapa ? Qui était-*il* pour insulter bapa ?

Ali Quli leva soudain un bras et, malgré elle, Mehrunnisa se recroquevilla dans son coin. Mais il ne l'avait jamais frappée et il ne le fit pas davantage cette fois-ci.

– Je sais que tu estimes avoir fait une mésalliance en m'épousant ! cria-t-il. Ton bapa et ta maji sont aussi de cet avis. Parce que je suis venu seul, parce que l'épouse du khan-i-khanan a dû me servir de mère pour la cérémonie du mariage. Parce que j'ai été safarchi du chah. Un serveur. Voici quatre ans que je supporte le mépris de ta famille.

– Bapa et maji n'ont jamais rien dit contre toi.

– Ils n'en ont pas besoin. Leurs manières, leurs regards, leur attitude envers moi me suffisent. Mais toi, Mehrunnisa, qui es-tu ? Tu te comportes comme si tu étais une princesse du sang. Dis-moi, quelles soies, quels velours couvraient le lit de ta mère quand tu es née ? Quelles trompettes, quels canons ont annoncé ta naissance ? Quels bawarchis ont transpiré sur leurs chulas pour préparer des pâtisseries qui devaient réjouir les palais des amis entrés s'enquérir de ta venue au monde ? Combien de mendiants ton père a-t-il vêtus et nourris pour qu'ils se réjouissent de ton arrivée dans sa famille ? Quelles festivités ont accompagné tes premiers jours ici-bas ? Une tente râpée, une tempête d'hiver. Une mère qui a failli mourir en te mettant au monde. Un père qui a préféré t'abandonner plutôt que de te nourrir.

Mehrunnisa le dévisagea longtemps, buvant l'amertume brûlante de chacune de ses paroles. Quelque part, au tréfonds d'elle-même, elle trouvait encore le moyen d'estimer que la colère conférait presque des accents poétiques aux harangues de son époux.

– Pourquoi ne divorcerais-tu pas ? demanda-t-elle. Il te suffit de deux témoins.

– Non. Ton père, bien que je ne voie en lui qu'un wakil, peut encore m'être utile. Il semblerait qu'avoir Ghias Beg pour beau-père inspire le respect. C'est pourquoi...

Il se pencha de nouveau vers elle et lui toucha le visage, gentiment, cette fois.

– C'est pourquoi je ne puis divorcer aussi facilement que tu le suggères. Rien n'est facile, dans la vie. Nous allons rester mariés jusqu'à la fin de nos jours, ma chère Mehrunnisa. Réfléchis-y : jusqu'à la fin de tes jours, tu ne seras rien de plus que la femme d'un simple soldat. Prie Allah que je reçoive vite une promotion, ou tu ne pourras jamais te présenter la tête haute dans ton illustre famille.

Là-dessus, il se leva, ouvrit la porte et quitta la chambre en appelant :

– Qasim, prépare-moi mon *chai* !

Merhunnisa demeura sur place à fixer ses mains. Elle n'avait pu annoncer à Ali Quli ce qui l'avait amenée de si bon matin. Autour d'elle résonnaient les bruits de la maisonnée, les servantes qui s'interpellaient en riant, tiraient de l'eau au puits et nettoyaient le sol de la véranda. Elle n'éprouvait rien, ni regret ni tristesse, rien qu'une grande lassitude.

C'est alors qu'elle ressentit la première douleur. Comme les autres, celle-ci la traversa des reins au ventre, telle une main qui lui arrachait les entrailles. Elle ferma les yeux pour tenter d'absorber cette insupportable tourmente. Au moins n'aurait-elle pas à chercher d'excuse pour expliquer son absence au mariage de Manija. Portant les mains à son front, elle se plia en deux sur le sol, la face contre la pierre fraîche. Encore un enfant qui lui échappait, à peine arrivé en elle, à peine vivant, déjà parti. *Ce n'était pas possible* – cette vie sans enfant, cette vie qu'Ali Quli venait de lui prédire, d'épouse stérile d'un simple soldat.

Ses lèvres remuèrent sur une prière silencieuse, alors que les larmes lui obscurcissaient la vue et que son souffle se bloquait dans sa poitrine. *Allah, par pitié, que ce petit me reste ! Par pitié !*

Mais déjà une mare rouge envahissait ses jambes.

*
* *

En 1599, l'empire moghol s'étendait à travers l'Hindoustan, embrassant Kandahar et Kaboul au nord-ouest, le Cachemire au nord, le Bengale à l'est, le Berar au sud. La *kbutba*, proclamation officielle de souveraineté, était lue tous les vendredis avant les prières par les muezzins des mosquées de l'Empire. *Salut à Akbar Padchah, le tout-puissant seigneur.* En Inde centrale, l'empereur avait réussi à soumettre jusqu'aux rois rajpoutes, vaillants guerriers issus d'une race fière et sauvage. Chaque fois qu'un royaume était conquis, les filles, sœurs, cousines et nièces du roi vaincu étaient données en mariage à un membre de la famille impériale, afin de cimenter la nouvelle alliance et de se prémunir contre de futures rébellions.

Un royaume, cependant, résistait encore, Udaipur, au sud-ouest de la terre rajpoute, terre aride et dure aux plaines dénudées où ne croissait que de la broussaille. L'eau et la pluie ne constituaient qu'un lointain souvenir dans le désert de Thar, au nord. Mais, malgré le soleil brûlant, Udaipur se dressait au bord du lac Pichola et les terres qui l'entouraient étaient fertiles, vertes, gorgées d'eau. Là régnait *rana* Pratap Singh, l'arrogant et indomptable Rajpoute, furieux que quiconque, même un grand empereur, osât considérer sa terre comme partie d'un plus large empire.

Rana Pratap mourut dans une hutte au bord du lac. Par la fenêtre, il voyait les murs de brique et de mortier du palais qu'un autre rana avait entrepris de construire mais, durant son règne, il n'avait pas connu de paix assez longue pour lui permettre d'achever les travaux. Entouré de ses dix-sept fils, sur la paillasse de foin, il leur fit jurer de poursuivre la lutte contre Akbar jusqu'à leur dernier souffle. Lorsque l'aîné, son héritier, Amar Singh, entra pour lui faire ses adieux, son turban s'accrocha à une tuile du toit et le laissa tête nue. Alors Pratap Singh, ce puissant rana qui avait fait reculer le formidable empire moghol, s'éteignit avec à l'esprit l'image de ce fils calme et détendu, ce nouveau roi à qui l'on arrachera bientôt son royaume bien-aimé.

Dans les appartements de Ruqayya Sultan Begam, l'empereur Akbar avait pris place près de la fenêtre, les exemplaires reliés de cuir et d'or de l'*Akbarnama* sur les genoux. Il effleura la surface ciselée de la couverture. Abou el-Fazl avait assuré que ces trois volumes couvraient son règne, les deux premiers contant l'histoire de son gouvernement, le troisième, l'*Ain-i-Akbari*, relatant la vie quotidienne de son temps. Ses doigts tracèrent les lettres de la première page. Son grand-père avait écrit le *Babournama*. Le règne de son père avait été rapporté par sa tante, Guldaban Begam, dans *l'Humayunama*. Voici qu'arrivait ce témoignage de première main pour la postérité. Dans un langage fleuri, flatteur et parfois pompeux, Abou el-Fazl était cependant parvenu à retracer la quintessence de sa vie.

Dehors, le garde de nuit allait et venait en annonçant l'heure de sa voix chantante :

– Deux heures et tout est bien !

L'empereur déposa l'*Akbarnama* près de lui sur le divan et défit lentement son turban de soie qu'il enroula ensuite pour en faire une boule. Il se faisait tard, il devait dormir. Fatigué, il se déshabilla lentement, détachant sa qaba, remplaçant sa culotte de soie par une kurta de coton plus large.

Il souffla la lampe près de la fenêtre. Lorsque ses yeux se furent accoutumés à l'obscurité, il se dirigea vers le lit et contempla les deux silhouettes aimées et familières. L'impératrice Ruqayya, qui dormait en travers du lit, et le prince Khurram qui lui entourait le cou de ses bras. Le drap de coton qui les couvrait avait légèrement glissé, aussi l'empereur les en recouvrit-il.

Mourad. Le nom de son fils lui traversa l'esprit et il s'assit, laissant ses larmes couler pour la première fois depuis qu'il avait appris la nouvelle. Après tant d'années passées à désirer des fils puis à en élever trois, il n'en avait désormais plus que deux. Mourad était mort.

Akbar l'avait envoyé quelques mois plus tôt superviser ses armées dans le Sud en espérant que ces nouvelles responsabilités l'éloigneraient de la boisson et de l'opium. Mais il n'en avait rien été. Comme Daniyal avant lui, Mourad s'était révélé un piètre capitaine, incapable de contrôler ses hommes. Des rivalités mesquines avaient éclaté entre les chefs militaires. De plus, Akbar sut que Mourad était malade à force de boire. Aussi avait-il envoyé Abou el-Fazl, grand chancelier de l'Empire, pour le soigner. Cependant, celui-ci arriva trop tard. Le prince était tombé dans un sommeil profond et, quatre jours après l'arrivée de Fazl, le 2 mai 1599, il mourut.

Le chancelier trouva les forces impériales dans un piètre état, les hommes démotivés et éreintés. Sans prendre le temps de s'attarder sur son chagrin, l'empereur avait nommé el-Fazl commandant en chef de ses armées, afin de lui donner l'autorité nécessaire pour rassembler ses troupes. Et voilà qu'el-Fazl lui écrivait pour réclamer sa présence dans le Dekkan.

Akbar baissa la tête. Il y avait toujours tant à faire et si peu de temps pour réfléchir. Il ne trouvait qu'au cœur de la nuit la tranquillité et le silence nécessaires à sa concentration. Au contraire de Salim, il n'avait pas bien connu Mourad ni Daniyal. Il les avait aperçus de temps à autre, enfants, entourés de gouvernantes et d'ayahs, ou durant quelque cérémonie officielle. Néanmoins, il avait supervisé avec la plus grande attention leur éducation, leur faisant donner les meilleurs tuteurs, les meilleures nourrices, tout ce à quoi un prince du sang pouvait prétendre. Cependant, Mourad et Daniyal ne songeaient qu'à la boisson et aux femmes de leurs harems. Désormais, Mourad était mort, Salim le décevait et Daniyal buvait trop.

Il était empereur, il avait trois héritiers, dont deux lui restaient en lesquels il n'avait pas confiance.

C'est alors qu'une douce main lui caressa le cou.

– Viens dormir, souffla Ruqayya.

Akbar s'appuya contre la paume de son épouse, humant son parfum de *santuk*, mélange d'aloès, de civette et d'eau de rose. Il se tourna vers elle, le visage encore baigné de larmes. Elle était assise dans le lit.

– Viens, répéta-t-elle en tendant un bras.

L'empereur vint se réfugier contre elle et ils restèrent un long moment sans bouger, et elle le laissa pleurer contre son sein. Puis ils s'allongèrent et demeurèrent enlacés, de chaque côté du prince Khurram.

Il avait sept ans, maintenant ; il était trop âgé pour dormir encore dans le lit de celle qu'il prenait pour sa mère, mais tous deux y tenaient autant l'un que l'autre ; aussi, lorsque Akbar venait passer la nuit avec Ruqayya, tous trois dormaient-ils ensemble.

– Nous devons partir pour le Dekkan, Ruqayya.

Khurram remua pour se trouver une position plus confortable ; dans son sommeil, il saisit le devant de la kurta de son grand-père d'une main et une mèche de cheveux de sa prétendue mère de l'autre.

Ruqayya embrassa l'empereur sur la joue.

– Si mirza Abou el-Fazl réclame ta présence dans le Dekkan, seigneur, il faut t'y rendre. Il ne t'en prierait pas si ce n'était pas important. Si tu parviens à conquérir le Bijâpur et le Golconde, ce seraient de belles adjonctions à ton empire.

– Oui, murmura Akbar sans trop élever la voix pour ne pas éveiller l'enfant. Nous y menons campagne depuis cinq ans sans succès.

– Vous réussirez. Au moins la menace ouzbèke qui nous a amenés à Lahore a cessé d'exister depuis la mort du roi Abdullah Khan. Il n'est plus besoin de se soucier des frontières au nord-ouest de l'empire.

Akbar se tourna sur le dos et regarda les ombres au plafond.

– Et Udaipur ? Rana Pratap Singh est mort et c'est à présent son fils Amar Singh qui est devenu rana. Il se familiarise encore avec ses nouvelles obligations. Si nous frappons maintenant, Udaipur fera partie de l'Empire avant longtemps.

– Tu devrais cependant attendre un moment plus propice pour mettre le siège devant Udaipur, seigneur.

– Nous ne pouvons attendre trop. Voilà deux ans que rana Pratap Singh est mort. Bientôt, Amar Singh se croira trop bien établi pour vouloir céder la place.

– Tu respectais rana Pratap Singh.

– C'était un homme de cœur, un roi digne de ce nom, énonça sombrement Akbar. Udaipur est le seul royaume rajpoute que nous n'avons pu conquérir. Voilà pourquoi j'admirais rana Pratap Singh. Il a si souvent et si longtemps tenu tête à l'armée impériale… mais le temps est venu d'annexer Udaipur, pas seulement pour des raisons politiques. Tu le sais, Ruqayya. Les hommes d'Amar Singh pillent et rançonnent régulièrement nos caravanes en partance pour les ports occidentaux. Nos sujets doivent pouvoir voyager en toute sécurité à l'intérieur des frontières de l'Empire. Tant qu'Udaipur demeurera indépendant, ces conditions ne pourront être garanties.

– Et qui enverras-tu diriger cette campagne, seigneur ?

– Raja Man Singh. Ce sera un bon chef de guerre.

Ruqayya toucha le visage d'Akbar.

– Envoie Salim, seigneur.

– Sans Raja Man Singh ?

– Si, avec lui. Laisse Salim diriger son armée. Il a besoin d'assumer des responsabilités.

Un long silence s'établit dans la chambre, jusqu'à ce qu'Akbar demande lentement :

– Crois-tu qu'il en sera capable ?

– Il n'y a qu'un moyen de le découvrir, seigneur. S'il doit te succéder – Allah fasse que cela n'arrive pas trop vite –, il doit être préparé. Après l'affaire d'Humam, les nobles de la cour ne le considèrent plus du même œil. Ils doivent lui accorder leur confiance, sinon ils ne le soutiendront pas lorsqu'il montera sur le trône.

À ces mots, une profonde tristesse s'empara d'Akbar. Il avait fait son possible, depuis huit ans, pour tenter d'oublier l'incident du poison. Il n'avait jamais évoqué avec Ruqayya ses soupçons vis-à-vis de Salim. Cette fois, il ne pouvait reculer davantage.

– Ai-je eu raison de chasser l'hakim ?

– Oui, certainement. Mais en ce qui concerne Salim, nous ne saurons jamais ce qu'il en est. Aussi ne dois-tu pas croire qu'il ne t'aime pas ou peu. À cette époque, c'était encore un enfant influençable et inconséquent. Je ne puis croire qu'il ait jamais voulu ta mort. D'ailleurs, il a souvent fait la preuve de son repentir au cours des dernières années. Alors, envoie-le à Udaipur et montre-lui ta confiance. Cela devrait faire naître une nouvelle amitié entre vous.

Akbar amena Khurram plus près de lui et sentit la chaleur du petit corps se transmettre à ses bras.

– Salim nous a donné Khurram, dit-il. Ce petit nous apporte tant de joie ! Tout comme Salim à sa naissance.

Malgré l'obscurité, il chercha du regard le visage de son épouse :

– Femme, comment se fait-il que tu sois si sage ? D'où te vient ce discernement ?

Elle rit doucement et tira le drap sur eux trois.

– De toi, seigneur. Grâce à toi. Salim est aussi notre fils ; nous devons le nourrir, le chérir et, s'il a fait le mal, lui pardonner. Maintenant, il te faut dormir.

Alors ils dormirent, dans les bras l'un de l'autre. Avant de fermer les yeux, Akbar pria silencieusement que Ruqayya eût raison. La mort de Mourad le peinait infiniment et il redoutait de voir ses relations avec ses deux derniers fils se dégrader davantage ; le peu de temps qui devait lui rester à vivre, il allait l'employer à consolider son cher empire afin de le remettre sans crainte entre les mains de Salim.

Quelques semaines plus tard, la cour impériale et le zénana se déplacèrent vers le Dekkan avec l'empereur. Ghias Beg et Asmat suivirent la troupe. Les bazars se vidèrent et la plupart des marchands accompagnèrent Akbar. Les nobles fermèrent leurs maisons et s'en allèrent à leur tour.

Ali Quli fut envoyé à Udaipur sous les ordres du prince Salim. Il préféra ne pas emmener Mehrunnisa avec lui. Elle restait seule à Lahore.

7

À l'époque où Akbar visitait en grand équipage les provinces du Dekkan et où je reçus l'ordre de me porter contre le rana, il vint à moi et se mit à mon service. Je lui donnai le titre de Shir-afghan (pourfendeur de tigre).

Le Tuzuk-i-Jahangiri

Les deux hommes chevauchaient côte à côte à la tête de l'armée. Ils montaient de fringants destriers arabes, l'un noir à balzanes ivoire, l'autre gris foncé à l'étonnante crinière blanche. Le prince Salim se tourna vers son compagnon en serrant la rêne pour imposer sa main au cheval.

– Quel magnifique animal !

Ali Quli salua du haut de sa selle.

– Je l'ai acheté à un marchand arabe, Votre Altesse. Il provient d'une belle lignée. Si vous désirez le monter, je serais honoré de vous en faire cadeau.

Salim examina d'un œil de connaisseur la ligne fine et puissante de l'étalon, ses flancs musclés et son insolite crinière de neige. Comment l'époux de Mehrunnisa avait-il pu se procurer sur une telle monture ?

– Si mon frère Daniyal était là, il se la serait immédiatement appropriée. Il adore les chevaux.

– Mais votre monture est elle aussi très belle, Votre Altesse. Vous avez un goût excellent.

Salim répondit d'un hochement de la tête. Il n'aimait pas trop l'obséquiosité. Il avait demandé que ce soldat fît partie de son armée afin de voir de ses yeux quel homme Mehrunnisa avait épousé. Puis il l'avait sorti du rang, afin qu'il lui tînt compagnie durant la dernière étape de leur long voyage. De sa cravache incrustée de pierres précieuses, il désigna l'horizon :

– Nous sommes presque arrivés.

– Votre Altesse a-t-elle décidé d'un plan d'action ?

– Oui. Dès que nous serons installés, nous enverrons des troupes établir des avant-postes. J'ai d'abord pensé à Untala, Mohi et Chittor. De là, les lieutenants lanceront quelques sorties en attaque. Nous devons organiser un barrage continu sur le rana, pour le fatiguer et l'obliger à se rendre.

– Les troupes du rana ne résisteront pas aux assauts de l'armée impériale, Votre Altesse.

Le soldat hésita avant d'ajouter :

– Avez-vous nommé les commandants des avant-postes impériaux ?

– Pas encore

Ah ! Voilà pourquoi Ali Quli se montrait si onctueux ! Salim se tourna vers lui :

– Dois-je comprendre que tu es candidat ?

– Certainement, Votre Altesse ! Je saurai vous faire honneur.

– Je n'en doute pas. Tes exploits militaires sont légendaires. Mais ta compagnie me plaît. Je préfèrerais que tu restes ici. Nous trouverons d'autres commandants pour les troupes impériales.

– Comme le voudra Votre Altesse.

Le prince remarqua la mine déçue de son voisin ; une autre question lui brûlait les lèvres, mais il s'abstint. Il se rappela soudain sa stupéfaction lorsque Mehrunnisa avait lâché le pigeon pendant le bazar de Mina. Personne d'autre n'avait jamais fait preuve d'une telle audace en sa présence, mais elle ne s'était pas gênée, lançant ses bras minces dans les airs à la suite de l'oiseau avant de considérer le prince, l'air moqueur. *Et maintenant, Votre Altesse ?*

Et maintenant... Vers l'est, un vent lourd soulevait la poussière et s'engouffrait dans les arbres. Le prince tira l'extrémité de son turban sur son nez et sa bouche. *Mehrunnisa.* Ce nom ravissant lui allait si bien ! Il n'avait passé avec elle que quelques courts instants et pourtant ils emplissaient sa mémoire comme une vie entière. Cependant, il ne pensait pas à elle sans cesse. Seul son nom flottait dans sa mémoire ; son visage lui apparaissait dans ses rêves pour disparaître avant son réveil. Il y avait tant de femmes dans son zénana, de tant de contrées, néanmoins aucune ne lui ressemblait. Et cet homme qui chevauchait près de lui était son époux, qui la retrouvait chaque soir dans sa maison. La traitait-il bien ? Une douleur inattendue frappa le prince à cette pensée.

– As-tu des enfants, Ali Quli ? demanda-t-il subitement.

– Non, Votre Altesse. Allah ne m'a pas envoyé cette bénédiction. Ma femme est stérile.

Salim tourna la tête, un goût amer dans la bouche. Combien d'hommes parlaient ainsi de leur femme ? Voilà donc celui qu'elle avait épousé ! Ce rustre qui osait la dénigrer devant un autre ?

– Ce n'est peut-être pas définitif, suggéra Salim. Tu devrais l'emmener chez un hakim. Ils peuvent opérer des merveilles.

Ali Quli lui lança un regard plein d'insolence.

– Pas pour elle, hélas. Elle est très belle, Votre Altesse ; une femme ravissante mais incapable, semble-t-il, de me donner des enfants. Si vous pouviez la voir... Hélas, c'est interdit.

Le prince serra les poings sur ses rênes, tirant ainsi sur la bouche de son cheval. Il avait envie de frapper Ali Quli en plein visage, de le fouetter pour lui faire payer cette impudence. Les dents serrées, il murmura :

– Il ne faut pas parler ainsi de la femme qui honore ta maison, Ali Quli. C'est inconvenant.

– Qui sait ? rétorqua celui-ci l'air soudain inquisiteur. Votre Altesse a peut-être déjà vu mon épouse !

Salim fit volte-face :

– Pourquoi dis-tu cela ?

– Ce n'est qu'une idée, Votre Altesse. Mehrunnisa rendait souvent visite à l'impératrice Ruqayya au harem.

– Non, je ne la connais pas.

Ali Quli s'inclina de nouveau. Lorsqu'il releva la tête, il arborait une expression contrite :

– Je demande pardon à Votre Altesse pour avoir laissé entendre que vous ayez pu voir ma femme. Et si vous changez d'avis au sujet du commandement des avant-postes impériaux, veuillez penser à moi.

Encore furieux, Salim leva la main pour faire signe au soldat de s'éloigner. Puis il lança son cheval au galop à travers les buissons et la poussière, les yeux vite brûlés par le vent de sa course. Pas d'enfant. Que lui importait ? Il lui eût suffi d'avoir Mehrunnisa dans son zénana, de savoir qu'il pourrait se coucher auprès d'elle la nuit, de pouvoir la regarder dormir. Depuis quatre ans il repoussait ces pensées, car elle était la femme d'un autre et ne lui appartiendrait jamais. Avec le temps, il imaginait qu'elle l'avait oublié. Mais à présent qu'il connaissait Ali Quli, la douleur revenait, aussi vive qu'au premier jour. Il devrait envoyer ce soldat sur le front au lieu de le garder à ses côtés. À quoi lui servait-il ? Chaque fois qu'il le regardait, il pensait immanquablement à Mehrunnisa ; cependant, il pouvait en apprendre davantage sur elle. Il savait désormais qu'elle n'avait pas d'enfant. Sans doute, la prochaine fois, découvrirait-il autre chose, des bribes d'informations qui, mises bout à bout, lui donnaient l'impression de mieux l'approcher, même s'il ne pouvait la posséder.

Une bouffée de fureur le reprit bientôt. Pourquoi l'empereur lui avait-il refusé l'autorisation d'épouser Mehrunnisa ? Il eût été si facile à Akbar d'accepter ! Salim se rendit compte que, depuis ce jour, il ne décolérait pas. Dès lors, quelle importance prenait cette campagne du Mewar à ses yeux ? En quittant Lahore, il débordait d'idées sur les différentes façons d'attaquer le rana. Mais, jour après jour, tous ses plans s'étaient dissipés dans les airs, Mahabat et Koka lui ayant fait remarquer que cette campagne représenterait avant tout de longs mois d'inconfort loin du harem et des soies des salons. Mieux valait envoyer les troupes impériales sous les ordres de lieutenants expérimentés et diriger les opérations depuis Ajmer.

Salim en avait convenu, quoique à contrecœur. Son père l'avait chargé de superviser cette campagne afin qu'il fasse ses preuves, qu'il se montre digne de la couronne qui l'attendait. Et alors, avait demandé Mahabat, quand obtiendrait-il cette couronne ?

Lorsque sa caravane atteignit Ajmer, Salim s'installa dans le confort du palais royal pour y attendre les nouvelles du front. Les jours passèrent agréablement tandis qu'il jouait les souverains, acceptant l'hommage des foules venues saluer leur prince.

L'inaction devint vite pesante et Salim décida de se rendre à Nagaur, au nord d'Ajmer. Un peu plus au nord s'étendait le désert du Thar, mais dans les forêts voisines se trouvaient les chasses impériales, connues pour leurs importantes réserves de guépards. Salim établit son camp à proximité de la ville et, avec sa suite, partit à la chasse tous les jours. Levé tôt le matin, il passait ses journées dans la forêt.

Un jour, ils regagnèrent le camp, fatigués et victorieux, rapportant les dépouilles des animaux abattus. À l'appel à la prière du soir, ils tombèrent à genoux vers l'ouest, en direction de La Mecque. Puis Salim se leva de son tapis de prière.

Un palefrenier arriva en courant vers lui.

– Votre Altesse, une tigresse et ses petits se sont arrêtés près du camp. Ils ont du être effrayés par les tambours de la chasse.

– Mène-moi à eux.

Excité, Salim s'empara son mousquet et suivit le jeune garçon. Ils passèrent devant Ali Quli qui se reposait contre un tronc d'arbre renversé.

– Votre Altesse, cria le soldat, vous ne devriez pas quitter le camp tout seul.

– Alors viens avec moi.

Ali Quli enfila sa dague dans sa ceinture, courut derrière Salim et le garçon qui avaient disparu dans les fourrés et eut tôt fait de les rattraper. Tous trois marchèrent d'un bon pas à travers l'épaisse forêt. Le soleil baissait vite et les arbres formaient une dense canopée au-dessus de leurs têtes, étouffant le peu de lumière qui restait. Un orage imprévu avait détrempé le sol deux jours auparavant et les sous-bois exhalaient encore l'humidité. Le palefrenier alluma une torche.

– Ici, Votre Altesse, murmura-t-il en écartant un buisson.

Ils arrivaient à proximité d'une petite clairière. Le garçon leva sa torche et, au centre, apparurent quatre bébés tigres, à peine plus grands que la main d'un homme, en train de jouer, seuls. Ils se tournèrent et considérèrent les nouveaux arrivants avec des yeux étonnés, puis l'un d'entre eux courut à la rencontre de Salim avant de donner des coups de patte sur ses bottes. Éclatant d'un rire ravi, le prince souleva le petit qu'il prit contre sa poitrine. L'animal avait une odeur acidulée, mêlée aux relents de sang de son dernier repas. Salim lui frotta le cou et le jeune tigre se mit à ronronner comme un chat, fermant à demi ses yeux dorés.

Ali Quli surveillait les alentours avec inquiétude.

– Votre Altesse, la tigresse n'est sans doute pas loin. Soyez prudent.

Comme pour lui donner raison, deux yeux d'ambre brillèrent soudain dans l'obscurité et un sourd grondement retentit, juste devant Salim. Il s'immobilisa, le cœur battant. Tapie face à lui, prête à bondir, une énorme tigresse le menaçait, surgie de nulle part, parfaitement silencieuse jusque-là. Salim chercha son mousquet du regard. Hélas, il l'avait posé à terre à quelques pas de lui. Le temps qu'il l'attrape, la tigresse serait sur lui.

Ali Quli ne le quittait pas des yeux, la gorge sèche. Sentant la tension qui régnait autour de lui, excité par l'odeur de sa mère, le petit se tortilla en miaulant. La tigresse poussa un autre rugissement, plus fort que le premier. Ali Quli s'éclaircit la gorge et souffla à voix basse :

– Lâchez le bébé, Votre Altesse.

Salim ne l'entendit pas, fasciné par le regard vert de la mère en fureur.

Près de lui, le palefrenier ne bougeait pas plus qu'une statue, sa torche répandant une lumière irréelle autour d'eux.

Lentement, Ali Quli sortit sa dague de sa ceinture. À cet instant, la tigresse bondit dans un nouveau rugissement.

Pétrifié, Salim ne parvint même pas à détourner la tête. Il savait d'instinct qu'il n'échapperait pas au félin et ne put que le regarder élever son énorme corps au-dessus du sol, la gueule béante sur ses crocs acérés. Le temps s'étira à la mesure de cet animal qui semblait fendre l'air de ses gigantesques pattes et s'approchait, de plus en plus près…

Soudain une silhouette se rua sur la tigresse, à quelques pouces du prince. L'animal retomba lourdement sur le sol, Ali Quli sur son dos. Toujours interdit, Salim les vit s'étreindre. Brusquement, il lâcha le bébé, courut s'emparer de son mousquet, le ramassa, épaula. Mais il ne put faire feu de peur de toucher le soldat.

D'un furieux coup de reins, la tigresse se retourna et enfonça ses griffes dans l'épaule d'Ali Quli qui poussa un hurlement de douleur ; cependant, de sa main libre, il tentait de poignarder cette folle masse de muscles et de fourrure. La bête n'eut aucun mal à l'envoyer dans les airs tel un mannequin de chiffon. Le temps qu'il retombe, elle se ruait déjà sur lui, les babines rageusement retroussées. Dans un suprême effort, Ali Quli leva sa dague et la cueillit en plein cœur. Le sang jaillit comme une fontaine, imbibant ses vêtements, tandis que la tigresse s'effondrait dans un dernier grondement.

Entre-temps, tout le camp s'était porté à leur secours. Tenant toujours son mousquet, Salim rampa vers Ali Quli qui gisait sur le sol, à demi écrasé par l'animal inerte. Le prince fit signe à ses serviteurs qui se précipitèrent pour dégager le soldat et l'aider à se relever.

En l'embrassant, le prince sentit sous ses doigts la chair en lambeaux de l'épaule blessée.

– Je te dois la vie, murmura-t-il.

– La mienne vous appartient, Votre Altesse, répondit Ali Quli au bord de l'évanouissement.

– Emmenez-le et soignez-le.

Tandis que ses serviteurs étendaient le blessé sur une civière improvisée puis l'emportaient au camp, Salim restait sur place, en sueur, le sang d'Ali Quli mêlé à celui de la tigresse qui maculait sa qaba. Il se débarrassa du vêtement en tremblant de tous ses membres. Le bébé tigre qu'il avait porté revint vers lui et planta ses dents dans sa botte. Il n'avait pas compris que sa mère gisait sans vie à quelques pas de là. Salim se rendait maintenant compte à quel point il avait été insensé de prendre cet animal dans ses bras ; il aurait dû se douter que la mère était dans les parages.

Tout en saisissant le bébé par la peau du cou, il songeait que Raja Man Singh avait pris avec succès le commandement de la campagne d'Udaipur, ne laissant à Salim qu'une étroite marge de manœuvre. Du fin fond de ses provinces du Dekkan, l'empereur lui-même se tenait au courant des progrès de l'armée. Le rajah et Akbar ne cessaient d'échanger lettres et missives et ne consultaient Salim que très rarement.

Le bébé tigre gigotait dans ses bras, alors il lui donna, non sans dégoût, sa qaba à lécher. Il retourna au camp et ordonna qu'on expédiât les quatre petits dans sa ménagerie privée.

Le lendemain matin, il se leva et pria pour l'homme qui lui avait sauvé la vie. Puis il édicta un farman proclamant qu'à compter de ce jour, Ali Quli Khan Istalju recevait le titre de Sher Afghan, ou tueur de tigre. À la lumière du jour, il se rendait compte qu'il ne voulait rien devoir à cet homme entre tous : celui qui avait épousé la femme qu'il aimait, celui qui la traitait si mal.

Salim apposa son sceau sur le farman et souffla dessus pour faire sécher l'encre. Le nouveau titre d'Ali Quli et les honneurs y afférant profiteraient surtout à Mehrunnisa. Il caressa le papier rêche. Un jour, Mehrunnisa lirait elle aussi cet édit. Il eut aussitôt envie d'y ajouter une ligne pour elle, afin qu'elle comprît qu'il en était l'auteur. Aussi reprit-il sa plume et, sous l'écriture du scribe, ajouta : « Puisses-tu connaître la paix à jamais. » Lorsque l'encre fut fixée, Salim appela un serviteur afin qu'il portât le farman à Ali Quli. Ainsi expédiait-il un message à la femme qu'il n'avait vue que trois fois, la femme qu'il ne pouvait oublier.

– Le trésor royal entre vos mains, vous gouvernerez l'Empire, Votre Altesse.

– Chut…

Le prince Salim fit claquer son gobelet sur le plateau d'argent posé près de lui et jeta un rapide coup d'œil alentour. Trop loin pour l'avoir entendu, les serviteurs déployés à travers la salle, restaient devant chaque colonne, les mains derrière le dos, les jambes écartées, l'air impassible.

Poussant un soupir de soulagement, Salim reprit son gobelet et regarda les trois visages qui le guettaient avec anxiété. Mahabat Khan, Qutubuddin Khan Koka et Sayid Abdullah lui sourirent comme pour l'encourager. Tous quatre étaient assis sur des divans bas dans la salle de réception des appartements de Salim, au palais royal d'Ajmer. La grande pièce offrait des plafonds voûtés et des arches de pierre ouvrant sur les jardins. Le prince et trois de ses compagnons les plus loyaux s'étaient rassemblés au centre. Tous à peu près du même âge, ils avaient grandi ensemble.

Mince et nerveux, Mahabat Khan avait la peau tannée de ceux qui passaient leurs journées au grand air, le visage émacié et toujours rasé de près, les yeux sombres brillant d'intelligence. Ses cheveux noirs soigneusement coiffés frisaient légèrement aux extrémités. D'une inlassable énergie, d'un caractère bien trempé, il se tenait, comme à l'habitude, très droit au bord de son siège. Il était arrivé au palais à l'âge de dix ans pour servir de compagnon à Salim. Quelques années plus tard, il faisait officiellement partie des Ahadis, les gardes du corps de la famille impériale.

Qutubuddin Khan Koka avait été lui aussi élevé dans le zénana impérial. Frère de lait de Salim, il avait tendance à l'embonpoint et se laissait aller sur les moelleux coussins de son divan, caressant la luxuriante moustache qui lui envahissait presque tout le bas du visage. Ses proches ne se fiaient pas à son calme apparent ni à son humeur joviale, car ils savaient que derrière cette bonhomie savamment entretenue se cachait une finesse des plus vives.

Sayyid Abdullah n'avait en revanche intégré l'entourage du prince qu'après le premier mariage de celui-ci, mais il avait vite fait son chemin jusqu'au cercle de ses intimes. Le prince avait été attiré par son esprit et ses manières exquises. Il était célèbre pour sa beauté classique : grand, la carrure large, le nez aquilin, les sourcils bien marqués et la bouche épaisse. Il prenait grand soin de son apparence, soucieux d'améliorer ces avantages dont la nature l'avait déjà largement pourvu. Mais, avant tout, Salim préférait la dévotion aveugle et absolue qu'il portait à sa personne.

Pour que le groupe fût complet, il manquait encore Muhammad Sharif, resté couché avec la fièvre. Physiquement, les quatre hommes ne pouvaient être plus dissemblables. Au contraire des trois autres, Sharif était de petite taille, avec des bras et des jambes trapues, des cheveux rares, une moustache élégante, et des yeux froids et calculateurs. Mais c'était leur loyauté envers Salim qui les rassemblait, loyauté que celui-ci avait eu grandement le temps d'éprouver au cours des années. Parfois, cependant, ils faisaient trop de zèle, comme lorsqu'ils l'avaient poussé à se révolter contre son père en 1591. À présent, ils lui conseillaient de s'emparer du trésor d'Agra, afin de confisquer toute la richesse de l'empire.

Pensif, Salim les dévisageait un à un. Il n'y avait pas de mal à écouter leurs paroles. Pour une fois, il avait l'esprit acéré comme une lame de boucher ; après lui avoir recommandé de ne pas prendre sa dose matinale d'opium, Mahabat Khan avait demandé à être reçu dans le plus grand secret. Ayant écouté les trois hommes en silence, Salim laissa l'idée germer dans son esprit.

Une année s'était écoulée depuis son arrivée à Ajmer, une longue année d'ennui. Au début, il avait été fêté et choyé, mais à mesure que le temps passait les gens du peuple n'arrêtaient pour ainsi dire plus leur travail pour le regarder passer.

Le siège d'Udaipur ne progressait pas. Le rusé Amar Singh avait plusieurs fois mené des attaques surprises sur tous les avant-postes, qui avaient mis l'armée impériale en déroute. En soi, la chose n'était pas très grave, mais il fallait rassembler de nouvelles forces et mettre au point de nouvelles stratégies.

Un mois auparavant, l'empereur avait ordonné à Raja Man Singh, son beau-frère, de reprendre son poste de gouverneur du Bengale. Il semblait qu'Usman, le dernier des Afghans dissidents, soit à nouveau entré en dissidence ; aussi Man

Singh devait-il quitter le Mewar pour mater la rébellion. Voilà des années que la menace afghane empoisonnait la vie de l'Empire, attirant Akbar loin de l'Hindoustan. Aussi, le plus petit signe de trouble au Bengale était-il pris très au sérieux.

Certes, songea Salim agacé, mais cela le privait de son meilleur capitaine. L'empereur n'avait désigné son fils à la tête de cette armée que pour lui trouver une occupation. Il n'était pas question de le lancer sur les champs de bataille. Autrement dit, sa présence dans le Mewar n'était plus nécessaire. Mais où aller ? Certainement pas dans le Dekkan où l'empereur ne tarderait pas à le placer à la tête d'une nouvelle et harassante campagne, sous son nez, cette fois-ci.

Alors que Salim remâchait ces pensées, Mahabat Khan était venu lui réclamer une audience privée. Jusque-là, Salim n'avait jamais douté que le trône lui revînt un jour, surtout depuis la mort de Mourad, puisque seul Daniyal pouvait se poser en rival. C'est alors que Koka laissa entendre, avec une subtilité déconcertante, que le prince Daniyal se trouvait dans le Dekkan avec Akbar. Qui pouvait dire à quel point ils étaient désormais devenus intimes ?

Cette idée donna froid dans le dos à Salim. Et si son père décidait de l'évincer au profit de Daniyal ? Pouvait-il courir un tel risque ? Depuis des années qu'il désirait, qu'il briguait désespérément le trône, voilà que Daniyal, qui pouvait prétendre aux mêmes droits que lui, risquait de lui arracher cette ambition de toute une vie. Dès lors, Salim se montra plus attentif aux propos de ses amis : « Emparez-vous du trésor et l'Empire sera indiscutablement vôtre », car le cœur de l'Empire battait au sein de ce trésor.

Salim finit par détourner son regard du vin ambré qui restait dans son gobelet.

– Comment pourrais-je ravir le trésor d'Agra ? Il est bien gardé.

Mahabat, Koka et Abdullah échangèrent un sourire.

– Il n'y reste qu'une armée squelettique, énonça lentement Koka. Tous les hommes se trouvent ici, ou dans le Dekkan, avec l'empereur.

Salim secoua la tête. N'avait-il d'autre choix que de se rebeller une seconde fois contre son père ? Cette fois, il n'y aurait d'autre issue que de l'emporter. Au moins, avec l'incident du poison, Akbar avait-il choisi de ne pas croire que son fils fût coupable, car il ne possédait aucune preuve tangible. Mais si Salim s'emparait du trésor, il commettrait ouvertement un acte de mutinerie.

– C'est le moment, Votre Altesse, insista Abdullah. Nous devons agir maintenant. Qui sait combien de temps encore l'empereur vivra ? Il peut s'écouler des années avant qu'il ne meure et que vous n'accédiez au trône de l'Hindoustan.

– Pourquoi attendre, Votre Altesse ? renchérit Mahabat Khan. Sa Majesté a clairement laissé entendre que vous étiez son héritier. Si vous prenez le trésor, l'empereur vous reconnaîtra comme souverain et se retirera.

Salim secoua de nouveau la tête.

– Je ne suis pas certain que les choses se déroulent ainsi. C'est une grave décision.

Sentant la victoire proche, Koka sourit sous sa moustache :

– La seule possible, Votre Altesse. Vous avez atteint l'âge adulte depuis dix ans. Mais l'empereur le reconnaît-il ? Non, il continue de vous traiter comme un enfant et ne vous confie aucune responsabilité.

– Il m'a envoyé soumettre le rana d'Udaipur, se hâta de lui rappeler le prince.

– Une cause perdue, seigneur. Sa Majesté aurait pu vous envoyer dans le Dekkan. Au lieu de quoi, il s'y est rendu lui-même, comme s'il ne se fiait pas à votre ascendant sur ses troupes.

Salim se mordit les lèvres.

– Je ne peux pas, gémit-il. Que se passera-t-il si l'empereur découvre ce projet avant que je n'aie atteint Agra ?

– Nous voyagerons dans le plus grand secret, Votre Altesse. Nous pouvons laisser entendre que vous êtes souffrant et désirez du repos. Personne ne s'apercevra que vous n'êtes plus ici. Pensez aux richesses qui vous attendent !

Salim n'avait aucun mal à imaginer les immenses salles du fort, pleines à ras bord de perles nacrées, de rubis, d'émeraudes et de diamants scintillants, de coffres de tek emplis de pièces d'or et d'argent, qui prenaient la poussière dans l'obscurité. Aux derniers comptes, le trésor s'élevait à deux cents millions de roupies.

Mais… n'allait-il pas commettre une erreur ? L'empereur serait effondré lorsqu'il apprendrait la rébellion de Salim.

Le prince baissa la tête et, un court moment, se souvint de Mehrunnisa. Ce devait être une belle femme, à présent. Ali Quli n'évoquait plus jamais son épouse. À plusieurs reprises, Salim avait dû se mordre les lèvres pour ne pas l'interroger. Comment un homme pouvait-il en interroger un autre à ce sujet ? Pourtant, si Akbar n'avait été si entêté, elle eût été sa femme. Une lueur de défi traversa son regard.

– Vous avez raison. Il est temps. L'empereur ne saurait me traiter davantage comme un enfant. Nous partirons demain pour Agra. Allez vous préparer.

– Comme vous le désirerez, Votre Altesse.

Les trois amis se sourirent et sortirent en se prosternant.

8

Le prince, enhardi par cette faveur et gonflé d'orgueil décida... de poursuivre le voyage, répondant qu'il ne traiterait pas de paix avant de se trouver sur le champ de bataille avec son armée... Les ambitions de ce jeune prince paraissaient manifestes aux gens du peuple ; cependant, son père fermait les yeux...

William Foster
L'Ambassade de sir Thomas Roe en Inde

Un hiver glacial s'installa sur Lahore, drainant les premiers givres depuis les montagnes du Nord. Cette année, la mousson s'était fait attendre puis ne vint jamais et la Ravi ne connut pas de crue, laissant ses berges desséchées tandis qu'elle coulait au fond de son lit, profonde et lente comme un python géant dans la canicule. Voilà six mois que l'empereur avait emmené sa cour dans le Dekkan, vidant la ville de toute son ardeur. Après ce pénible été, la terre s'éloignait du soleil et un vent sec soufflait à travers les venelles transies et les avenues désertes.

Rares étaient les habitants qui bravaient le froid dans un des bazars accrochés aux remparts du fort. Des mendiants traînaient autour de tas d'ordures auxquelles ils avaient mis le feu pour se réchauffer. Un marchand faisait griller des épis de maïs sur un brasero de charbon puis les assaisonnait d'une poudre composée de piment et de cumin qui enflammait les entrailles. Quelques passants intrépides se hâtaient en se protégeant le visage et les épaules à l'aide de leurs châles.

Une femme marchait lentement, la tête baissée, tâchant de ne pas attirer l'attention des hommes. De toute façon, on discernait peu sa personne sous l'épais voile bleu qui lui tombait jusqu'aux pieds. Les plis de sa ghagara balayaient les pavés de la rue en étouffant ses pas. Seul un coup de vent, de temps à autre, parvenait à mouler les formes de son corps. Alors les hommes ouvraient des yeux voraces sur les rondeurs de sa poitrine, la finesse de sa taille et les courbes de ses hanches. Mais ils ne l'approchaient pas pour autant, devinant que ce n'était pas une femme ordinaire.

Mehrunnisa ne les voyait même pas. Elle s'arrêta à une extrémité du bazar et leva la tête vers la muraille de briques rouges qui se détachait sur le ciel bleu-noir. De l'autre côté se dressait sa maison. Elle tendit une main sous son voile et toucha les briques grêlées, sentant leur texture froide sous sa paume. Depuis le départ de l'empereur, du prince Salim et d'Ali Quli, elle avait fait le tour des bazars de la ville. Son époux serait horrifié s'il l'apprenait. Même bapa et maji sursauteraient. D'Ali Quli, elle entendrait : « *Tu te conduis comme une femme de la nuit, comme si tu n'avais pas de protecteur, pas de mari. Les autres épouses ne se comportent pas ainsi ; elles restent à la maison où les gardent leurs hommes. Pourquoi pas toi ?* » Son bapa dirait : « *Tu dois te méfier, ma fille. Le monde extérieur est affreux.* »

Pourtant, Mehrunnisa ne pouvait demeurer chez elle sans personne à qui parler, personne à qui rendre visite, rien à faire. Le harem impérial s'était déplacé, en partie avec l'empereur dans le Dekkan, en partie vers Agra. Alors Mehrunnisa avait arpenté les bazars, d'abord avec ses servantes, mais elles ne cessaient de se disputer et d'élever la voix, si bien qu'elle devait passer son temps à les calmer. Depuis, elle leur avait interdit de l'accompagner, n'acceptant plus la présence que de deux serviteurs qui devaient la suivre à distance pour assurer sa sécurité. Les marchands lui jetaient des regards curieux mais ne posaient pas de question ; les mohurs d'or dans sa main achetaient leur silence et leur bienveillance. Après tout, c'était l'unique occupation qui lui restait, alors que tout ce qui comptait dans cette ville avait suivi la cour impériale dans ses déplacements.

Une odeur appétissante emplit l'air et Mehrunnisa se retourna vers un marchand qui faisait griller des pistaches et des pois chiches, sa cuillère de métal claquant contre la *tana* crépitante. Frissonnant soudain de froid, elle s'approcha de lui et lui présenta quelques pièces. Il lui décocha un large sourire qui s'ouvrit sur des dents jaunies par le tabac et saisit un mohur, laissant traîner ses doigts plus longtemps que nécessaire dans la paume ouverte. Mehrunnisa grimaça sous son voile. Ce monde était vraiment affreux mais, tant que les hommes se contentaient de la regarder, sans la toucher, elle estimait que c'était peu payer une telle liberté. Le marchand lui demanda son panier dont il emplit le fond de pistaches chaudes et odorantes et elle s'en alla, réchauffant ses mains sur le sac qu'elle emportait.

Deux jours auparavant, elle avait reçu une lettre de son époux, la première depuis son départ, dans laquelle il racontait comment il avait sauvé la vie du prince attaqué par une tigresse. Il portait désormais le titre impressionnant de Sher Afghan. Tueur de tigre. Salim n'oublierait jamais son acte de bravoure, son nouveau nom en était la garantie.

Depuis, Mehrunnisa se demandait si Salim savait qu'Ali Quli était son époux. La lettre ne donnait pas beaucoup de détails sur l'incident, mais elle imaginait assez bien la scène. L'impétueux prince qui s'emparait des jeunes animaux, bravant la menace de la mère, simplement parce que l'envie lui était venue.

Une douleur fulgurante lui traversa le cœur et lui fit monter des larmes aux yeux ; sans les réprimer, puisque personne ne pouvait les voir, elle les laissa lui embuer la vue et glisser sur ses joues. *La mère.* Combien ce mot sonnait doucement à l'oreille ! Pour elle, il était si difficile d'affronter sans cesse les questions et les conseils avisés des voisines. *Buvez tous les soirs de cette poudre dans un peu de lait. Jeûnez les nuits de pleine lune. Soyez soumise.* La souffrance était parfois si forte qu'elle en devenait physique. Ses bras aspiraient tant à porter un enfant qu'ils lui faisaient mal.

– Sahiba !

Une main ferme se posa sur son bras, la faisant sursauter. Elle se retourna et reconnut l'une de ses servantes venue la rattraper en courant. Elle se sentit défaillir. Qu'était-il arrivé ?

– Qu'y a-t-il, Leila ?

Autour d'elles, tous les hommes s'étaient arrêtés. Mehrunnisa regarda la fillette, presque une enfant ; elle devait avoir tout au plus dix ans, mais les domestiques ne gardaient pas de trace de leur naissance ni de leur mort, si bien que personne ne savait jamais vraiment le temps qu'ils vivaient.

– Sahiba, c'est Yasmin. Son terme est venu et l'enfant ne se présente pas bien.

– Tu en es sûre ?

– Je ne sais pas, sahiba. L'hakim est pris ailleurs, et je n'ai pas trouvé de sage-femme. Je crois qu'elles ne veulent pas venir parce que Yasmin n'est pas mariée. Il faut l'aider, sahiba.

Mehrunnisa ne bougeait toujours pas, les yeux perdus sur la rue grisâtre, sur les pavés poussiéreux. Yasmin était l'une de ses esclaves, achetée pour quelques roupies. Sa jeunesse et sa beauté avaient attiré l'attention d'Ali Quli. Mehrunnisa avait préféré fermer les yeux. Et voilà qu'elle se retrouvait obligée d'assister à l'accouchement de la servante qui portait l'enfant de son mari.

– Venez, sahiba !

Le visage baigné de larmes, Leila lui secouait la main. Comment cette enfant pouvait-elle s'affoler pour une autre esclave ? Elles n'étaient pas sœurs, ne se connaissaient guère que depuis un an ; cependant elle pleurait et suppliait.

– J'arrive, maugréa Mehrunnisa entre ses dents.

Suivie des deux serviteurs et de la petite esclave, elle partit dans un nuage de voile bleu.

À la maison, elle trouva ses domestiques rassemblées dans la cour, l'expression hostile. Certaines d'entre elles étaient mères, elles sauraient certainement comment mettre un enfant au monde. Pourquoi n'allaient-elles pas aider Yasmin ? Fallait-il n'y voir que paresse et préjugés, ou plutôt de la pure méchanceté ? Cette jeune esclave était une orpheline, enceinte en dehors du mariage. Voilà six mois que ses compagnes lui battaient froid. Et Mehrunnisa les avait laissé faire, trop furieuse de savoir cette femme enceinte des œuvres de son propre époux, quand elle-même ne parvenait pas à porter un enfant plus de quelques mois.

Elle ôta son voile et toisa le petit groupe d'un regard noir.

– Faites chauffer de l'eau ! ordonna-t-elle d'un ton sec. Allez chercher un hakim ou une sage-femme. Non, pas de discussion ! Dites-leur que c'est moi qui les prie de venir. Apportez des draps, des serviettes, tout ce que vous pourrez. Trayez une chèvre pour le bébé si la mère ne peut le nourrir. Vite !

– Ce n'est pas la peine, sahiba, observa une vieille. Elle a crié trop longtemps. Le bébé est sûrement mort en elle, à présent. Et elle… elle ne va plus tenir longtemps. Il n'y a qu'à attendre un peu.

– Pourquoi ne m'en a-t-on rien dit avant ?

Les servantes se détournèrent d'un air las, préférant scruter les murs, le ciel nuageux, le sol plutôt que la flamme bleue qui animait le regard de Mehrunnisa. C'est alors que, du quartier des domestiques, jaillit un hurlement, sauvage, inhumain. Tous les murs de la maison en furent traversés.

D'un claquement des doigts, Mehrunnisa rappela ses esclaves à l'ordre et, relevant sa ghagara, courut vers le quartier des domestiques. Yasmin avait été installée dans une cabane qui servait parfois de poulailler. En y entrant, Mehrunnisa fut assaillie par l'odeur de sang et d'excréments. Une tache rouge maculait la paillasse et formait une flaque sur le sol boueux, autour de laquelle caquetaient des poules énervées. Prise de nausée, Mehrunnisa ressortit en courant et se pencha dans un coin de la cour pour y vomir. Elle s'essuya avec son voile qu'elle enroula ensuite autour de sa bouche puis rentra dans le poulailler.

Yasmin gisait immobile sur la paille, le corps à demi-dénudé, le ventre énorme, les bras ballants, mais la tête tournée vers sa maîtresse, les yeux écarquillés de frayeur.

Mehrunnisa lui posa une main sur le front.

– Nous allons nous occuper de toi.

Une lueur de reconnaissance traversa le regard de l'esclave.

– Pardon…

Mehrunnisa secoua la tête. Pardon pour quoi ? La pauvrette n'avait pas eu son mot à dire. Toutes, cette esclave, les servantes, leur maîtresse elle-même étaient la propriété de son époux. Comment cette malheureuse jeune femme eût-elle pu se refuser à lui ?

– Leila, ordonna-t-elle à la fillette restée sur le seuil du poulailler, sors-moi ces volatiles d'ici et viens tout nettoyer.

Une nouvelle contraction secoua le corps de Yasmin qui émit un ululement de détresse. Son ventre tressautait, ses muscles tâchant d'expulser l'enfant, mais en vain. Mehrunnisa se lava les mains dans l'abreuvoir et s'agenouilla face aux jambes écartées de Yasmin. Pourquoi ce bébé ne naissait-il pas ? Même s'il était mort, il devait sortir, sinon ce serait Yasmin qui mourrait. Mehrunnisa avait assisté à assez de naissances dans la maison de sa mère et dans le zénana pour le savoir. Elle avait vu les hakims et les sages-femmes ramener à la vie des bébés inanimés ou des mères à bout de forces. Du bout des doigts, elle chercha où en était l'enfant, observa le visage de la jeune femme pour voir si elle lui faisait mal, mais celle-ci se trouvait au-delà de la douleur.

Elle sentit tout de suite une masse ronde et recula, la main pleine de sang. Le bébé était déjà à moitié sorti, mais elle n'avait pu le voir dans la semi-obscurité du poulailler. Redoutant ce qu'elle allait découvrir, elle tâta de nouveau la chair et comprit qu'il s'agissait d'une petite fesse. Elle ferma les yeux et, malgré le froid, sentit la sueur lui couvrir le front. L'enfant se présentait par le siège. Que faire ? Existait-il un moyen de le retourner ? *Allah, par pitié, aide-nous !*

Une nouvelle contraction arracha un hurlement à Yasmin.

Mehrunnisa sentit le bébé pousser sa propre main.

– Leila ! cria-t-elle à la fillette qui finissait de chasser les poules. Va tenir Yasmin ! Fais-la asseoir ! Pas de discussion, fais ce que je te dis !

Lorsque la parturiente se redressa, au bord de l'évanouissement, Mehrunnisa lui expliqua :

– La prochaine fois que tu auras mal, tu devras pousser de toutes tes forces. Tu comprends ?

Yasmin ne réagissant pas, ce fut Leila qui répondit :

– Je vais l'aider, sahiba.

Mehrunnisa se pencha de nouveau vers l'enfant prisonnier ; peu après, la jeune femme sursautait et ouvrait la bouche pour gémir lorsque Leila la pressa :

– Pousse, Yasmin, pousse.

Accompagnant son effort, Mehrunnisa attrapa une petite jambe gluante de sang et tira doucement. L'autre pied était encore replié. À tâtons, elle le saisit et le fit sortir. Cela lui parut presque trop facile, car il restait la tête, la partie la plus grosse et la plus fragile du corps de l'enfant. Une servante entra, armée d'un plat de cuivre rempli d'eau chaude et de linges propres. Elle trempa quelques serviettes et se mit en devoir d'essuyer le petit corps bleu de froid. Le cordon ombilical était flétri. Mehrunnisa garda l'enfant enveloppé dans les serviettes chaudes en attendant une nouvelle contraction et en priant pour que le bébé sorte vite. Elle qui n'avait assisté que de loin à des naissances difficiles, semblait savoir d'instinct ce qu'il fallait faire. Elle ignorait d'où lui venaient cette force et cette connaissance.

Un long moment s'écoula avant que l'enfant glissât enfin dans les bras épuisés de Mehrunnisa. Yasmina était retombée sur sa paillasse, le pouls de ses poignets à peine perceptible, le visage blême. Étonnamment, le saignement avait presque cessé.

Le bébé se mit aussitôt à vagir. C'était un garçon. Ali Quli avait enfin son héritier… d'une esclave. Un enfant qu'il ne reconnaîtrait jamais.

Entre-temps, les autres servantes s'étaient rassemblées à la porte du poulailler. La sage-femme arriva enfin, guidée par un palefrenier.

– Lave-la, ordonna Mehrunnisa en désignant Yasmin, et occupe-toi aussi de l'enfant. Tu seras récompensée.

Là-dessus, elle alla s'asseoir dans un coin et regarda les servantes s'affairer, jusqu'à ce qu'on lui apportât l'enfant, propre et serein, qui s'endormit dans ses bras. Les mains encore souillées de sang séché, elle caressa les cheveux, tapota le petit nez et porta les minuscules doigts à ses lèvres. Un immense chagrin l'envahissait. Quand aurait-elle son propre enfant ?

La sage-femme donna du poulet et du bouillon à Yasmin, prit son argent et s'en alla. Mehrunnisa restait au même endroit en se demandant si sa servante allait survivre.

La puanteur du poulailler avait fait place aux effluves lourds des huiles et des onguents utilisés pour nettoyer la jeune mère. Mais, par-dessus tout, Mehrunnisa sentait le doux parfum du nouveau-né endormi entre ses bras, si paisible, totalement inconscient de sa destinée. Et si elle n'avait jamais d'enfant ? À la suite de cette terrible pensée en vint une autre, plus forte. Si l'impératrice Ruqayya pouvait soustraire un bébé à une princesse, pourquoi Mehrunnisa ne le pourrait-elle d'une servante orpheline et sans le sou ? Elle enverrait Yasmin dans quelque village éloigné, avec un peu d'argent pour acheter son silence. C'était Mehrunnisa qui avait mis cet enfant au monde. Il lui revenait.

Le prince Salim tira les rênes de son cheval, le fit pivoter et leva une main pour obtenir le silence. Derrière lui, le soleil couchant se réfléchissait sur les dômes et les minarets de la ville d'Agra.

– Nous allons nous arrêter ici pour la nuit, annonça-t-il. Demain, nous attaquerons le fort. Vous pouvez dresser le camp.

Mahabat Khan le rejoignit, son mince visage marqué par l'inquiétude.

– Nous devons continuer jusqu'au fort, dès maintenant, Votre Altesse. Il ne faut pas perdre de temps.

– Regarde les hommes, rétorqua Salim. Ils ne sont pas en état de se battre.

Il désigna les soldats aux visages poussiéreux et aux yeux cernés, leurs chevaux couverts de sueur blanche. Ils n'avaient pas beaucoup dormi ces dernières semaines.

Ils avaient quitté Udaipur au milieu de la nuit, après que Salim eut demandé qu'on ne le dérangeât pas car il était malade. Mais cette excuse restait précaire. Tôt ou tard, un capitaine voudrait le consulter en personne et la supercherie serait découverte. Tandis qu'ils traversaient la moitié de l'Empire en direction d'Agra, Salim formait le vœu que la nouvelle de sa fuite parvînt trop tard aux oreilles de l'empereur. Sinon, tous ses efforts, cette chevauchée à bride abattue sous un soleil de plomb, ces trop courtes haltes pour se restaurer et panser les chevaux, ces quelques heures de sommeil par nuit, tout cela eût été en vain.

– Votre Altesse, insista Mahabat, nous perdrons l'effet de surprise si nous restons ici cette nuit. Cela donnerait au gouverneur Qulich Khan le temps de se préparer au siège. Nous devons continuer.

– Mais lorsqu'il nous verra approcher avec une armée, il se doutera de quelque chose. Nous sommes tous fatigués. Comment nous défendrons-nous si Qulich attaque ?

– C'est peu probable, Votre Altesse. Quoi de plus naturel qu'un prince du sang arrivant dans un fort avec son armée ? Il ne se doutera de rien.

Salim hésita encore un instant puis lança :

– Soit. Nous continuons.

Avec des mouvements las, les soldats reprirent leurs boucliers et remontèrent sur leurs chevaux harassés.

Le soleil se couchait lorsqu'ils parvinrent au fort d'Agra, bâti en grès rose. Tout semblait tranquille. Salim se détendit sur sa selle. Mahabat resta très droit. Qulich ne les attendait pas. Il serait donc facile de s'emparer du trésor.

À la porte de Delhi, l'entrée ouest du fort, Salim eut l'impression que sa fatigue s'estompait. Il ne pouvait plus reculer, désormais. Soit il s'emparait du trésor, soit il finissait ses jours comme un proscrit. Malgré ses efforts, il savait que l'empereur connaîtrait rapidement la traîtrise de son fils. Akbar avait édifié un puissant empire dont l'un des bastions résidait dans son extraordinaire réseau d'espionnage.

Il semblait cependant que le prince eût devancé les messagers impériaux. Le pont-levis était remonté, mais cela n'avait rien d'extraordinaire. Salim arrêta sa troupe au bord des douves puis adressa un signe de tête à Mahabat.

– Ouvrez la porte ! cria celui-ci aux gardes. Le prince Salim est arrivé !

Les énormes portes de bois s'ouvrirent après que le pont eut été abaissé et Salim passa à la tête de ses troupes.

Dans la cour d'honneur, un groupe d'homme les attendait, mené par le gouverneur.

– Bienvenue à Agra, Votre Altesse, dit Qulich en s'inclinant. Veuillez accepter ces présents au nom de toute la ville.

Deux serviteurs apportèrent des plateaux d'argent où s'entassaient des soieries.

– C'est un grand honneur pour nous, ajouta-t-il.

Soudain, l'attention de Salim fut attirée par un bruit inhabituel. Il leva la tête et vit que des canons avaient été hissés sur les remparts, leurs bouches noires visant son armée. Ces chemins de ronde qui paraissaient si tranquilles quelques instants auparavant étaient maintenant envahis de soldats armés de mousquets. Qulich Khan ne cachait pas ses intentions.

– Votre Altesse, souffla Mahabat, nous pouvons facilement prendre le fort. Ces gens ne sont pas si nombreux...

Salim secoua la tête. Impossible d'affronter les forces impériales. Ses hommes étaient fatigués et lui-même tenait à peine sur sa selle. Face à eux, la troupe de Qulich semblait fraîche et belliqueuse. Koka et Abdullah vinrent joindre leurs discrètes adjurations à celles de Mahabat. Mais Salim fut frappé par la dernière phrase du discours de Qulich Khan.

– Qu'avez-vous dit ? demanda-t-il au vieil homme.

– Sa Majesté l'impératrice douairière Maryam Makani désire vous accueillir en personne, Votre Altesse, répéta celui-ci.

Sa grand-mère ! Salim sentit le rouge lui monter aux joues. Il ne pouvait décemment pas se présenter à elle alors qu'il entrait en rébellion contre son père. Soudain, il se fit l'effet d'être redevenu un enfant. Il n'avait pas oublié la voix impérieuse de sa grand-mère quand elle le grondait pour ses bêtises.

Cela le décida. Il ferait mieux de s'en aller avant que, d'un regard foudroyant, elle ne transformât ce prince héritier de trente et un ans en petit garçon. Il ne lui restait qu'à rebrousser chemin aussi élégamment que possible.

– Je suis passé par Agra pour m'assurer que vous preniez bien soin du trésor impérial, Qulich Khan.

– Le souci de Votre Altesse est compréhensible.

Fallait-il discerner un sarcasme dans sa voix ? Salim écarta cette pensée et reprit :

– Je laisse Agra entre vos mains, car je suis certain que vous saurez préserver le fort des prédateurs. Dites à ma grand-mère que je regrette de ne pouvoir lui rendre visite cette fois-ci.

Qulich Khan s'inclina respectueusement.

– Vous pouvez compter sur moi, Votre Altesse. Je servirai l'empereur au prix de ma vie s'il le faut.

– Bien, bien.

Salim se retourna vers ses hommes :

– Poursuivons notre chemin.

L'armée se retira. Au-dehors, Salim arrêta sa monture pour observer une dernière fois le fort qui renfermait le trésor susceptible de réaliser son rêve. Qulich Khan le considérait encore, les bras croisés, l'air sombre. Il salua le prince une nouvelle fois ; celui-ci lui adressa un signe de la tête et reprit sa route.

Dépité et recru de fatigue, il installa son armée au bord de la Yamunâ. Son plan avait avorté. Akbar en entendrait parler et serait furieux. Cela pourrait même le ramener du Dekkan.

Il se massa les tempes en remâchant son désespoir. Il avait échoué, comme dans tout ce qu'il entreprenait. Il ignorait comment le gouverneur d'Agra avait été averti de son arrivée, mais cela laissait supposer que l'empereur avait dû l'être également. Il ne tenait certes pas à affronter son père. Il devait quitter la région au plus vite et se trouver un refuge. Ce fut en regardant couler la rivière qu'il eut une idée : s'il passait inspecter ses domaines d'Allahabad, le temps de mettre au point une nouvelle stratégie ? Ce soir, il ne parvenait plus à réfléchir judicieusement. Il avait trop besoin de repos. Il appela Mahabat Khan pour le prier de se procurer une barge qui l'emmènerait à Allahabad par la Yamunâ. L'armée le suivrait par les chemins de terre.

Lorsque le bateau fut parti, un homme pensif le suivit des yeux jusqu'à ce qu'il disparût à l'horizon. Alors seulement, Ali Quli se détourna.

Face aux armées impériales d'Agra, il avait compris l'étendue de la folie qu'il allait commettre s'il venait à trahir l'empereur. Il ne pouvait suivre le prince à Allahabad. Sa désertion ne relevait pas tant de la lâcheté que de la prudence. L'empereur était infiniment plus puissant que le prince. Il s'agissait simplement de choisir le meilleur maître. Il n'avait pas l'intention de passer sa vie entière à suivre Salim dans ses folies.

Tandis que l'armée de Salim entreprenait la marche pour Allahabad, Ali Quli se faufilait discrètement dans la ville jusqu'à la maison de son beau-père. Une semaine plus tard, il envoyait un message à Lahore, ordonnant à Mehrunnisa de venir le rejoindre à Agra.

Les mains croisées derrière le dos, Akbar faisait les cent pas dans ses appartements, sa ceinture de soie lui battant rageusement les jambes.

Il s'arrêta devant la silhouette obséquieuse.

– Nous ne pouvons accéder à la demande du prince ! martela-t-il.

Khwaja Jahan eut un mouvement de recul.

– Votre Majesté, le prince regrette sincèrement. Il ne souhaite que se réconcilier avec vous.

Akbar toisa l'émissaire de Salim.

– S'il désirait notre pardon, il n'y poserait pas de conditions. Pourquoi implorer notre clémence à la tête d'une armée ? Il doit d'abord la dissoudre et se présenter avec une suite des plus réduites.

– Oui, Votre Majesté.

Khwaja Jahan s'inclina et recula lentement.

Akbar reprit :

– Dis au prince qu'il doit obéir à nos ordres. S'il refuse de s'y soumettre, qu'il retourne à Allahabad. Nous ne l'autoriserons pas à demeurer ici plus longtemps.

Khwaja Jahan salua de nouveau et sortit de la pièce.

Lorsque la porte se fut refermée, Akbar se laissa lourdement tomber dans son fauteuil et se passa la main dans les cheveux. Pourquoi Salim se rebellait-il ? Il aurait pu réussir à s'emparer du trésor d'Agra sans le puissant réseau d'espions de son père. Depuis, ce fils dévoyé tenait une véritable cour à Allahabad, jouant au roi, distribuant des *jagirs*, des terres, à ses compagnons ainsi que des farmans et des titres à ses partisans les plus loyaux.

En apprenant la duplicité de son fils, l'empereur avait dû lever le siège du fort d'Asir qu'il venait d'investir et quitter en hâte le Dekkan. Akbar avait envoyé deux estafettes à Agra et les avait suivies aussi vite que le lui permettait son escorte, laissant Abou el-Fazl continuer la guerre qu'il avait entreprise.

Tant d'années pour élever ce fils, choyé entre tous, et le voilà qui se dressait contre lui pour monter plus vite sur le trône.

L'empereur réfléchissait encore, prostré dans son fauteuil, lorsque lui parvint la réponse de Salim : le prince refusait de dissoudre son armée et repartait pour Allahabad.

Akbar renvoya le messager en se demandant quelle sanction s'imposait envers son fils. Qui saurait le conseiller utilement ?

Soudain, il se détendit. Abou el-Fazl, évidemment ! Outre ses charges de grand chancelier, il avait également rempli le rôle de tuteur auprès des princes. Sans doute saurait-il ramener Salim à la raison. L'empereur fit mander les scribes et un farman fut aussitôt expédié, ordonnant à Fazl de se presser à la cour.

– L'empereur a fait quérir Abou el-Fazl, Votre Altesse, annonça Mahabat Khan.

Salim posa un regard consterné sur son compagnon.

– Tu en es certain ?

– Oui. Le messager a passé la soirée à boire dans un estaminet. Il a trop parlé et l'un de nos hommes a entendu la nouvelle.

Salim s'effondra sur les coussins de son trône. Outre cette marque de royauté, il se faisait appeler Sultan Salim Chah par défi envers son père.

Plusieurs mois s'étaient écoulés depuis sa folle équipée entreprise dans l'espoir de s'emparer du trésor d'Agra et plusieurs autres encore depuis sa tentative de réconciliation avec Akbar. Maintenant, l'empereur allait faire venir Abul el-Fazl. Pourquoi lui ? Son précepteur ne l'avait jamais aimé, mais c'était l'un des homme en qui Akbar avait le plus confiance. Il avait été envoyé dans le Dekkan pour surveiller Mourad qui était mort peu après. À présent, on le faisait revenir pour s'occuper d'un autre fils. Akbar se reposait entièrement sur cet ami, surtout depuis que celui-ci avait rédigé *L'Akbarmana* qui lui avait valu une nouvelle pluie d'honneurs. Pourtant, Akbar n'avait pas lu les trois volumes de l'épopée. Il n'avait pu que les considérer avec convoitise. Car le grand empereur moghol était illettré ; il ne savait ni lire ni écrire. Cela ne l'avait pas empêché de s'entourer d'artistes parmi les plus réputés de son époque, poètes, dramaturges, musiciens, architectes, s'appuyant sur son extraordinaire mémoire pour soutenir des conversations.

Salim soupira. Son père était infatigable. Il ne dormait que très peu, guère plus de quatre heures par nuit, et chaque jour se succédaient d'innombrables tâches officielles auxquelles s'ajoutaient quelques heures passées au harem et les soirées en compagnie des grands esprits dont il prisait le commerce. Tandis que lui, Salim, parvenait tout juste à régner sur le minuscule royaume qu'il s'était attribué au cœur de l'Empire.

– Pourquoi mon père veut-il faire revenir Fazl ? demanda-t-il.

– Pour dissiper cette querelle entre vous et Sa Majesté, sans doute.

– Abou el-Fazl ne fera qu'empirer les choses. Je ne l'ai jamais considéré comme un ami. Il a toujours dressé l'empereur contre moi. S'il se présente à la cour, je risque de ne jamais revoir mon cher père.

Un court silence s'ensuivit. Mahabat, Koka, Abdullah et Sharif se jaugèrent d'un air entendu. Le retour de Fazl serait désastreux pour eux aussi. Ils risquaient déjà d'être accusés de sédition. Akbar pourrait pardonner à Salim, mais leurs têtes n'étaient certes pas assurées de rester longtemps sur leurs épaules.

– Que dois-je faire ? s'alarma Salim. Nous pouvons retourner à Agra et j'implorerai le pardon de Sa Majesté.

– Non, Votre Altesse, répliqua fermement Sharif. Il nous faut laisser passer du temps. Pour le moment…

Il hésita avant d'ajouter :

– L'empereur est trop froissé pour se montrer raisonnable.

– Mais il n'y a aucune chance pour qu'il se calme avant l'arrivée de Fazl, objecta Salim. Et ensuite, ce sera encore pire.

Il ne savait que trop pourquoi ses compagnons redoutaient toute tentative de réconciliation avec Akbar. Pourtant, il se sentait capable de les protéger de la colère impériale. Ils avaient lié leur destinée à la sienne, c'était le moins qu'il puisse faire. Toutefois, l'intervention de Fazl aggraverait les choses, Salim en était persuadé.

– Dans ce cas, il ne doit pas arriver à Agra, conclut Koka de sa voix nonchalante.

Salim lui jeta un regard surpris.

– Que veux-tu dire ? Il est attendu par l'empereur. Il va quitter le Dekkan sans délai.

– Certes. Mais ce voyage est… disons, risqué, plein de dangers. Qui sait ?

L'homme ventripotent leva les yeux au plafond avant de poursuivre :

– Il pourrait ne jamais arriver.

Salim sentit son pouls s'accélérer. Oserait-il agir ainsi que le suggérait Koka ? Ce serait dangereux. Il était déjà en délicatesse avec Akbar. Cependant, il ne voyait pas d'alternative. Le risque était trop grand que Fazl atteignît Agra pour renforcer la rancœur de son père et peut-être le convaincre de céder le trône à Daniyal. Salim inspecta vivement les alentours. Ils étaient seuls dans la salle de réception. Tous les serviteurs avaient été renvoyés.

Néanmoins, il se pencha vers ses compagnons en baissant la voix :

– Vous avez raison. Après tout, nous vivons une époque dangereuse. Brigands et pilleurs infestent nos chemins. Un petit accident, un incident sans importance et…

Il ouvrit les mains d'un air faussement impuissant.

Les cinq hommes se sourirent.

– Quelle serait la personne la mieux indiquée pour ce… cette intervention ?

– Bir Singh Deo, Votre Altesse, répondit vivement Mahabat.

– Le chef rajpoute des Bundelas d'Orchha ? N'est-il pas en révolte contre l'Empire ?

– Si, mais c'est un mercenaire. Il suffira de le payer suffisamment. En outre, il est de notoriété publique que vous êtes en conflit avec votre père, et cela ne pourra qu'agréer à Bir Singh.

Salim restait dubitatif.

– Si tu penses qu'il est apte…

– J'en suis certain, Votre Altesse, intervint Abdullah. Il ne faut pas que le moindre soupçon puisse vous salir et de plus le… l'assassin ne doit en aucun cas être lié à votre cour.

– Tu as raison. Fazl est un ministre d'État et l'empereur ne prendra pas sa mort à la légère. Il fera certainement traquer son meurtrier, envisagea Salim tout en se grattant le menton.

Puis il releva la tête :

– Ne risque-t-il pas de nous trahir ?

Mahabat grimaça un sourire.

– En aucune façon. Il est coupable de nombreux autres méfaits et ne s'en tirera pas vivant s'il se rend à l'empereur. Il n'a d'autre solution que de se cacher à Orchha. Après tout, les Bundelas s'y terrent depuis des années sans que les forces impériales parviennent à leur mettre la main dessus.

Salim se sentait embarqué dans une spirale mortelle, mais il ne pouvait plus reculer.

– Faites rechercher Bir Singh. Nous n'avons pas de temps à perdre.

Abou el-Fazl fut informé du complot visant à l'assassiner mais décida de ne pas changer de route. Sa motivation ne faiblit pas : Akbar l'avait prié de venir en toute hâte. Aussi augmenta-t-il le nombre de ses gardes du corps. Trois fois, ils furent attaqués avec sa troupe. Trois fois, ils mirent en fuite leurs agresseurs. La quatrième, en traversant le village de Sur, ils furent assaillis par les Bundelas et un combat acharné s'ensuivit. Fazl parvint à leur fausser compagnie mais, blessé, il perdit beaucoup de sang et dut s'allonger sous un arbre pour se reposer. Ce fut là que le chef des Bundelas le trouva, affaibli mais conscient, et qu'il lui trancha la tête.

9

Mon intention... est de faire remarquer qu'il n'y a pas de plus mauvaise fortune que lorsqu'un fils, par les impropriétés de son attitude et par sa conduite malséante... se montre récalcitrant et se rebelle contre son père, sans cause ni raison...

Le Tuzuk-i-Jahangiri

L'empereur s'était retiré dans ses appartements, les rideaux fermés. De grosses larmes lui coulaient sur les joues, imbibant le col de brocart de sa qaba.

Il ferma les paupières et s'adossa au coussin de velours. Il avait tant espéré l'arrivée d'Abou el-Fazl ! Et voilà que deux estafettes lui annonçaient sa mort. Avec lui il perdait un ami très cher mais, pire que tout, il craignait que son fils n'ait comploté cet assassinat. Akbar leva une main tremblante et s'essuya les yeux ; ses soldats avaient découvert le corps décapité de Fazl sous un arbre. Son ministre n'avait même pas pu mourir dignement. Et ses espions lui rapportaient que la tête avait été envoyée à Salim. Comment son fils avait-il eu la cruauté d'assassiner cet ami ? La rébellion était une chose, mais le meurtre...

Akbar se cacha la face dans une manche. Trois jours s'étaient écoulés depuis qu'il avait appris la funeste nouvelle, et depuis il ne sortait plus de ses appartements, ne voyait plus personne, pas même les femmes de son harem. Qu'avait-il fait pour mériter de tels fils ? Mourad était mort, Daniyal débauché et Salim... Plus qu'aucun autre, Salim faisait le désespoir de son père.

Il se leva lentement pour s'approcher de la fenêtre, en ouvrit le volet ciselé. C'était le milieu de l'après-midi et un soleil aveuglant brillait haut dans le ciel. La chaleur s'engouffra autour de l'empereur qui recula, instinctivement heureux de ces sensations banales après trois journées de tristesse engourdissante. Il faisait tellement lourd que chacune de ses inspirations semblait embraser ses poumons fatigués. De sa fenêtre, Akbar discernait les plaines calcinées au-delà de la Yamunâ, piquées çà et là d'arbres rabougris. Un peu plus loin, perdue dans la poussière et l'oubli, mourait son ancienne capitale de grès rose, Fatehpur Sikri. La ville qu'il avait construite pour Salim.

À la naissance de son fils aîné, Akbar avait vingt-sept ans. Il régnait depuis quatorze ans sur l'Hindoustan et possédait de nombreuses épouses, d'immenses territoires pacifiés, des myriades de sujets déférents… et personne à qui les léguer. Un souverain sans héritier. Il avait vu naître beaucoup de fils de ses différentes épouses. Certains étaient morts à la naissance – pourtant, disaient les hakims, ils étaient parfaitement formés, les mains et les pieds intacts, les cheveux fournis, le corps bien rond. Et leurs petites poitrines étaient restées silencieuses, sans souffle. D'autres étaient morts en bas âge, après qu'il les eut tenus dans ses bras, regardés téter avec vigueur la poitrine de leurs nourrices, lui adresser leurs premiers sourires.

Les affaires de l'Empire lui avaient permis de vite oublier ces fils fantômes. Avec les responsabilités qui avaient pesé sur ses épaules dès la puberté, il avait pris l'habitude de s'inquiéter davantage pour son peuple que pour lui-même, de se préoccuper de chaque sujet : les femmes de son harem, les soldats de son armée, les nobles de sa cour. Un souverain ne pouvait s'abandonner à ses états d'âme. Néanmoins, la douleur le rongeait. Il avait cherché consolation auprès de différentes autorités religieuses, spirituelles ou physiques. Il avait rendu visite aux saints, aux grands maîtres et aux médecins dans l'espoir que l'un d'entre eux saurait lui dire pourquoi il possédait un si vaste empire et personne à qui l'offrir, lui confirmer qu'il aurait un jour le fils dont il se languissait tant.

Dans sa recherche, il avait rencontré Cheikh Salim Chishti, un saint soufi qui vivait dans une grotte aux alentours de l'humble village de Sikri à deux heures de cheval d'Agra. Et dans cette grotte, Akbar, empereur de l'Inde Moghole, avait ôté ses souliers incrustés de perles et de diamants avant de s'asseoir à même le sol avec le cheikh. « Trois fils te naîtront, avait prédit le saint homme. Trois brillants enfants. Ton nom ne s'éteindra pas ; ton empire prospèrera. Telle est la volonté d'Allah. »

Hamida Banu, l'épouse hindoue d'Akbar, fut de nouveau enceinte à cette époque et, le 31 août 1569, Salim venait au monde en hurlant et se débattant avec une belle vigueur. Ainsi que le cheikh l'avait promis.

Dans sa joie, Akbar avait édifié une ville entière à Sikrî et l'avait appelée Fatehpur – victoire après la conquête du Gujarat.

Les architectes d'Akbar avaient d'abord rechigné à l'idée de bâtir des palais si loin d'Agra, la capitale de l'Empire. Mais Fatehpur Sikrî allait remplir ce rôle dès que l'empereur s'y installerait avec sa cour. Les ingénieurs ayant objecté qu'on n'y trouvait pas d'eau, il fit creuser et emplir un lac. En 1571, deux ans après la naissance de Salim, il érigeait les fondations d'une mosquée et d'un palais.

La cour avait résidé quinze ans à Fatehpur Sikrî. D'année en année, les eaux du lac baissaient, car les pluies ne tombaient pas régulièrement, et la poussière envahissait peu à peu les rutilantes bâtisses de grès. Akbar se résigna à l'abandonner ; la cour s'était alors installée à Lahore, afin de contenir les menaces du roi d'Ouzbékistan.

Il ne retourna jamais dans la ville qu'il avait fait bâtir pour son fils.

Cependant, il gardait quelques délicieux souvenirs de l'enfance de Salim. L'année de ses quatre ans, Akbar lui avait appris à nager dans le lac. Les domestiques en avaient isolé une partie à l'aide de cordes de velours. Cela se passait à l'aube et le ciel s'incendiait peu à peu de lueurs vermillon. Salim hurla cinq matinées durant.

– Non, bapa, je ne veux pas aller dans l'eau. Je déteste l'eau. J'ai peur !

– Les monarques n'ont pas peur, Chaiku baba.

L'enfant s'appelait Salim, en l'honneur du saint Cheikh Salim Chishti. Chaiku baba, surnom affectueux, était également dérivé du nom du saint.

– Non ! Je n'irai pas. Tu ne m'y obligeras pas. Je ne veux pas !

– Demain, Salim, dit sévèrement Akbar.

L'enfant devait apprendre à obéir.

Mais le lendemain matin, il restait au bord de l'eau, tremblant de tous ses membres, buté et furieux, le visage encore bouffi de sommeil. Car Akbar lui avait expliqué que les souverains ne manquaient jamais un rendez-vous et obéissaient aux ordres. Celui qui n'était pas capable d'obéir à un ordre n'était pas capable d'en donner.

Akbar était déjà dans l'eau, un dhoti flottant autour de sa taille pour tout vêtement. La fraîcheur de l'air lui donnait la chair de poule.

– Saute, Chaiku baba ! cria-t-il.

Les gouvernantes de Salim s'empressaient autour de l'enfant et, malgré leurs voiles, Akbar sentait leur désapprobation.

– Saute, mon garçon !

Une servante déshabilla Salim qui se frotta les bras pour se réchauffer. Il avait de longues jambes maigrichonnes, d'épais cheveux noirs qui lui tombaient sur les épaules. Malgré sa nudité, il ne chercha pas à se couvrir devant son père, comme s'il prétendait le défier de toute sa personne.

Akbar faillit le renvoyer au palais, tant l'enfant avait l'air effrayé. Mais il ne devait pas faire preuve de faiblesse envers son fils.

– Veux-tu être un grand empereur ? insista-t-il.

Salim hocha la tête sans quitter son père des yeux.

– Alors comment peux-tu avoir peur d'un élément aussi simple que l'eau ?

Reculant de trois pas, le prince se jeta non pas dans l'eau mais dans les bras d'Akbar.

Et voilà qu'aujourd'hui ses espions lui annonçaient la responsabilité de ce garçon dans la mort d'Abou el-Fazl. L'empereur s'assit lourdement sur le sol. Une fois dans l'eau, Salim s'était raccroché à lui, toute bravade oubliée. Vingt-sept ans plus tard, Akbar sentait encore ses petits bras sur son cou, ses jambes serrées autour de sa ceinture, son visage baigné de larmes au creux de son épaule. Lorsqu'il était enfant, Salim l'écoutait. Cela n'était plus le cas. À l'image de Fatehpur Sikrî, le lien qui les unissait semblait avoir été abandonné aux rigueurs du soleil, à la poussière et aux toiles d'araignées. Il avait délaissé la ville qu'il avait construite pour son fils ; maintenant, son fils le délaissait.

L'empereur releva lentement la tête. Il se sentait tellement las, ces derniers temps ! Tout le fatiguait. Les médecins ne lui trouvaient rien d'alarmant, mais il lisait la réponse dans leurs yeux. La vieillesse. La fin d'une vie bien remplie. Akbar soupira. Il ferait mieux de se réconcilier avec son fils. Salim était l'héritier naturel du trône. Peut-être, durant le peu de temps qu'il lui restait à passer sur terre, pourrait-il lui inculquer les préceptes susceptibles de lui former un peu le caractère et d'en faire un grand empereur.

Il se dirigea lentement vers le zénana, en commençant par les appartements de la Padchah Begam. Elle l'attendait. Dès l'instant où il avait quitté sa retraite, des serviteurs avaient couru prévenir Ruqayya. Il la trouva en compagnie de Salima Sultan Begam, une autre de ses épouses favorites, une cousine avec qui il avait également grandi. Elle avait d'abord épousé Baïram Khan, le régent qui avait supervisé les premières années de règne d'Akbar. À la mort de Baïram, Akbar avait pris Salima pour femme, afin de lui offrir un foyer et de partager à nouveau avec elle leur amitié d'enfance.

Entre Ruqayya et Salima, il se sentait plus à son aise que nulle part ailleurs. Ces femmes savaient l'écouter, le conseiller, le consoler.

Pour commencer, elles bavardèrent des affaires qui agitaient alors le zénana, conversation futile destinée à le détendre en attendant qu'il se décidât à parler. Lorsqu'il fut prêt, il laissa éclater son chagrin à propos de la mort de Fazl et du rôle qu'y avait joué Salim. Mais il ne mentionna pas son idée de réconciliation. Salima, qui connaissait l'empereur mieux que personne, partit dès le lendemain pour Allahabad.

Tout comme Ruqayya, elle savait qu'Akbar se languissait de son fils. L'heure était venue. Aussi les deux femmes s'activèrent-elles pour le compte de l'empereur.

Salim et Akbar se toisèrent dans le Diwan-i-am, devant la cour assemblée. Ils ne s'étaient pas vus depuis trois ans. Cependant l'empereur avait tenu à cette réunion en public. La salle des audiences était remplie de courtisans et de curieux. La nouvelle du conflit entre père et fils s'était propagée jusqu'aux extrêmes limites de l'Empire. Chaque spectateur ou presque avait un intérêt personnel à observer ces retrouvailles ; le sort de l'Empire dépendait de cette rencontre.

Derrière le trône, le moucharabieh du harem était encombré par les dames du zénana. Pour une fois, elles se taisaient elles aussi, suivant la cérémonie en silence. À l'avant trônait Ruqayya Sultan Begam, avec, à sa droite, Salima, qui avait ramené le prince à son père. Nul ne savait ce qu'elle avait promis au jeune homme ni comment s'était conclue leur entrevue, néanmoins elle l'avait convaincu de revenir… sans son armée. De plus, en arrivant à Agra, Salim était venu directement rendre visite à sa grand-mère, Maryam Makani, si bien que les dames l'avaient déjà vu. Le jour de la cérémonie, une seule personne du moucharabieh ne l'avait pas rencontré depuis des années.

Mehrunnisa se tenait derrière le siège de Ruqayya, assez près de la grille pour distinguer ce qu'elle voulait au travers. Le prince n'allait faire son entrée que dans quelques minutes et elle avait l'impression de ne plus pouvoir respirer jusque-là. Avait-il changé ? Le temps avait-il été bon envers lui ? Avait-il vieilli ? Sa folle équipée à travers l'Empire l'avait-elle marqué ?

Quelle erreur que de se laisser mener ainsi par des hommes tels que Mahabat, Koka et Sharif ! Au moins allait-il retrouver sa vraie place auprès de l'empereur. Qu'Allah fasse qu'il y reste ! Et puis, cela permettrait peut-être à Mehrunnisa de le contempler de temps en temps. Ce serait déjà beaucoup en comparaison des années de solitude qui venaient de s'écouler.

Lorsque les trompettes sonnèrent, elle sentit son cœur palpiter. Fallait-il qu'elle fût sotte de s'émouvoir de la sorte, elle, mariée depuis si longtemps et qui trouvait encore le moyen de penser à un autre homme !... Si elle avait pu donner un enfant à Ali Quli, leur existence eût sans doute été différente. Elle porta une main à son ventre en se rappelant cet après-midi d'hiver à Lahore, dans le poulailler. Yasmin avait survécu... et désiré se séparer de l'enfant. Néanmoins, Mehrunnisa ne l'avait pas pris. Elle souhaitait désespérément en avoir un, mais le sien, non pas le fruit des entrailles d'une autre femme. Aussi avait-elle tendu le bébé à Yasmin et l'avait-elle renvoyée.

Le Mir Tozak annonça le prince Salim et elle regarda de tous ses yeux.

Salim entra lentement dans le Diwan-i-am, suivi de quelques courtisans. Curieusement, Mahabat Khan et Koka n'en faisaient pas partie. Mehrunnisa observa Akbar se lever de son trône et descendre les marches qui le séparaient de son fils, les larmes aux yeux. Il ouvrit les bras et Salim, qui s'était incliné afin d'exécuter le konish, se releva pour se jeter dans les bras de son père. La cour assistait en silence à cette étreinte.

Salim recula, choqué. En trois ans, son père avait considérablement vieilli. Il ne serrait plus que des épaules amaigries, lui découvrait des cheveux presque blancs et de profondes rides sur le front.

– Bapa, je promets de te remettre quatre cents de mes éléphants de guerre.

– Toute cette cour se languissait de toi, coupa l'empereur.

Sur un signal d'Akbar, des serviteurs apportèrent des robes d'honneur et des épées d'apparat.

– Approche-toi, Salim.

L'empereur ôta son turban d'apparat et le plaça sur la tête du prince. L'assistance attendait, muette, paralysée. Le jeune homme porta la main à l'inhabituelle coiffe que venait de lui remettre son père, caressant les pierres précieuses piquées sur le satin.

– Tu me fais un grand honneur, bapa, murmura-t-il si bas que seul l'empereur l'entendit.

Akbar le dévisagea un long moment et Salim soutint son regard. Il avait envie d'embrasser à nouveau son père, de lui demander pardon pour la folie de sa conduite. Mais il n'y avait pas de pardon dans les yeux d'Akbar, juste du chagrin et de la désapprobation.

– L'Empire doit avoir un héritier, Salim. C'est tout.

Le prince sentit la colère l'envahir.

– Est-ce l'unique raison pour laquelle vous m'avez prié de revenir à Agra, Votre Majesté ?

– Nous n'avons pas demandé ton retour.

Salim rajusta fermement le turban sur sa tête.

– Je sais que vous n'avez rien demandé. Puis-je me retirer, maintenant, Votre Majesté ?

Akbar acquiesça de la tête. Salim rendit le turban à son père, salua et s'éloigna à reculons, passa devant les courtisans du premier rang, devant les nobles du deuxième rang, devant les éléphants de guerre alignés dans la cour. Malgré la curiosité de l'assistance, on ne put rien deviner de ses pensées.

Le silence dura jusqu'à ce qu'il fût sorti du palais. Les dames du zénana qui n'avaient pas entendu l'échange à voix basse des deux hommes, se lancèrent soudain dans une série de commentaires fiévreux, aussitôt suivies des courtisans.

En déposant le turban impérial sur la tête de son fils, Akbar venait de le proclamer son héritier.

Mehrunnisa se détacha de la grille, les joues en feu. Salim n'avait pas changé, du moins pas en apparence. Elle attendit que la cour se fût dispersée après le retrait de l'empereur. La paix devrait donc revenir sur le pays. Et Salim resterait là, auprès de son père, à sa vraie place. Une femme derrière elle laissa échapper soudain un prénom familier et Mehrunnisa dressa l'oreille ; un frisson la parcourut. Dans son désir de revoir Salim, elle avait oublié son fils, Khusrau.

– L'empereur désire que je dirige la campagne du Mewar ! lança le prince Salim d'un ton exaspéré.

Il venait d'entrer dans ses appartements et surprenait Mahabat Khan, Koka et Abdullah en plein travail. Muhammad Sharif était resté à Allahabad à titre de gouverneur.

– Quand ? demanda Mahabat en reposant le farman qu'il lisait.

– Dès que possible, dit Salim.

D'un geste, il réclama une coupe de vin.

– Mais pourquoi, Votre Altesse ? Le khan-i-khanan et le prince Daniyal sont tous deux dans le Dekkan. Ils peuvent aisément se déplacer dans le Mewar et prendre la tête des forces impériales.

Salim vida sa coupe et la tendit pour qu'on la lui remplît.

– Vous savez que Daniyal est un médiocre chef de guerre. Il boit trop et passe ses journées dans son harem. Je dois aller rendre confiance aux armées, remonter les esprits. Ce sont là les paroles de l'empereur, non les miennes.

– Votre Altesse, s'inquiéta Abdullah, vous ne pouvez quitter Agra en un moment si crucial. Veuillez me pardonner pour mes paroles, mais l'empereur n'est pas en bonne santé… il est vieux et…

Il n'acheva pas sa phrase.

Salim comprit très bien ce qu'il sous-entendait. La mort d'Akbar paraissait imminente ; si son fils aîné quittait Agra maintenant, il serait trop loin pour revendiquer le trône.

Qu'importait ? songea-t-il en tambourinant d'une main impatientée sur la petite table en bois de rose. L'empereur l'avait désigné pour héritier. Bien qu'il n'eût aucune envie de partir, il estimait nécessaire d'obéir.

Décidément, ce retour au palais ne s'était pas du tout déroulé comme il l'avait espéré. Certes, il passait plus de temps avec son père qu'auparavant, mais leurs relations n'avaient jamais retrouvé l'harmonie d'autrefois. Salim était allé trop loin pour qu'Akbar pût tout oublier. Ils ne se sentaient vraiment proches l'un de l'autre qu'au zénana impérial, lorsque les femmes s'ingéniaient à dissiper toute tension.

Les trois compagnons du prince le dévisageaient avec anxiété. Ne comprenait-il donc pas la position qu'il occupait à la cour ? Ses tentatives de s'emparer du pouvoir lui avaient aliéné la plupart des personnages influents de l'Empire. Persuadé de détenir un droit incontestable au trône, il n'avait pas cherché à s'attirer leurs bonnes grâces. Si ses relations avec son père se détérioraient, les nobles ne se gêneraient plus pour s'opposer ouvertement à lui.

– Je me rends compte qu'il n'est pas prudent de partir en ce moment, expliqua-t-il. Mais mon père m'en a donné l'ordre et je préfère ne pas lui désobéir. Quant au trône, puisque j'en suis l'héritier officiel, qui pourrait menacer de me le prendre ?

Ce fut Qutubuddin Koka qui lui répondit :

– Le prince Khusrau, Votre Altesse.

Salim écarquilla les yeux.

– Khusrau ? Mon propre fils ?

– Oui, Votre Altesse. J'ai entendu dire que Rajah Man Singh et mirza Aziz Koka rassemblaient une coalition pour le soutenir.

Rajah Man Singh, frère de la première épouse de Salim, Man Bai, était aussi l'oncle de Khusrau. Le général se trouvait au Bengale, où il avait maté la rébellion afghane. Mais, quel que fût son éloignement, il comptait toujours des amis à la cour.

Quant à mirza Aziz Koka, frère de lait d'Akbar, il était récemment devenu beau-père de Khusrau puisque celui-ci venait d'épouser sa fille, Khalifa. Les deux hommes avaient donc d'excellentes raisons de pousser ce jeune homme de seize ans à vouloir monter sur le trône. Aisément malléable, il les laisserait régner à sa place.

– L'empereur n'acceptera jamais. Ce serait en contradiction avec ce qu'il vient de proclamer.

Salim saisissait parfaitement l'ironie de la situation. Khusrau ne faisait jamais que suivre l'exemple de son père. Il avait à peine connu Khusrau durant son enfance ; on le lui amenait de temps à autre pour les grandes cérémonies, mais celui-ci passait le plus clair de son temps entre ses gouvernantes et ses serviteurs. Salim ne pouvait même pas dire qu'il l'aimait beaucoup, mais cela venait surtout de ce qu'il ne le connaissait pas.

– Votre Altesse serait avisée de se méfier, reprit Mahabat Khan. Mirza Aziz Koka flatte les courtisans depuis des années, dans le dessein flagrant d'obtenir leur appui le moment venu. À la lumière de ces événements, convenez qu'il serait sage de ne pas partir pour le Mewar.

– Il me paraît inconcevable que Khusrau se rebelle contre moi avant même que j'aie ceint la couronne. Mais que faire ? Je ne puis désobéir à l'empereur.

Les yeux de Mahabat se mirent à briller :

– Peut-être pourriez-vous faire seulement mine de vous rendre dans le Mewar. Une fois que vous auriez quitté la capitale, vous pourriez retarder votre voyage… Il sera toujours facile d'avancer une excuse, Votre Altesse.

Salim réfléchit rapidement. Ses compagnons avaient raison, il ne pouvait s'éloigner de la capitale en ce moment.

Il partit donc avec son armée pour Fatehpur Sikrî, à une journée de marche d'Agra. Là, dans la ville que son père avait construite en l'honneur de sa naissance, et dont il avait pensé faire la capitale de l'Empire Moghol, le prince installa son camp. Il se sentait bien dans ce palais où il avait grandi, où il avait joué à cache-cache avec Mahabat, Koka et Sharif ; c'était la demeure de son enfance. Mais il ne pouvait espérer revivre cette époque de bonheur avec Akbar, lorsque l'Empire ne les séparait pas encore, lorsque la confiance régnait entre eux. Jamais ces paisibles sentiments ne reviendraient. Sous l'influence de ses compagnons, il expédia message sur message à l'empereur : l'armée était mal équipée, il n'y avait pas assez de cavalerie pour soutenir l'infanterie, les éléphants étaient mal en point, et ainsi de suite. Il demandait d'importants renforts avant de repartir pour le Mewar.

Au bout d'un mois, exaspéré par les atermoiements de Salim, Akbar lui envoya l'ordre de regagner ses terres d'Allahabad où il pourrait lever un impôt pour équiper l'armée à sa guise. Salim accepta et se mit en route.

Constatant l'irritation de l'empereur envers son fils, mirza Aziz Koka et Rajah Man Singh redoublèrent d'efforts pour présenter la candidature de Khusrau à sa succession. Ils possédaient un atout majeur en la personne même du prince, jeune homme charmant, cultivé, beau, aimé du peuple, et surtout plus populaire que son père. Les diverses rébellions de Salim l'avaient desservi auprès de l'opinion et beaucoup avaient reconnu sa main dans le meurtre d'Abou el-Fazl.

Aussi la jeune génération se dressait-elle contre son géniteur, exactement comme Salim l'avait fait avec Akbar. Et tandis que pères et fils se surveillaient du coin de l'œil, un autre héritier du trône se mourait.

Le prince Daniyal, dernier fils d'Akbar, était resté à la tête des armées du Dekkan sous la vigilance d'Abdur Rahim, le khan-i-khanan ; sous l'influence de l'alcool dès l'aube, il passait ses journées entre les bras de ses épouses et de ses esclaves. Akbar avait envoyé une missive des plus fermes au khan-i-khanan, afin qu'il surveillât de plus près son protégé. Redoutant l'ire impériale, Abdur Rahim avait mis le prince au régime sec : il ne devait plus toucher à l'alcool ni à l'opium et se nourrir sainement.

Outre la boisson, Daniyal avait une passion : la chasse. Il avait même nommé l'un de ses mousquets préférés *yaka u jangada*, ou « bon pour le cercueil », car celui qui recevait un coup de ce mousquet n'avait aucun espoir de revoir le soleil. Et ce fut ce qui arriva au prince lui-même. Assoiffé d'alcool, il ordonna qu'on lui apportât à boire. Pour déjouer la surveillance d'Abdur Rahim, son serviteur lui fit secrètement verser de l'eau-de-vie à l'intérieur de son mousquet. Les restes de poudre et de rouille demeurés dans le canon et mélangés à l'alcool furent fatals à Daniyal. Après quarante jours de souffrances, il rendit son dernier souffle.

*
* *

La mort de Daniyal ne fit qu'exacerber les craintes de Salim : cette fois, Khusrau menaçait directement ses prétentions au trône. La conjuration qui soutenait le jeune homme semblait de plus en plus active. Tandis que Salim se morfondait à Allahabad, Khusrau et ses partisans vivaient à la cour, près de l'empereur qui s'affaiblissait de jour en jour.

Les courtisans n'hésitaient plus à afficher leurs préférences, y compris ceux qui avaient jusque-là observé une prudente neutralité. La mort de l'empereur semblait imminente et le prochain souverain saurait les récompenser pour leur soutien. Partout à travers Agra se tenaient des réunions secrètes où l'on discutait du candidat idéal à la succession ; ensuite, les nobles allaient offrir leurs services à celui qu'ils avaient choisi.

Deux factions religieuses se rendirent à Allahabad auprès de Salim : d'abord les soufis naqshbandi, musulmans orthodoxes heurtés par les conceptions libérales d'Akbar. Ils lui promirent leur soutien s'il promouvait un islam plus traditionnel lors de son accession au trône. C'était là un appui important que Salim accepta volontiers. Il avait déjà obtenu l'appui des soufis du saint Cheikh Salim Chishti.

La deuxième faction religieuse d'importance dans le pays était constituée par les jésuites portugais installés, depuis longtemps en Hindoustan où ils avaient établi de nombreuses missions. Leur soutien était essentiel parce qu'ils contrôlaient les plus grands ports maritimes de Goa, de Surat et de Cambay, principaux accès vers la mer d'Arabie. Si la route terrestre existait toujours, la voie maritime constituait une appréciable source de revenus et le commerce entre l'Europe et l'Orient passait systématiquement par les Portugais. Les prêtres jésuites restèrent neutres aussi longtemps que possible, estimant que Khusrau leur serait sans doute plus favorable que Salim mais, finalement, ils jetèrent leur dévolu sur ce dernier car ils le donnaient pour victorieux.

Tandis que Khusrau complotait pour accéder au trône avant son père, Salim goûtait son statut de quasi-monarque à Allahabad. La mère de Khusrau, la princesse Man Bai, s'affligeait de la lutte entre son époux et son fils. Elle écrivit de nombreuses lettres à ce dernier, lui rappelant son devoir d'obéissance envers son père et le suppliant de renoncer à ses ambitions. Mais le jeune homme fit la sourde oreille. L'attrait du pouvoir était trop puissant. S'il devait attendre la fin du règne de Salim, il en aurait peut-être pour trente ou quarante ans avant de pouvoir ceindre la couronne. Man Bai finit se résigner et prit trop d'opium, ce qui la tua et plongea la cour de Salim dans le deuil.

Lorsque la nouvelle de la mort de sa bru parvint à Agra, l'empereur envoya des cadeaux à Salim, ainsi qu'une lettre de condoléances, mais ne le fit pas revenir pour autant. Pire, il insistait pour que Salim se rendît au Mewar et celui-ci s'entêtait à refuser…

Mehrunnisa regardait distraitement par la fenêtre, un livre ouvert sur ses genoux. Le soleil jetait des reflets aveuglants sur la Yamunâ. Des abeilles bourdonnaient paresseusement autour des bougainvillées orange qui couraient sur les murs de la maison. La ville d'Agra semblait assoupie dans la chaleur ; cependant l'esprit de la jeune femme restait alerte, passant vivement d'une réflexion à l'autre.

Elle avait suivi de près les mouvements de Salim. Chacune de ses initiatives n'avait fait que l'éloigner de son père, des nobles de la cour et même du peuple. Le prince ne semblait pas comprendre qu'il ne saurait régner longtemps sans soutien populaire. Il allait jusqu'à s'aliéner le zénana impérial dont les membres l'avaient jusque-là soutenu. Mais les dames se désolaient de ne plus voir dans l'empereur que l'ombre de lui-même. Akbar se mourait, lentement mais sûrement, et les agissements de Salim ne faisaient que précipiter l'échéance.

Mehrunnisa estimait que Mahabat, Koka et Sharif menaient le prince à sa perte. Tout cela parce qu'ils piaffaient d'impatience à l'idée de diriger l'Inde. Elle ne doutait pas un instant que, dès que Salim aurait pris le pouvoir, ce seraient eux et non lui, qui règneraient.

Si elle l'avait épousé… Non, elle ne devait pas se laisser entraîner à nouveau dans des pensées stériles, même si celles-ci lui venaient sans arrêt à l'esprit. Si seulement elle avait pu le guider, elle lui eût conseillé d'attendre pour agir. Après tout, le trône ne lui était-il pas acquis ? Il était l'héritier incontesté de l'Empire. Et voilà qu'à présent, Khusrau était présenté comme le futur empereur. Ce jeune homme encore gauche... que connaissait-il au pouvoir ? Rien, bien sûr, ce qui impliquerait une régence, des troubles civils et la désintégration de l'Empire.

Alertée par un bruit à la porte, elle se retourna pour voir Ali Quli entrer en trombe dans la chambre ; cependant, elle resta calme et mesurée, comme à son habitude. Jamais son visage ne trahissait ses émotions.

– Que puis-je faire pour toi ? demanda-t-elle.

Il se laissa tomber sur le divan à côté d'elle, le visage rouge d'excitation.

– J'ai des nouvelles ! annonça-t-il. De bonnes nouvelles !

Elle attendit paisiblement la suite.

– Mirza Aziz Koka et Rajah Man Singh appuient Khusrau dans ses prétentions au trône.

– Je sais.

– Et j'ai décidé de me joindre à eux.

Mehrunnisa cilla.

– Te joindre au complot contre le prince Salim ?

– Oui. Il est trop imprudent, trop malavisé. Khusrau fera un meilleur empereur. Et puis c'est un enfant, nous gouvernerons à travers lui.

Tout sourire, il se frotta les mains.

– Imagine, ajouta-t-il, le pouvoir que j'en tirerai ! Je serai placé à la tête de l'armée, je commanderai la cavalerie et l'infanterie...

Perdu dans ses rêveries, il n'acheva pas sa phrase.

– Comme tu viens de le dire, objecta Mehrunnisa, Khusrau est un enfant mais, s'il devient empereur, c'est tout le pays qui en souffrira. Il ne faut pas évincer l'héritier naturel. L'heure de Khusrau n'a pas encore sonné. Et puis le prince Salim attend le trône depuis au moins quinze ans. Crois-tu qu'il se résignera sans rien tenter ? L'empereur Akbar a décidé de son successeur et il n'abandonnera pas Salim. Ce serait aller contre toutes les lois coutumières que de laisser l'Empire à son petit-fils alors que son fils est vivant.

– Mais si l'empereur meurt ? Que se passera-t-il alors ?

– Il intronisera Salim auparavant. Sa Majesté est parfaitement consciente de ses devoirs et de ses responsabilités. Si Khusrau se rebiffe, cela fera inutilement couler le sang et des sujets mourront pour défendre une cause perdue, car Salim est le plus fort.

– Khusrau a Rajah Man Singh de son côté, sans doute le soldat le plus aguerri de tout l'empire ; si Salim veut affronter son fils, il sera vaincu.

– Et le peuple ? Et les nobles de la cour ? Crois-tu qu'ils accepteront ces bouleversements dans les lois de succession des Turcs cagataïdes ?

– Eh bien…

Ali Quli resta coi. Il n'avait pas songé aux courtisans. Certes, mirza Aziz Koka et Rajah Man Singh étaient parmi les plus puissants, mais l'appui de la cour semblait toutefois indispensable. Il se sentit rougir. Son épouse ne pouvait-elle se comporter comme les autres épouses ? Au moins ces dernières étaient-elles toujours prêtes à soutenir les prises de position de leurs maris, sans poser de question.

– Mirza Koka s'applique à les convaincre, répliqua-t-il, et ils opteront certainement pour notre cause.

– Khusrau va perdre, trancha Mehrunnisa.

Elle en voulait à son époux de se montrer si obtus. S'il avait été un peu moins soldat et un peu plus homme d'État, il eût compris dans quelle situation impossible il se jetait. Comment un homme aussi courageux pouvait-il être aussi stupide ? À moins de tuer le prince Salim, Khusrau n'avait aucune chance de monter sur le trône et, même alors, il n'y resterait pas longtemps.

– Il vaudrait mieux rester neutre, poursuivit-elle. Nous devons attendre et voir comment tournent les événements.

– C'en est assez ! s'emporta Ali Quli. Ma décision est prise. J'apporterai mon soutien au prince Khusrau. La discussion est close.

Avant de sortir, il se retourna :

– Je n'étais pas venu te demander ton avis, mais t'informer de mes actions, encore que rien ne m'y oblige.

La voyant ouvrir la bouche, il leva la main :

– Tais-toi et écoute. Limite ton attention à la maison et aux enfants que tu devrais avoir. Laisse le reste aux hommes. Ce n'est pas parce que tu es incapable de remplir tes responsabilités de femme que tu dois te mêler de politique.

– Ne me parle pas ainsi !

– Je te parle comme je veux. Je suis ton époux. Je sais que ton père est un puissant courtisan. Je sais qu'il a droit au respect de l'empereur. Mais tu vis sous mon toit. Tu es ma femme et non plus la fille de ton père.

Elle lui jeta un regard furibond qui trahissait son profond mépris. Ali Quli se pencha vers elle, saisit le livre qu'elle lisait et lui embrassa les paumes.

– Je suis heureux de constater que tu ne frémis pas à mon contact.

Il sortit en claquant la porte.

Mehrunnisa se laissa tomber sur le tapis et se mit à cracher furieusement dans ses mains puis à les frotter sur le tapis comme pour effacer le souvenir de ce baiser. Ensuite, elle s'allongea et demeura un long moment immobile, le visage caché sous ses cheveux, versant des torrents de larmes. Une heure plus tard, elle était toujours au même endroit, dans la même position. Il n'existait aucun moyen de sortir de ce mariage, d'échapper à cette vie. Elle était obligée de continuer ainsi, un jour après l'autre, et d'afficher un sourire quand elle revoyait sa famille.

Elle se retourna et resta sur le dos, à regarder le plafond, caressant son ventre à travers sa ghagara. Cinq semaines maintenant… Et tous les jours elle guettait ce sang qui risquait de venir encore lui voler ses espérances. Cinq semaines, et elle n'avait rien dit à Ali Quli.

Malgré son dédain pour son époux, elle reconnaissait qu'il avait fait preuve d'une salutaire prudence trois années plus tôt, lorsque le prince Salim avait quitté le Mewar pour tenter de s'emparer du trésor ; Ali Quli l'avait alors quitté à Agra, laissant le prince gagner Allahabad avec son armée. Il eut été malvenu de s'opposer à l'empereur pour le prince – même si, du fond du cœur, elle ne désirait soutenir que Salim, malgré les nombreuses erreurs qu'il avait commises. Aujourd'hui encore, il était fou de vouloir défier Akbar. Car Mehrunnisa savait, grâce à ses conversations au zénana, grâce aux confidences des femmes, que, malgré tout ce que Salim avait pu faire par le passé, Akbar ne voudrait jamais le remplacer par Khusrau. Aux yeux du souverain, ce dernier restait d'abord un enfant, un garnement plutôt qu'une menace sérieuse. Il ne pouvait même imaginer Khusrau diriger l'Empire à la place de Salim. Mais, songeait Mehrunnisa, Salim ferait mieux de revenir à Agra, ne fût-ce que pour s'y montrer. Quelle folie de se tenir loin de la capitale par les temps qui couraient !

La jeune femme se leva lentement et fut prise d'une subite nausée. Elle courut vers la cour où elle vomit son déjeuner de chappatis et d'œufs de cane. Alors qu'elle s'essuyait la bouche, son estomac se retourna encore, en révolte contre l'odeur montée du sol qu'elle venait de souiller. Pourtant, elle resta un long moment dans la cour, indifférente à l'idée qu'une servante pût la voir adossée à une colonne, tremblant de tous ses membres. *Allah, par pitié, fais que celui-ci vive ! Que je remplisse mon devoir de femme. Laisse-moi devenir une vraie femme.*

Deux semaines plus tard, le prince Salim quittait Allahabad pour Agra, comme pour exaucer les prières muettes de Mehrunnisa. À nouveau, il fut reçu dans le Diwan-i-am par l'empereur. À nouveau, Akbar ôta son turban devant toute la cour pour le placer sur la tête de son fils. Il fallait y voir un clair avertissement, adressé particulièrement à Rajah Man Singh et à mirza Aziz Koka ainsi qu'à tous ceux qui s'aviseraient de soutenir Khusrau, à commencer par Ali Quli. Akbar appuyait Salim, ce dont nul ne doutait, mais il s'était également levé de son lit pour accueillir solennellement le prince.

Cette éclatante démonstration d'affection sema la panique parmi les partisans de Khusrau.

10

Cela ne fit que contrarier davantage Akbar ; mais son déplaisir s'accrut encore lorsque Khusrau vint insulter son père en des termes inqualifiables en présence de l'empereur. Akbar se retira et, le lendemain, fit chercher Ali à qui il confia que la vexation causée par la mauvaise conduite de Khusrau l'avait rendu malade.

Ain-i-Akbari.

En 1605, l'été revint sur Agra, lumineux et suffocant. Des mois durant, un soleil impitoyable rôtit la vallée. Les rivières se réduisirent à un mince filet d'eau au centre d'immenses lits sablonneux. Les pêcheurs désespéraient de gagner leur vie et les paysans contemplaient avec inquiétude le ciel sans nuages, tandis qu'au milieu des rizières desséchées les pousses achevaient de jaunir et de se flétrir. Même la Yamunâ, qui serpentait au cœur de la ville, devint boueuse et stagnante faute de pluie. Comme souvent, la mousson tardait ; mais cette année il semblait qu'elle n'arriverait jamais.

Dans les palais d'Agra, la vie suivait son cours. Le calme régnait sur l'Empire depuis le retour du prince Salim, deux mois auparavant. Akbar gardait souvent le lit et n'assistait presque plus aux darbars quotidiens du Diwan-i-am ; lorsqu'il y faisait une apparition, la pâleur de son visage et sa silhouette décharnée, de plus en plus voûtée, consternaient l'assistance. La fin était proche. Même Akbar semblait en être averti. Ne fit-il pas siéger Salim à la droite du trône, sur un *gaddi* exceptionnel, proclamant ainsi ses droits sur l'Empire ? Debout, loin derrière le rang d'honneur, Khusrau ne décolérait pas.

Les journées s'écoulaient mollement. Entre les murs du zénana, les bavardages allaient bon train : servantes, esclaves, eunuques, dames d'honneur, gouvernantes, cousines, filles, épouses et concubines jasaient sans retenue. Pourtant, leur vie à tous dépendait de celui qui allait monter sur le trône. Si c'était Salim, son propre harem l'emporterait sur le zénana ; si c'était Khusrau, il faudrait s'en remettre à son épouse, la fille de mirza Aziz Koka. Cette seule idée leur donnait des frissons. Pour se rassurer, les femmes se disaient que l'heure de Khusrau ne pouvait avoir déjà sonné. Ruqayya Sultan Begam était certainement celle qui avait le plus à perdre ; non seulement son époux allait mourir, mais elle serait reléguée au rang d'impératrice douairière. Peut-être lui laisserait-on quelques luxes, son palais, ses domestiques, ses revenus, mais elle n'aurait plus aucun pouvoir. Son titre serait désormais vide de tout sens, son palais désert, son influence inexistante.

Tout cela reviendrait à la seconde épouse de Salim, la princesse Jagat Gosini.

Seule Mehrunnisa savait combien la Padchah Begam exécrait la perspective de céder sa place au zénana impérial à Jagat Gosini. Elle la voyait s'inquiéter pour son époux, mais aussi pour sa position, et pour Khurram qui passait de longues heures auprès du lit de son grand-père, à lui faire la lecture, à lui parler ou simplement à lui tenir la main quand il sommeillait. La sollicitude de cet enfant envers Akbar, qu'il connaissait mieux que ses parents, avait de quoi fendre le cœur.

Bien qu'elle se rendît chaque jour au zénana, Mehrunnisa se tenait autant que possible à l'écart des intrigues. Elle n'apercevait que rarement Salim car, pris par ses obligations aux darbars, il ne visitait plus souvent le harem impérial. Chacun, à commencer par l'empereur, semblait-il, guettait la suite des événements. Et cela se produisit par un jour de canicule, alors que le soleil amorçait sa descente, envoyant ses derniers rayons brûlants sur la ville d'Agra.

Irrité par la tension constante qui régnait entre Salim et Khusrau, Akbar leur ordonna d'organiser un combat d'éléphants dans la grande cour du Lal Qila, un immense terrain de terre battue situé à l'angle nord du fort. L'arène improvisée grouillait de spectateurs et de partisans des deux princes, revêtus de leurs plus beaux atours. Les bijoux scintillaient au soleil. Les hommes occupaient les trois côtés, tandis que le quatrième avait été érigé en un pavillon de marbre où régnait une agréable fraîcheur. Les colonnes et le sol étaient incrustés de fleurs et de feuilles de lapis-lazuli, de jaspe et de cornéliane. Par d'anguleux *chajias*, les avant-toits, s'écoulait l'eau de pluie, et quatre tours octogonales recouvertes de cuivre scintillaient à la lumière. La tribune du trône de l'empereur, elle aussi de marbre, était située sous le pavillon, les chajias la protégeant de la pluie autant que du soleil. L'une des extrémités du pavillon était recouverte d'une résille de marbre parfois plus fine qu'un doigt de femme, entièrement taillée dans le même bloc. C'était là que le zénana impérial se réunissait pour les manifestations publiques, ce qui permettait aux femmes de se dévoiler.

Debout, légèrement en retrait de Ruqayya, Mehrunnisa avait joint les mains sur le divan devant elle. Comme à l'accoutumée, l'impératrice se tenait très droite et orgueilleuse sur son siège de coussins, fumant tranquillement sa hukkah, sans perdre une miette de ce qui se passait autour d'elle. À sa droite était assise la princesse Jagat Gosini. Les deux femmes s'étaient à peine saluées ; à l'entrée de l'impératrice, Jagat Gosini s'était levée comme les autres dames, mais elle avait exécuté le konish avec une raideur qui ne laissait pas de rappeler qu'un jour, bientôt sans doute, les rôles seraient inversés. Quant à Mehrunnisa, la princesse l'ignora sans vergogne.

L'impératrice se pencha pour mieux examiner Akbar. Pour une fois, il semblait reposé ; il avait passé une bonne nuit. Il sourit à l'enfant de douze ans près de lui, et le charme d'autrefois illumina un bref instant son visage. En guise de réponse, le prince Khurram prit la main de son grand-père et la baisa. Les yeux d'Akbar s'emplirent de larmes et il lui caressa la tête ; alors l'enfant se blottit contre lui mais, lorsqu'un petit courant d'air vint lui chatouiller le nez, il se détourna pour éternuer. Mehrunnisa sentit Ruqayya se crisper sur son siège.

L'impératrice sortit un mouchoir de soie, aussitôt imitée par Jagat Gosini.

– Ma ! lança Khurram en regardant du côté du harem.

– Là, mon fils !

Ruqayya fit signe à une esclave qui passa le mouchoir à travers la grille.

Khurram s'essuya le nez et rangea le linge dans la manche de sa veste.

– Merci, ma.

Mehrunnisa observa Jagat Gosini tressaillir puis ranger lentement son propre mouchoir dans son corsage. La princesse s'efforçait de ne pas attirer l'attention, mais toutes les dames du harem avaient remarqué sa réaction spontanée à l'éternuement de l'enfant. Elle demeura immobile sur son siège, une expression figée de haine sur le visage. Ces dernières années, comme Akbar et Salim tentaient de se réconcilier, l'empereur avait prié Ruqayya de laisser Khurram passer plus de temps avec sa mère, en signe de bonne volonté. Toujours aussi possessive, l'impératrice avait accepté à contrecœur. Si bien que Khurram savait désormais que Jagat Gosini était la femme qui lui avait donné le jour, tandis que Ruqayya demeurait « Ma ». En fils respectueux, il manifestait à la princesse courtoisie, affection et respect. Cependant, il réservait son amour à Ruqayya et, plus le temps passait, plus Jagat Gosini en souffrait.

Les sonneries des trompettes accompagnèrent l'entrée de Salim sur un cheval blanc. Il s'avança jusqu'au trône de son père et, dès qu'il se trouva sous la tribune, s'inclina en un profond salut sans quitter sa selle. Toutes les dames tendirent le cou pour mieux le voir.

– Quel est le nom de l'éléphant de Salim ? demanda Ruqayya à haute voix.

– Giranbar, Votre Majesté, répondirent en chœur Mehrunnisa et Jagat Gosini.

La princesse battit légèrement des paupières en direction de la jeune femme puis se détourna en rougissant lorsque Ruqayya haussa un sourcil réprobateur dans sa direction.

– Ah, Giranbar ! répéta-t-elle. C'est vrai, je l'ai vu, il y a quelques semaines. Il est grand et fort. Salim prétend qu'il mange dix kilos de canne à sucre par jour. Il va certainement gagner le combat. Il n'a encore jamais perdu, vous savez.

– Oui, Votre Majesté, répondit Mehrunnisa, mais celui du prince Khusrau, Apurva, non plus.

– Non, non, marmonna l'impératrice en secouant la tête avec obstination, Giranbar doit vaincre ! Et Apurva perdra.

Toute la cour voyait en ce combat au Lal Qila une sorte de cérémonial qui permettrait de désigner le vrai prétendant au trône. Et Ruqayya désirait la victoire de Salim. Akbar le souhaitait ; aussi, nonobstant la menace de se voir supplantée par Jagat Gosini, Ruqayya le souhaitait également.

Malgré la fraîcheur dispensée par le marbre, une atmosphère étouffante régnait dans le zénana. À l'extérieur brillait une lumière éclatante, mais l'intérieur sombre restait envahi de moiteur. Une violente douleur transperça les reins de Mehrunnisa. *Pas ça !* Il était encore trop tôt. Elle n'avait rien dit à Ruqayya, refusant donc de solliciter un siège pour s'asseoir. Une nouvelle onde de souffrance lui traversa le dos et les hanches. Au bord de la suffocation, elle dut s'appuyer contre une colonne proche, tout en s'efforçant de garder un air dégagé. Car si une dame la voyait, elle comprendrait immédiatement ce qui se passait.

L'appel des trompettes annonçant l'entrée du prince Khusrau lui fit tourner la tête. Elle retint son souffle, prête à affronter un nouvel assaut, mais rien ne vint. Alors elle se redressa et reprit sa place derrière Ruqayya. Cependant, elle ne remarqua pas Jagat Gosini qui la surveillait du coin de l'œil.

– Encore une, siffla la princesse entre ses dents. Très bien.

Le prince marcha vers l'empereur, descendit de cheval et s'inclina profondément. Akbar lui adressa un léger signe de tête, ce qui fit rougir le jeune prince mais ne le départit pas de sa résolution. Après un salut compassé à Salim, il se remit en selle et prit la direction opposée.

Une clameur jaillit des poitrines de l'assistance à l'entrée des éléphants, tenus par leurs cornacs. Mehrunnisa remarqua le coup d'œil du prince Salim vers Apurva puis le vit lever une face inquiète vers Mahabat Khan qui se tenait près de lui. Elle eut envie de lui crier de chasser cette mine déconfite ; Apurva semblait énorme et sauvage, mais Giranbar davantage encore.

Le combat s'annonçait passionnant. La foule fit silence lorsque l'arbitre, dans sa livrée rouge et or, s'avança vers la tribune impériale.

– Votre Majesté, nous attendons votre signal.

Akbar se pencha vers Khurram :

– Veux-tu donner le signal ?

– Oui, Dadaji ! déclara l'enfant enchanté.

Sans plus attendre, il interpella l'arbitre :

– Où est le remplaçant ?

– Il arrive, Votre Altesse.

À cet instant, l'éléphant de l'empereur, Rantamhan, fut amené dans l'enceinte. Le règlement des combats d'éléphants, quoique assez souple et soumis à la fantaisie de l'empereur, stipulait que si un combat était gagné trop facilement, l'animal de réserve devait venir en aide au perdant. Rantamhan était celui-ci ; bien qu'il ne fût pas aussi gros qu'Apurva ou que Giranbar, ses cicatrices attestaient de son ardeur à la lutte.

– Que le combat commence ! cria Khurram.

La foule rugit de plaisir. Salim et Khusrau retinrent leurs chevaux tandis qu'on conduisait Giranbar et Apurva au centre du Lal Qila ; les animaux se firent bientôt face de part et d'autre du muret de boue séchée édifié le matin même.

Encore une fois, les trompettes retentirent et les cornacs poussèrent alors leurs éléphants. Les deux énormes bêtes se ruèrent contre le muret et leurs têtes se heurtèrent dans un lourd fracas. Elles reculèrent et, bousculées par les cornacs, repartirent à la charge. Très vite, l'éléphant de Khusrau sembla défaillir puis ne plus tenir sur ses pattes ; alors on envoya celui d'Akbar à la rescousse.

Voyant Rantamhan entrer dans l'arène, les partisans de Salim se redressèrent, furieux.

– Apurva n'a pas besoin d'aide !

Ils hurlaient en lançant des morceaux de bois, des pierres et tout ce qui leur tombait sous la main pour tenter de dissuader l'éléphant. Son cornac reçut un projectile sur le front et se mit à saigner.

Dans ce chaos, Khusrau se détacha de son escorte et vint au galop devant le trône d'Akbar.

– Votre Majesté, lança-t-il en grimaçant de colère, veuillez demander à ces hommes de cesser leurs mouvements d'intimidation. Apurva a le droit de se faire soutenir par Rantamhan.

Akbar se tourna vers le jeune Khurram :

– Va trouver ton père et dis-lui de retenir ses partisans ou nous ferons cesser le combat et déclarer tous les éléphants vainqueurs.

– Tout de suite, Votre Majesté.

Khurram sauta du pavillon et courut sur la terre battue.

– Merci, Votre Majesté, formula Khusrau en faisant reculer son cheval.

– Je n'ai pas terminé, Khusrau, répliqua Akbar qui lui fit signe de se rapprocher. N'oublie pas ton rang à la cour. Il ne sied pas à un prince du sang de se plaindre de son père de la sorte. Où est ton respect pour tes aînés ?

Khusrau s'empourpra.

– J'implore votre pardon, Votre Majesté.

– J'entends bien. Va, maintenant et ne te représente à nos yeux que lorsque tu auras appris les bonnes manières.

Là-dessus, l'empereur releva la tête et regarda droit devant lui.

Mehrunnisa vit Khusrau jeter un coup d'œil circulaire pour vérifier qui avait pu entendre ce bref échange. Il se raidit en apercevant le zénana. Ce que le harem savait, tout la ville, non, tout l'Empire, allait bientôt le savoir. Rageusement, il fit virer son cheval et partit au galop en direction de ses serviteurs.

Lorsque Khurram parvint à hauteur de son père, celui-ci s'efforçait déjà de calmer ses partisans. Mais les hommes, trop énervés, refusaient de se taire. Si bien que le Lal Qila tout entier retentissait du refrain : « Apurva n'a pas besoin d'aide ! »

Les gens du peuple se joignirent à l'insurrection, hurlant, tapageant, se battant entre eux, enchantés de la tournure que prenaient les événements. Plus personne ne prêtait attention au combat d'éléphants.

Excité par le tintamarre et la pluie de projectiles, Giranbar avait commencé par débusquer Apurva pour s'en prendre ensuite à Rantamhan qui s'enfuit jusqu'aux bords de la Yamunâ. Cependant Giranbar, qui avait échappé au contrôle de son cornac, le suivait toujours, et Rantamhan plongea dans la rivière. Une armée de serviteurs fut nécessaire pour séparer les deux animaux : on amassa des bateaux entre eux pour enfin arrêter un Giranbar galvanisé.

Dès les premiers signes de trouble, Mehrunnisa avait vu l'empereur se lever de son trône et regagner ses appartements, accablé par cette démonstration de haine entre son fils et son petit-fils.

Alors, les dames du zénana se précipitèrent vers les portes. Dans sa hâte, l'une d'entre elles bouscula Mehrunnisa. Elle trébucha, se redressa, s'efforça de sourire à l'excuse qu'on lui adressa. Une soudaine douleur lui cisailla le corps. Elle rentra au palais pliée en deux par les crampes. Et elle attendit les saignements.

Ce soir-là, l'empereur ne parut pas à la cour, cloué au lit par une forte fièvre, le cœur gros de la rivalité qui séparait Salim et Khusrau. S'il ne mettait pas fin très vite aux émeutes qu'elle suscitait, la guerre civile s'installerait dans son cher empire, cet empire qu'il avait consacré quarante-neuf années à bâtir. Il se refusait à laisser Khusrau monter sur le trône ; ce prince était trop jeune, trop inexpérimenté et Akbar redoutait plus que tout de voir l'Hindoustan aux mains d'un régent. Salim était et demeurerait l'héritier légitime du trône. Son père devait agir sans délai.

Mais ses résolutions attendraient, car il était gravement affaibli et perdait souvent conscience. Les médecins ne savaient comment le tirer de son délire. La fin était proche.

Dans son palais d'Agra, non loin du fort, le prince Salim se réjouissait de sa victoire sur Khusrau. Il y voyait un signe du ciel. Il serait empereur de l'Inde Moghole. Ces mots résonnaient dans son esprit comme une délicieuse mélodie dont il ne se lassait pas. Mais son contentement était tempéré par le chagrin, car Akbar se mourait. Salim allait souvent lui rendre visite. Au début, Ruqayya et les autres dames du harem semblèrent se méfier du bien-fondé de ses intentions. Elles guettaient le moindre symptôme de fatigue chez Akbar, le moindre signe d'irritation ; peu à peu, elles reprirent confiance. Salim passait des heures au chevet de son père, lui faisant la lecture, le rassurant de sa présence lorsqu'il ouvrait les yeux, ne regagnant son palais que tard dans la nuit, après que l'empereur lui en eut formellement donné l'ordre.

– Ne t'inquiète pas de Khusrau, lui souffla un jour son père.

– Je n'en ai pas l'intention, répondit Salim.

Le combat des éléphants avait porté ses fruits. Le prince ne doutait pas qu'il ceindrait un jour la couronne. Que pourrait y faire Khusrau ?

Cependant, Salim sous-estimait autant son fils que les conseillers de ce dernier. Tandis qu'il passait ses journées au palais de l'empereur, les partisans de Khusrau établissaient d'énergiques plans de bataille.

Mirza Aziz Koka, dit Khan Azam, premier seigneur de l'Empire, fut nommé vice-régent pendant la maladie d'Akbar. Afin d'assurer la position de son gendre, Mirza Koka renvoya les fidèles serviteurs d'Akbar et les remplaça par des hommes acquis à sa cause. Mais Khusrau n'était pas encore assuré de la victoire.

– Est-ce assez ? demanda-t-il à son beau-père, le front soucieux. Mon père commande une immense armée.

– Nous pouvons tenter notre chance, énonça lentement mirza Koka. Nous pourrions enlever le prince au cours de sa prochaine visite à l'empereur. Ainsi, nous n'aurions rien à craindre de l'armée du prince Salim.

Khusrau applaudit avec enthousiasme.

– Quel magnifique plan ! Mais je ne veux pas que mon père soit tué. Assurez-vous qu'il ne coure aucun danger, n'est-ce pas ?

– Certainement, Votre Altesse. Nous nous contenterons de l'emprisonner jusqu'à ce que vous soyez couronné empereur.

– Bien.

Mirza Koka le suivit des yeux d'un air pensif. Le prince croyait-il vraiment pouvoir garder la couronne tant que son père serait vivant ? Il faudrait organiser un petit accident lorsque Salim serait en prison. Alors le pouvoir serait à eux pour toujours.

Le lendemain, alors que Salim s'apprêtait à débarquer de sa barge pour rendre visite à l'empereur, un jeune homme arriva du fort en courant.

– Votre Altesse, Votre Altesse, il vous faut repartir. Vous êtes en grand danger !

Mahabat Khan tira Salim en arrière et, tout en le protégeant de son corps, interrogea le garçon :

– Quel danger ? Parle.

– Mirza Koka a l'intention de vous capturer et de vous emprisonner dans le fort, Votre Altesse. Il a renvoyé tous les serviteurs de l'empereur. Le fort est empli des partisans du prince Khusrau.

À peine achevait-il de parler qu'une flèche passa en sifflant à l'oreille de Mahabat Khan. Le garçon tomba à terre en se tenant le bras.

Mahabat cria au batelier de faire demi-tour. Le prince se dégagea et aperçut l'archer qui, du haut des remparts du fort, visait maintenant leur informateur toujours étendu à terre. Mais déjà Mahabat poussait son compagnon vers le fond du bateau et les rameurs repartirent en direction du palais.

Les jambes tremblantes, la bouche sèche, Salim gagna ses appartements. Son propre fils venait d'attenter à sa vie. Comment Khusrau pouvait-il commettre un acte aussi abject ? Le trône valait-il une telle trahison ? Un court moment, il se rappela la violence avec laquelle lui-même avait désiré renverser son père. En fait, il aspirait toujours autant au pouvoir, mais maintenant il l'avait à portée de la main. Tandis que les conspirations de Khusrau défiaient la raison : tuer son père de sang froid, au vu et au su de tous, en plein jour… Comment eût-il ensuite justifié un tel acte vis-à-vis de l'Empire ?

– Apporte-moi du vin ! aboya-t-il à l'adresse du premier serviteur qu'il croisa dans les couloirs tranquilles.

L'homme se précipita alors que Jagat Gosini surgissait, qui s'inclina devant son époux.

– Te voici rentré de bonne heure, seigneur. J'espère que Sa Majesté se porte bien.

– Je viens d'échapper à une tentative d'enlèvement.

– Qui a commis cette folie ? glapit la princesse affolée. Qui a osé attenter à ta vie ?

– Khusrau, maugréa Salim sombrement.

Le serviteur apparut, chargé d'un grand plateau d'argent où il avait placé un flacon de vin et des gobelets de nacre. Malgré son trouble extrême, Jagat Gosini attendit patiemment que son mari en eût vidé quelques-uns. Si Khusrau avait l'arrogance d'enlever son propre père, de quoi serait-il capable envers Khurram ? Son fils se trouvait toujours au fort d'Agra. Certes, la Padchah Begam Ruqayya veillait sur lui – ce que Jagat Gosini n'admettait qu'en son for intérieur – mais, maintenant que l'empereur était malade, toute l'attention de l'impératrice se concentrait sur Akbar.

– Seigneur, Khurram est avec l'empereur. Crois-tu…

Elle hésita avant d'ajouter :

– Crois-tu qu'il ne risque rien, là-bas ?

– Khusrau n'entreprendrait rien contre son propre frère, s'indigna Salim.

La princesse secoua lentement la tête. Si Salim représentait une menace à l'encontre des ambitions de Khusrau, il en était autant de Khurram, prince du sang, prétendant au trône au même titre que lui.

– Cependant… insista-t-elle. Je me sentirais plus sereine s'il se trouvait ici avec nous.

– Alors envoie-le chercher ! Et laisse-moi, je voudrais réfléchir.

– Oui, seigneur.

Elle se retira dans ses appartements, demanda qu'on lui apportât de quoi écrire et rédigea une lettre à l'adresse de son fils.

Khurram refusa catégoriquement de se rendre aux suppliques de sa mère. Il tenait à demeurer auprès de son grand-père jusqu'à la fin et rien de ce qu'elle dit ne put le convaincre. Lorsque Jagat Gosini reçut sa réponse, elle sentit son cœur se serrer. Elle percevait bien là l'influence de Ruqayya. Si l'impératrice l'avait laissée élever son fils, comme il se devait, celui-ci écouterait sa mère avec respect. Un jour, elle ferait payer tous ces affronts à l'impératrice. Et ce jour ne saurait tarder.

Mirza Aziz Koka ne resta pas abattu devant l'échec de son plan. Il avait fait exécuter l'informateur tandis que Salim s'enfuyait et, comprenant qu'il ne pourrait plus s'emparer du prince, s'en était ouvert à Rajah Man Singh. Les deux hommes savaient qu'une telle occasion n'allait pas se représenter de sitôt. Ils devaient donc envisager une tout autre stratégie. Ils réunirent tous les courtisans auxquels ils présentèrent Khusrau comme héritier légitime de la couronne avant d'exiger leur appui. C'était un coup d'audace, mais ils n'avaient plus le choix.

Cependant, un espion quittait le fort d'Agra pour courir annoncer à Salim que les canons des remparts étaient pointés sur son palais, prêts à faire feu. Encore sous le coup de la tentative d'enlèvement, Salim s'épouvanta. Sans plus réfléchir, il fit rassembler tous ses biens et demanda qu'on préparât les chevaux en vue d'un départ immédiat pour Allahabad. Il fallut tout le pouvoir de persuasion de Koka, d'Abdullah et de Mahabat Khan pour le retenir. Akbar risquait de mourir à tout moment et si Salim n'était pas présent, Khusrau serait immédiatement couronné empereur. Un instant submergé par l'affolement, Salim finit par se rendre à leurs arguments. Malgré les batailles et les parties de chasse qu'il avait menées au cours de sa vie, c'était la première fois qu'il affrontait la morsure de la peur. Il y était d'autant plus sensible qu'elle se couplait avec le chagrin causé par son fils.

Il accepta donc de rester à Agra mais refusa obstinément de se plier au désir de ses compagnons qui le suppliaient d'envoyer des émissaires à l'assemblée convoquée par ses rivaux. Il s'était suffisamment battu pour le trône. Désormais, sa destinée était entre les mains d'Allah.

Au même moment, l'assemblée se montrait particulièrement virulente envers Khusrau. Si certains nobles restaient indécis, les Barha Sayyid, famille moghole ancestrale, alliée de la famille impériale, récusèrent bruyamment les prétentions de Khusrau, arguant que Salim était l'héritier légitime et de l'impudence à renier les coutumes des Turcs cagataïdes héritées directement des Mongols. En effet, l'actuelle maison impériale descendait non seulement de Tamerlan mais aussi de Genghis Khan.

Face à cette violente opposition, et à la crainte de déplaire à la puissante famille des Barha Sayyid, les nobles refusèrent de se rallier à Khusrau ; aussi Sayyid Khan Barha, le chef du clan, alla-t-il directement rapporter à Salim les événements.

Mirza Koka comprit alors que sa position devenait des plus périlleuses et se précipita à son tour chez Salim pour implorer son pardon. Magnanime, le prince le lui accorda. Mais, tandis que le beau-père de Khusrau l'abandonnait, son oncle Rajah Man Singh ne se laissait pas décourager. Profitant du désordre ambiant, il fit sortir discrètement le jeune homme du fort d'Agra et lui proposa un refuge au Bengale, où le général avait ses terres.

*
* *

Le messager arriva au milieu de la nuit. L'été suffocant venait de céder devant les épais nuages lourds de pluie. Une brise apaisante balayait enfin les rues pavées et les fenêtres s'ouvraient à la fraîcheur du soir. Dans les jardins, les pelouses s'éveillaient et les fleurs resplendissaient. Même la terre semblait sourire. Après tant de mois de sécheresse, la mousson arrivait. Avec la nuit se leva une lune pâle bientôt grignotée par les nuages. Les *charpoys* et autres lits de repos furent installés sur les vérandas, afin que chacun pût profiter de la douceur retrouvée. La ville s'endormit dans l'attente des premières pluies.

Mais, alors que chacun rêvait de verdure et de fontaines, un chevalier solitaire se faufilait par les venelles silencieuses, galopant vers le palais du prince Salim. Une heure plus tard, celui-ci s'engouffra dans la cour du fort impérial. Il arrêta son cheval, mit pied à terre et lança les rênes au palefrenier. Puis il traversa en courant les corridors qui menaient aux appartements de l'empereur, remarquant au passage que les domestiques semblaient s'incliner plus profondément qu'à l'accoutumée. Le cœur battant, il surgit dans la chambre d'Akbar et s'arrêta sur le seuil, l'œil fixé sur la silhouette immobile dans le lit.

Deux lampes tremblotaient dans la brise nocturne et les rideaux se gonflaient doucement sous les courants d'air. Dans l'ombre se tassaient des gens, beaucoup de gens auxquels il ne prêta guère attention, sauf à Ruqayya, réfugiée dans un coin sombre de la pièce. Près d'elle, blottie sur les coussins du divan, pleurait une autre épouse d'Akbar, Salima Sultan Begam.

À cet instant, l'empereur remua faiblement.

– Le prince est-il arrivé ?

Le cœur de Salim flancha quand il entendit la voix éraillée de son père. Il s'approcha du lit, prit la main d'Akbar et la baisa.

– Je suis là, bapa.

– Chaiku baba.

Les yeux du vieil homme s'embuèrent de larmes. Il caressa en tremblant la tête de Salim qui ravala ses pleurs. Voilà bien longtemps que son père ne l'appelait plus ainsi.

– Repose-toi, bapa, murmura-t-il. Je vais rester jusqu'à ce que tu t'endormes.

Akbar sourit.

– La prochaine fois que je m'endormirai, ce sera pour l'éternité. Mais auparavant, j'ai une tâche à accomplir…

Il tourna la tête vers ses serviteurs.

Deux eunuques s'avancèrent, chargés des robes d'apparat de l'empereur ainsi que de son cimeterre. Il leur adressa un petit signe de la main et tous deux vinrent revêtir Salim des habits protocolaires avant de lui remettre le *fath-ul-mulk*, qu'ils lui glissèrent à la ceinture. Alors l'empereur se reposa doucement sur ses oreillers.

Salim tomba à genoux et se cacha le visage dans les mains.

– Ne pleure pas, baba, souffla Akbar.

Avec effort, il soupira et ajouta :

– Nous te confions le peuple de ce grand empire, toute la richesse de son trésor et son administration.

Sa voix s'éteignit dans un murmure à peine audible et Salim se pencha vers son père pour entendre la suite de ses paroles :

– Prends soin de tes mères. Toutes les dames du harem dépendent de toi, désormais… Ne les oublie pas.

D'un geste, il désigna les serviteurs en larmes :

– Prends soin des domestiques, ils nous ont fidèlement servi. Remplis tes responsabilités…

Une quinte de toux l'interrompit.

– Je te le promets, bapa, hoqueta Salim. Je ferai tout ce que tu me diras.

Ils demeurèrent ainsi quelques instants, Salim la tête appuyée sur celle de son père. Puis le prince se releva et fit trois fois le tour du lit. Malgré tous leurs différends, personne ne l'avait aimé avec autant de ferveur que son père et Salim n'en regrettait que davantage les nombreuses années passées loin de lui.

Il revint s'asseoir auprès d'Akbar et y demeura le reste de la nuit, sans plus lâcher sa main. Lorsque les nuages de la mousson lâchèrent enfin leur charge de pluie, alors qu'un faible soleil naissait à l'horizon, Salim sentit le souffle de son père ralentir puis s'arrêter, et sa main refroidir dans la sienne.

Le lendemain, Salim assista à tous les rites mortuaires dispensés à Akbar. Son corps fut lavé deux fois, d'abord à l'eau claire puis avec de l'eau camphrée, avant d'être recouvert d'une étoffe blanche. Trois autres linceuls vinrent envelopper le premier puis l'empereur fut déposé dans un cercueil de santal. Quelques mois auparavant, il avait commencé à édifier son propre tombeau à Sikandara, non loin d'Agra, où il reposerait pour l'éternité. Ce n'était guère encore qu'un échafaudage carré dans une clairière, avec des vérandas voûtées, l'arche centrale s'élevant à trente pieds au-dessus du sol.

Il pleuvait lorsque le corps de l'empereur fut mis en terre. Une boue visqueuse collait aux pieds le long des chemins. Salim suivit le cortège, la tête et les pieds nus comme les autres assistants. À la fin, il remplaça l'un des porteurs et hissa le cercueil de son père sur son épaule puis le déposa lui-même dans sa dernière demeure. Alors il s'agenouilla et baisa le marbre froid qui allait couvrir la tombe d'Akbar. Lorsque les courtisans se furent éloignés, il demeura sous la pluie, laissant les gouttes se mêler aux larmes de ses yeux. Il se promit d'édifier un mausolée digne de la grandeur de son père, afin que le peuple de l'Hindoustan vînt rendre l'hommage dû à son grand empereur. Quant à lui, Salim, il veillerait sur son cher empire du mieux qu'il pourrait. Les générations futures attesteraient qu'Akbar avait choisi le meilleur des héritiers.

Une semaine complète de deuil fut observée en mémoire de l'empereur moghol. Enfin, après quinze années d'impatience, Salim fut couronné empereur dans le fort d'Agra. Il se donna le titre de Nuruddin Muhammad Jahangir Padchah Ghazi.

Il passera à la postérité sous le nom de Jahangir.

11

Par la grâce infinie d'Allah, après qu'une heure sidérale du jeudi 20 Jumada-s-sani, 1014 après l'Hégire (24 octobre 1605) fut écoulée, j'accédai au trône royal dans la capitale d'Agra, la trente-huitième année de mon âge.

Le Tuzuk-i-Jahangiri.

Le soleil du matin apparut par-dessus les toits, éclairant les rues de chatoyantes bandes de lumière. Les turbans blancs étincelaient, les ghagaras de soie resplendissaient et les bijoux scintillaient tandis que la foule se pressait pour voir passer les soldats. Ils avaient attendu toute la matinée, certains depuis la veille au soir. Il avait plu pendant la nuit et les gens s'étaient abrités sous des tapis de jute et des ombrelles de coton. Pour nombre d'entre eux, ce jour de la première apparition d'un empereur en public ne se produirait qu'une fois dans leur existence. Ils étaient donc résolus à patienter le temps qu'il faudrait. Enfin, leur persévérance fut récompensée et ils virent déboucher le magnifique cortège impérial au détour de la rue.

– Padchah salamat ! acclama la foule. Salut à l'empereur !

Jahangir souriait, très droit sur son cheval magnifiquement paré, à la selle de soie bleu foncé, constellée de rubis, mené par des rênes d'argent massif. L'empereur était suivi de deux de ses fils, les princes Khurram et Parviz ; ensuite venaient Koka, Abdullah, Mahabat Khan et Sharif, ses plus importants ministres.

Alors que Jahangir progressait lentement, une pluie de fleurs de jasmins et de soucis tomba des balcons. Les pétales tourbillonnèrent dans l'atmosphère humide du matin, répandant leur parfum autour de lui. Jahangir plongea les mains sous sa selle, extirpa une poignée de pièces d'argent et les répandit sur la foule qui poussa des clameurs de joie et se précipita pour les ramasser, bousculant au passage les soldats qui tâchaient de la circonscrire.

Tout cela en son honneur, songeait triomphalement Jahangir. Le peuple l'aimait. Il était leur empereur.

Le silence se fit soudain lorsqu'un rayon de soleil vint éclairer le souverain. Sous sa longue qaba de brocart aux boutons de rubis, il portait un étroit pantalon de soie et des souliers incrustés de pierres précieuses. À sa ceinture dorée était accrochée une dague constellée d'émeraudes et de perles. À ses mains scintillaient des bagues de rubis, d'émeraudes et de diamants. Il était coiffé d'un turban d'apparat, orné de perles blanches et de plumes de héron retenues par un diamant de la taille d'un œuf de pigeon. Telle était, dans toute sa gloire, la majesté de l'empereur du pays sans doute le plus riche de son époque.

Jahangir souriait sans retenue, très heureux. C'était sa première apparition publique depuis la mort de son père. Le couronnement n'avait été qu'une brève cérémonie vite expédiée, d'abord parce qu'il portait le deuil, ensuite parce qu'il redoutait la menace de Khusrau qui avait pris la fuite en compagnie de Rajah Man Singh.

Mais aujourd'hui, il était bel et bien empereur de l'Inde Moghole. Le cortège traversa lentement la ville d'Agra et pénétra dans le fort par la porte d'Amar Singh ; il escalada la raide passerelle bordée par des murs de grès, qui débouchait sur le Diwan-i-am. Là, l'empereur arrêta son cheval et demeura un instant immobile, l'œil fixé sur le moucharabieh empli de femmes voilées de mousselines bigarrées. L'une d'entre elles se tenait un peu à l'écart, la tête coiffée d'un turban orné de pierres précieuses. Une brise légère souleva le voile qui couvrait son visage et Jahangir discerna le sourire de fierté qui étirait ses lèvres. Jagat Gosini lui adressa une profonde révérence et, quand elle releva la tête, il lui rendit son salut.

Ruqayya ne se trouvait pas sur ce balcon. Toujours en deuil d'Akbar, elle avait décidé de rester dans ses appartements. Et, comme Ruqayya n'était pas présente, Mehrunnisa ne l'était pas non plus.

Jahangir et Jagat Gosini se regardaient, séparés par la largeur de la cour. L'orchestre impérial se mit à jouer : les dholaks à membrane de cuir résonnèrent lourdement, les trompettes sonnèrent dans le vent, les grandes cymbales de cuivre claquèrent au rythme de la musique.

– Longue vie à l'empereur Jahangir ! crièrent les nobles, de toutes parts.

– Santé à l'impératrice Jagat Gosini ! répondirent les femmes du balcon.

Empereur et impératrice portèrent la main droite à leur front et saluèrent, encore et encore. Sans cesser de sourire à son épouse, Jahangir descendit de cheval et se fraya un chemin parmi les courtisans pour rejoindre son trône.

La cour rassemblée dans le Diwan-i-am du fort d'Agra scrutait le trône de l'empereur, sur une petite estrade enchâssée dans des colonnes de marbre et entourée de deux éléphants où se tenaient des esclaves armés de tue-mouches. Nobles et dignitaires étaient réunis autour du trône, chacun placé selon son rang.

– J'appelle mirza Ghias Beg ! énonça solennellement le Mir Tozak.

Ghias Beg s'avança et accomplit le *taslim*. Au début de la semaine, Mehrunnisa lui avait rendu visite ; père et fille avaient passé un moment dans le jardin, sans rien se dire, juste heureux de se retrouver. En découvrant le triste sourire qui étirait ses lèvres de temps à autre, Ghias l'avait observée plus attentivement. Que sa fille était donc belle ! Infiniment plus belle, plus généreuse et plus polissée qu'aucun de ses frères et sœurs… ce qu'il ne dirait évidemment jamais à haute voix. Si seulement il pouvait effacer son air chagrin ! Se reprochait-elle toujours de n'avoir pas d'enfant ? Sans vouloir s'abandonner aux bavardages des femmes, il était le premier à le regretter, avant tout parce qu'elle en souffrait.

Soudain, il se pencha pour l'embrasser sur le front.

– Raconte-moi tout.

– N'oublie pas d'exécuter un beau konish, bapa.

D'un geste, il indiqua que là n'était pas la question.

– Je sais, rétorqua-t-elle, tu connais, tu as commencé avec l'empereur Akbar en personne. Mais les temps changent et de nouveaux honneurs pourraient bien t'échoir. Oh, bapa, je suis si contente pour toi !

– Espérons qu'il s'agit bien de cela.

Néanmoins, il arborait un sourire confiant. La situation d'Ali Quli était certes moins enviable, qui avait ouvertement soutenu le prince Khusrau maintenant en disgrâce. Cela ne risquait pas d'affecter Ghias mais, en tant qu'épouse, Mehrunnisa pourrait avoir à en souffrir.

Suspendus par de solides filins de soie, les éventails rectangulaires allaient et venaient au-dessus du Diwan-i-am. En se redressant, Ghias sentit leur brise lui caresser la nuque. Il contempla un instant l'empereur Jahangir et ne put s'empêcher de penser à l'époque où Salim avait émis le désir d'épouser Mehrunnisa. Si Akbar avait accédé à son vœu, sa fille serait aujourd'hui impératrice…

– Mirza Beg, commença Jahangir, je suis satisfait des services que tu as rendus à l'Empire ainsi qu'à mon père vénéré.

– Je n'ai fait qu'accomplir mon devoir, Votre Majesté.

– Et tu as bien fait, mirza Beg. À compter de ce jour, tu seras diwan de l'Empire, au titre de wazir Khan, ministre d'État.

Ghias Beg sentit ses jambes flageoler. Il s'était attendu à recevoir de nouvelles fonctions, mais celles de diwan ? Allah était bon ! Quel chemin parcouru depuis vingt-huit ans, alors qu'il désespérait d'entrer en Inde faute des quelques mohurs nécessaires ! À présent, il se retrouvait trésorier général de l'Empire.

– Merci, Votre Majesté, c'est un grand honneur !

– Tu porteras également le titre d'Itimadaddaula.

– Pilier du gouvernement…

Éclatant de fierté, Ghias inclina la tête. Il aurait du mal à se concentrer sur le reste du darbar après une telle nouvelle. Il salua encore l'empereur et regagna sa place à reculons.

Jahangir se tourna vers le Mir Tozak :

– Appelle Muhammad Sharif !

Celui-ci s'avança à son tour. Salim lui avait ordonné de demeurer à Allahabad pour y exercer la fonction de gouverneur tandis que lui-même se pressait au chevet de son père. Aujourd'hui, il était nommé Premier ministre et recevait le titre de grand vizir et d'Amir-ul-umra.

Bir Singh Deo, le rebelle qui avait assassiné Abou el-Fazl sur l'ordre du futur Jahangir, pouvait désormais sortir de la clandestinité. Il reçut un mansab de trois mille chevaux et le titre de rajahh. L'empereur ne l'avait pas oublié lui non plus. La mort de Fazl avait été utile à ses projets, quand bien même elle avait causé tant de chagrin à son père. Les souverains devaient parfois exercer leur droit de vie ou de mort.

Il était temps, maintenant, de s'occuper des dissidents.

Un lourd silence se fit lorsque s'éleva la voix du Mir Tozak :

– J'appelle Ali Quli !

Les courtisans s'écartèrent pour laisser passer l'époux de Mehrunnisa qui s'avança d'une démarche belliqueuse et s'inclina dans le taslim.

Jahangir le dévisagea un long moment. Que faire de cet homme qui avait déserté Agra pour se joindre aux partisans de Khusrau ? Fallait-il le condamner à mort pour trahison ? *Alors, Mehrunnisa serait libre.* L'idée avait soudain jailli, aussi claire qu'inattendue. Maintenant qu'il était empereur, elle pouvait devenir sienne. Il contempla ses mains, la bague de rubis et de diamants qu'Akbar lui avait donnée. Tant d'années s'étaient écoulées depuis cette soirée sur la véranda des appartements de l'impératrice Ruqayya ! Ils étaient jeunes, alors, presque des enfants. Mais elle, comment pourrait-elle s'en souvenir ? Trop de temps avait passé. Jahangir posa les yeux sur le visage effronté d'Ali Quli. Toute la cour guettait sa réaction. Cet homme n'avait-il pas reçu le titre de tueur de tigres pour lui avoir sauvé la vie au Mewar ? Une telle dette ne pouvait s'effacer.

– J'ai décidé d'oublier tes méfaits, articula l'empereur. Tu as été trompé par des sujets dissidents, mais tes longues années de bravoure sur les champs de bataille et les services que tu m'as rendus parlent en ta faveur. Tu recevras un domaine et des terres dans la région de Bardwan, au Bengale. Prépare-toi à partir dès demain.

Un murmure étonné parcourut l'assistance. L'empereur avait donc pardonné à Ali Quli ! Quant à Jahangir, il était certain que son père Akbar n'eût pas agi autrement.

– Silence ! réclama le Mir Tozak.

Les courtisans se turent tandis qu'un serviteur s'approchait du maître des cérémonies et lui chuchotait à l'oreille. Ils discutèrent un instant à voix basse, puis le Mir Tozak se dirigea vers Jahangir :

– Votre Majesté, le prince Khusrau demande à être reçu.

À ces mots, toute la cour retint un hoquet de surprise. La première audience du nouvel empereur se révélait des plus mouvementées. Les courtisans auraient de quoi bavarder ce soir ; et demain, la nouvelle aurait fait le tour de l'Empire.

Jahangir sourit intérieurement. Rares étaient ceux qui savaient que Khusrau avait été capturé et conduit au palais manu militari.

– Qu'il entre.

Rajah Man Singh et Khusrau pénétrèrent dans le Diwan-i-am. La face cramoisie, les yeux baissés, le jeune homme semblait vouloir se cacher derrière le rajahh. Oncle et neveu eurent tôt fait de présenter leurs hommages au nouvel empereur.

– Approche, Khusrau, ordonna Jahangir.

Comme son fils s'exécutait, Jahangir se leva, descendit de son estrade et vint l'embrasser. Un murmure d'approbation parcourut l'assemblée des nobles. L'empereur recula sans lâcher les épaules raides de Khusrau. Qu'allait-il faire de ce fils ? Maintenant que la couronne reposait fermement sur sa tête, ce dernier ne représentait plus une menace – mais le moyen d'en être totalement sûr ? Il le regarda dans les yeux et, un court instant, crut y capter une lueur de haine. Puis le prince baissa les paupières.

Jahangir recula, lâcha son fils et remonta sur son trône. D'une voix qui se voulait neutre, il lança :

– Tu m'as trahi. L'Empire entier a pu observer la déloyauté d'un fils envers son père. Tes actions ont attiré la honte sur toi et maintenant tu viens réclamer mon pardon. Je te l'accorderai donc, car tu es mon fils. Que la cour soit témoin de l'affection que je te porte malgré ta trahison.

Jahangir se tourna ensuite vers le Mir Bakshi, le trésorier de la cour.

– Nous octroyons au prince Khusrau cent mille roupies et une maison où il puisse vivre.

Tombant à genoux, Khusrau marmonna :

– Merci, Votre Majesté. Votre générosité est sans bornes. J'ai honte de mes actes odieux et vous demande pardon pour la peine que j'ai pu vous causer.

Jahangir s'adressa ensuite à Rajah Man Singh. Le vieux général le contemplait sous ses épais sourcils blancs, la tête fièrement redressée.

Il avait aidé Khusrau à s'enfuir du fort dans l'intention de lui procurer un refuge au Bengale mais, Jahangir couronné, il avait pris conscience de la futilité de cette entreprise, d'autant que les routes étaient surveillées. Jahangir avait placé des gardes le long de la Yamunâ, qui eurent vite fait de capturer les deux hommes dans leur fuite.

L'empereur ne pouvait réprimander publiquement Rajah Man Singh comme il l'avait fait de Khusrau. De plus, il avait besoin de son expérience au Bengale pour y contenir les fréquentes révoltes afghanes. Avec Ali Quli, il obtiendrait d'excellents résultats, même si les deux hommes avaient comploté contre lui. Pour plus de sécurité, Khusrau allait demeurer dans la capitale, sous la surveillance de son père.

– Rajah Man Singh, je te pardonne ton soutien à Khusrau. Il était compréhensible, étant donné tes liens de parenté avec lui. Pour te prouver ma bienveillance, je commande que ton mansab soit élevé à deux mille chevaux et que tu conserves ton poste de gouverneur du Bengale.

Le Mir Tozak apporta la *charqab* en guise de vêtement d'apparat, et une épée incrustée de pierres précieuses qu'il présenta au rajah.

– Merci, Votre Majesté.

Man Singh salua l'empereur et regagna sa place. L'audience fut levée.

Allongé sur son lit, Jahangir regardait sans le voir le baldaquin doré. Cette première journée s'était bien passée.

Empereur ! Chaque fois qu'il y songeait, il en frissonnait. Maintenant qu'il tenait Khusrau à sa merci, nul ne pouvait plus lui contester ce titre. Il allait donc le garder et cette charge le ravissait autant qu'elle l'effrayait. Il remplirait ses responsabilités du mieux qu'il pourrait

Dès son arrivée au harem, il avait fait mander son grand vizir, Muhammad Sharif.

– Je veux qu'on poste une garde constante autour des appartements du prince Khusrau. Nul ne pourra lui rendre visite sans mon autorisation formelle. Je veux également que son service soit assuré par quelques-uns de mes espions. Il n'a pas renoncé à ses ambitions sur le trône, je l'ai lu dans ses yeux. Veille à ce qu'il soit coupé de toute communication avec l'extérieur.

– Il en sera fait selon votre volonté, Votre Majesté, dit Muhammad Sharif avec un sourire malicieux.

Son regard froid s'était mis à briller. Voilà bien longtemps qu'il était en conflit avec le prince et la révolte de ce dernier n'avait fait que confirmer ses appréhensions. Aussi se réjouissait-il d'être chargé de le surveiller. Jahangir ne pouvait avoir choisi de meilleur geôlier.

Maintenant qu'il se retrouvait seul, que les serviteurs s'étaient retirés, que ses épouses avaient regagné leurs quartiers, Jahangir pouvait se répéter ses titres à haute voix :

– Nuruddin Muhammad Jahangir Padchah Ghazi.

Nuruddin signifiait « Lumière de la Foi », Padchah « empereur », ou « chef de la maison de Timour », et Jahangir, rien de moins que « conquérant du monde ».

Il sourit. Empereur du monde. Tous dépendaient de ses bienfaits, comme les paysans dépendaient du soleil. Excellente journée en vérité ! Tous ses fidèles amis avaient été publiquement récompensés et les partisans de Khusrau avaient été éloignés de la capitale. De colère, Jahangir fit claquer sa langue. Khusrau, toujours Khusrau ! Il allait falloir se montrer prudent au sujet de Mirza Koka. Celui-ci ne pourrait habiter Agra, ce serait trop près de Khusrau. Se montrer prudent. Jahangir ferma les yeux.

– Mirza Aziz Koka, l'empereur Jahangir requiert votre présence.

Les portes du fond du Diwan-i-khas s'ouvrirent silencieusement.

Les nobles s'écartèrent pour frayer un chemin au beau-père de Khusrau. Mirza Koka s'avança, la tête basse, les joues en feu.

Mahabat Khan et Muhammad Sharif, debout près de l'empereur, s'adressèrent un sourire entendu. Derrière le trône, les dames du zénana s'étaient rassemblées dans le moucharabieh. Mirza Koka, frère de lait d'Akbar, avait grandi dans le harem et ses occupantes l'adoraient, aussi tenaient-elles à ne rien manquer de son procès.

Les pas du prévenu résonnèrent sur le sol de marbre froid. Au pied du trône, il s'inclina profondément devant l'empereur et attendit, les yeux baissés.

Jahangir toisait d'un air méprisant cet homme qui avait comploté contre lui. Au contraire de Rajah Man Singh, aucun fait d'armes ne parlait en sa faveur ; il n'était donc d'aucune utilité pour le trône.

– Mirza Koka, tu m'as gravement déplu par tes actions.

– J'ai demandé et obtenu le pardon de Votre Majesté, répondit celui-ci sans soutenir son regard.

– Néanmoins, tu as été appelé à te présenter ici afin que le conseil décide de ton sort.

En Inde Moghole, le monarque détenait un pouvoir absolu et immédiat ; aussi, toute l'assemblée savait-elle que Jahangir n'avait pas besoin de prétexte pour rejuger le vieil homme.

– Mahabat, demanda Jahangir, quelle serait la punition juste pour le crime que mirza Koka a commis contre son empereur ?

– Il n'y en a qu'une, Votre Majesté, c'est la mort. Mirza Koka est coupable d'un crime capital et la peine doit être à la mesure de ce crime. Par là vous signalez à ceux qui envisageraient de commettre le même forfait qu'ils devraient y réfléchir à deux fois avant de se rebeller contre votre auguste personne.

– Tu as raison. Mirza Koka, j'ai décidé de ton sort. Tu a mis l'Empire en danger en voulant porter à sa tête un jeune homme inexpérimenté, incapable d'assumer une telle responsabilité. Tu es coupable de pire encore : tu as dressé un fils contre son père, tu t'es immiscé dans la relation sacrée qui nous unissait, mon fils Khusrau et moi…

– Votre Majesté !

Un hoquet parcourut la cour. Qui osait interrompre Jahangir ? L'étiquette exigeait que chacun gardât le silence lorsque l'empereur parlait, à moins d'être invité à répondre. Jahangir lui-même fut surpris et laissa sa phrase inachevée. Mahabat Khan pointa un doigt silencieux vers le balcon du zénana :

– Qu'est-ce ? demanda Jahangir avec une colère contenue.

– Votre Majesté, toutes les bégums du zénana désirent intervenir en faveur de mirza Koka. Il serait bon que vous veniez à nous si vous ne voulez pas que nous venions à vous.

C'était la voix de Salima Sultan Begam, veuve de son père, son épouse favorite après Ruqayya. Jahangir réfléchit un instant. Il allait devoir obtempérer de peur que Salima ne mît sa menace à exécution. Telle qu'il la connaissait, elle aurait l'audace de se présenter sans voile. À cette pensée, l'empereur se leva vivement.

Mirza Koka ne put retenir un soupir de soulagement. Levant les yeux vers le moucharabieh, il crut remarquer une femme qui lui faisait signe et lui adressa un faible sourire de gratitude.

Jahangir arriva au bord du balcon et les dames le saluèrent tandis qu'il prenait place.

– Votre Majesté, vous ne pouvez condamner mirza Koka à mort, commença Salima Sultan Begam.

– Je fais ce que je veux, chère maji.

Salima sourit.

– Votre Majesté, mirza Koka est comme un oncle pour vous, bien que vous ne soyez pas du même sang ; l'empereur Akbar le considérait comme l'un de ses plus chers amis, et ils étaient frères de lait. À la mort de sa mère, l'empereur lui-même a porté son cercueil au tombeau. Sa Majesté aurait souhaité que vous traitiez mirza Koka avec clémence.

Jahangir s'empourpra. Saurait-il jamais gouverner aussi justement que son père ? Du fond de sa tombe, Akbar trouvait encore le moyen de l'influencer à travers les épouses qu'il avait laissées derrière lui. Et celles-ci s'attendaient à ce qu'il se conduisît comme son père, à ce qu'il prît les mêmes décisions, à ce qu'il donnât les mêmes ordres. Mais il n'était pas son père… Mirza Koka devait mourir, cela allait de soi. Moins Khusrau garderait de partisans dans l'Empire, mieux ce serait. Mais Salima lui demandait de faire preuve d'indulgence.

Sans un regard pour l'impératrice douairière, Jahangir se leva et retourna sur son trône.

– Mirza Koka, les dames du zénana ont plaidé en ta faveur, elles semblent te porter une grande affection. Par égard pour elles… et en souvenir de mon vénéré père, qui avait beaucoup d'amitié pour toi, je te laisse la vie.

Mirza Koka tomba à genoux.

– Votre Majesté est trop bonne.

– Tu seras dépouillé de toutes tes terres et de toutes tes charges. Tu ne seras plus accepté dans la ville d'Agra et devras résider à Lahore. Je t'autorise à conserver ton titre.

– Merci, Votre Majesté.

Alors que mirza Koka saluait de nouveau, Jahangir pensait qu'il devrait désormais se méfier de lui comme de la peste.

L'empereur quitta le Diwan-i-khas et la salle se vida. Les dames du moucharabieh regagnèrent leur harem en bavardant avec animation. Une seule demeura immobile. Elle avait hâtivement revêtu son voile lorsque Jahangir était entré et l'avait gardé depuis. Mehrunnisa se leva lentement, le corps lourd et fatigué, et se dirigea vers le divan sur lequel Jahangir s'était assis. Elle caressa les riches étoffes qui paraient le siège. Puis elle quitta le balcon.

La caravane cheminait le long des rives sinueuses de la Yamunâ. Ali Quli chevauchait en tête sur son étalon arabe préféré, suivi de vingt chevaux et chameaux chargés de bagages et de meubles. Derrière venait le palanquin tenu à l'épaule par quatre solides porteurs qui couraient au petit trot, sur un rythme connu d'eux seuls ; cela leur permettait de ne pas se fatiguer trop vite. Les rideaux flottaient dans la brise et une main délicate sortit pour les retenir.

Mehrunnisa s'adossa contre un coussin, à la recherche d'un peu de réconfort. Le voyage serait long jusqu'à Bardwan, surtout pour elle qui portait un enfant. Après tant d'années de mariage, tant de fausses couches, elle connaissait enfin cette joie. Comme pour répondre à ses pensées, le bébé donna un coup de pied et elle posa une main apaisante à l'endroit qu'il venait de frapper.

Enfin, un enfant ! Lorsqu'elle avait rencontré bapa, juste avant la première apparition publique de l'empereur, le quatrième mois avait passé. Mais elle n'avait rien voulu lui dire... Pas encore, pas tant qu'elle ne serait pas certaine. Maji avait compris, mais n'avait pas insisté pour qu'elle l'annonçât à quiconque. Mehrunnisa lui en savait gré. Si elle parvenait enfin à mener un enfant à son terme, il lui appartiendrait, à elle seule. Aussi, durant les premiers mois, elle continua de laver le linge de ses menstruations comme si elle en avait toujours afin que ses servantes ne bavardent pas. Cette fois encore, elle avait ressenti de violentes douleurs au début, et avait également souffert de terribles nausées. Maji y voyait un bon signe. Mehrunnisa dormait beaucoup, aussi bien la nuit que le jour, passant ses journées dans un état semi-conscient, car, chaque fois qu'elle s'éveillait, la peur la saisissait. Pourtant l'enfant, merci Allah, restait en elle. Finalement, elle avait prévenu Ali Quli.

– Un fils ! s'était-il exclamé.

– Peut-être, avait répondu Mehrunnisa.

Elle priait avec ferveur pour que ce fût le cas.

Elle jeta un coup d'œil au-dehors pour tenter de repérer son époux. Il se tenait droit sur son cheval, malgré la fatigue. Sa rude vie au grand air l'avait gardé aussi mince et vigoureux qu'au jour de leur mariage. Toutefois, maintenant qu'ils allaient partager la responsabilité d'un enfant, leur différence d'âge devenait criante. Mehrunnisa avait vingt-huit ans, Ali Quli quarante-cinq. Par-dessus tout, leurs esprits ne s'étaient jamais rejoints.

Affalée sur les coussins de soie, elle laissa ses pensées vagabonder vers le soir où Ali Quli était rentré de la première audience de l'empereur.

Elle avait patiemment attendu, un mouchoir de satin dans les mains, faisant mine de broder ; mais voilà un bon moment qu'elle n'avait pas piqué un point. Et puis, il y eut ces bruits dans la cour. Mehrunnisa revêtit son voile avant de courir sur le moucharabieh. Elle vit Ali Quli descendre de cheval et entrer dans la maison. Il semblait soulagé, heureux et mécontent à la fois.

Une heure s'écoula mais il n'envoya pas chercher son épouse. Incapable de patienter plus longtemps, elle fit demander qu'il montât dans ses appartements. Il entra de sa démarche arrogante, une bouteille à la main.

– Qu'est-ce qu'il y a ?

– Seigneur, raconte-moi ce qui s'est passé au Diwan-i-am !

– C'est pour ça que tu m'as dérangé ?

– Oui.

– J'ai reçu le jagir de Bardwan et nous devons partir pour le Bengale, sur le champ.

Un large sourire dégagea ses dents quand il ajouta en bombant le torse :

– Je t'avais dit de ne pas t'inquiéter. L'empereur est parfaitement conscient de la dette qu'il a envers moi. Je l'ai sauvé de la tigresse, n'est-ce pas ?

Mehrunnisa n'en revenait pas. Non seulement Ali Quli n'était pas puni, mais Jahangir l'honorait et lui offrait des biens. Pourquoi ? Son époux se laissa tomber sur le divan, but une rasade de vin.

– Infâme ! J'aurais dû en ramener du Cachemire.

– L'empereur a-t-il expliqué son geste ?

– Il m'a fait un sermon sur le sens du devoir et la fidélité. Mais je lui ai sauvé la vie. Sans moi, il serait mort aujourd'hui, et Khusrau serait empereur.

Soudain, il envoya la bouteille se fracasser contre le mur, faisant sursauter Mehrunnisa. Le tapis se couvrit de rouge.

– Khusrau serait empereur, sifflait Ali Quli entre ses dents et je ne serais pas en disgrâce dans le jagir de Bardwan. Bardwan ! Une simple cabane et une exploitation agricole. Je ne suis pas fermier ! Je suis un soldat, moi ! J'ai gagné de nombreuses batailles. Partout on chante mes louanges et que fait le nouvel empereur ? Il m'exile au fin fond du pays, à Bardwan !

Incapable de réprimer un sourire, Mehrunnisa se détourna pour ne pas provoquer son époux. Jahangir venait d'accomplir un petit chef-d'œuvre de diplomatie. Ali Quli était trop célèbre pour ses actes de bravoure sur les champs de bataille. Son exécution n'eût servi à rien. En outre, le Bengale était un foyer de rébellion. Qui mieux qu'un soldat pourrait y mettre un terme ? Jahangir avait fait d'une pierre deux coups, exilant Ali Quli – sans l'avouer, bien sûr – tout en expédiant un soldat aux trousses des séditieux. Loin de la capitale, loin de tout, ce soldat ne risquait pas de soutenir à nouveau Khusrau. Jahangir se montrait digne du trône. Akbar eût été fier de lui.

Ce fut alors qu'elle lui parla de l'enfant ; peut-être cet exil serait-il moins dur s'ils y fondaient une famille. Maintenant, elle s'inquiétait : son époux désirait tellement un garçon ! Que faire, si ce n'en était pas un ?

Et voilà qu'elle se retrouvait sur les routes poussiéreuses menant à Bardwan. Ali Quli s'était consolé en pensant que Rajah Man Singh resterait gouverneur du Bengale et qu'ensemble ils fomenteraient une nouvelle conspiration.

Avant leur départ, Mehrunnisa s'était rendue au zénana pour y faire ses adieux à l'impératrice douairière. Ruqayya l'avait alors mandée d'assister au procès de mirza Aziz Koka. La jeune femme fut heureuse, par la même occasion, d'apercevoir une dernière fois Jahangir. Elle ne s'était pas attendue à le contempler de si près. Peut-être le sort en avait-il voulu ainsi parce qu'ils ne se rencontreraient plus. Jamais Jahangir ne se risquerait à sortir Ali Quli du Bengale. De cela au moins, Mehrunnisa était certaine.

Ses reins la faisaient souffrir et elle entreprit de les masser en fermant les yeux. À défaut de Jahangir, au moins aurait-elle cet enfant.

Par un soir humide, ils atteignirent la maison de Bardwan. Alors qu'elle s'apprêtait à descendre du palanquin, Mehrunnisa sentit une atroce douleur lui cisailler le dos, à lui en faire fléchir les genoux. En même temps, un écoulement chaud lui mouilla les jambes et elle porta les mains sous sa ghagara. Il était trop tôt, seulement huit mois et demi. Son corps félon allait-il rejeter aussi cet enfant ? Elle ressortit une main poisseuse non de sang mais d'un liquide incolore. Étourdie de soulagement, elle renversa la tête en arrière et s'effondra sur le sol de la cour. Pas de sang, Allah soit loué, pas de sang !

Deux petites esclaves se précipitèrent et l'emportèrent à travers la maison, directement dans une chambre où elles l'allongèrent sur le lit. À travers des éclairs de souffrance, elle distingua le visage effrayé d'Ali Quli sur le seuil avant qu'il se rue à la recherche d'une sage-femme.

Mehrunnisa gisait en sueur sur le matelas, dans ses vêtements de voyage emplis de poussière, sentant les contractions s'accélérer avec une fureur qui lui fit bientôt perdre conscience de tout ce qui se passait autour d'elle. Comment Asmat, sa mère, avait-elle pu mettre au monde sept enfants ? Était-ce plus facile quand on aimait son mari ?

À l'arrivée de la sage-femme, Mehrunnisa gémissait, la lèvre ensanglantée à force de la mordre pour s'empêcher de crier. La nuit fut longue et douloureuse et elle la traversa comme une sorte de cauchemar, n'ouvrant les yeux que pour se voir entourée d'inconnues.

– Maji ! ne cessait-elle de répéter.

Si seulement sa mère était là pour l'aider, la consoler, poser une main tendre sur son front ! Si Mehrunnisa pouvait lui confier les peurs qui l'assaillaient ! Il était trop tôt. Et si l'enfant était mort ?

La sage-femme lui tapota l'épaule.

– Cela se présente bien, sahiba.

Mehrunnisa se rassura un peu en découvrant son visage serein. Elle s'accrocha à sa main mais ce n'était tout de même pas maji.

Les esclaves avaient tiré les rideaux si bien que la pièce se faisait étouffante et les mèches des lampes vacillaient dans la fétide humidité ambiante.

– Ouvrez les tentures, soupira Mehrunnisa, je ne peux pas respirer…

Une esclave les écarta d'un pouce et l'air frais s'insinua avec une vigueur vivifiante. Presque instantanément, le travail fut plus facile.

Quatorze heures plus tard, Mehrunnisa gisait immobile, exténuée, s'extasiant des cris du nouveau-né.

– Une fille, souffla la sage-femme.

Elle plaignait cette malheureuse qui, après tant d'années de mariage, ne pouvait donner le jour qu'à une chétive fillette. Quelle malchance…

Mehrunnisa tendit les bras et reçut le bébé qu'elle étreignit tendrement. Ali Quli serait déçu. Le grand soldat n'avait qu'une fille, et non un fils susceptible d'imiter les hauts faits de son père. Elle contempla le petit visage rose et fripé, les minuscules jambes qui lui avaient envoyé tant de coups de pied pendant sa grossesse. Cette enfant, elle la protègerait de toutes ses forces. Sans doute Ali Quli n'en voudrait-il pas, mais elle oui. Prise d'un amour subit, elle entreprit de compter les doigts des mains et des pieds, examina le petit nez rond, les sourcils arqués, les épais cheveux en bataille qui formaient des boucles aux joues. *Pardon Allah !* pria-t-elle en son for intérieur. *Merci pour l'enfant, merci de l'avoir conçue parfaite !*

Une vague de bonheur l'envahit ; elle se moquait bien de la pitié arborée par la sage-femme et les esclaves. Ali Quli se rua hors de la maison, déjà au courant de la nouvelle :

– Une fille ! Rien qu'une fille !

Mehrunnisa ne l'entendit même pas. Le bébé venait d'ouvrir sa petite bouche pour bâiller avant d'entamer sa première tétée. Alors Mehrunnisa sut comment elle allait l'appeler.

Ladli.

Celle qui est aimée.

Ali Quli ne se pressa pas pour voir son enfant. Mehrunnisa s'en moquait. Cela ne faisait que confirmer que Ladli serait pour elle seule. Elle la garda au creux de son bras et dormit douze heures d'affilée, épuisée par le voyage autant que par l'accouchement.

Assis dans le jardin qui jouxtait ses appartements, Jahangir regardait dans le lointain en plissant les yeux sous le soleil. À côté de lui, il avait déposé une feuille de papier, un encrier et une plume. Il goûtait la douceur de cette fin d'après-midi de décembre, l'un des meilleurs moments de l'année à Agra. Le soleil plongeait à l'horizon et l'ombre des goyaviers et des manguiers, qui avaient donné leurs fruits depuis longtemps, s'allongeait dans la cour. Des musiciens jouaient doucement sur la terrasse au-dessus de l'empereur.

Jahangir se passa la main sur le front. Il désirait devenir un souverain juste et bon. D'un autre côté, qu'il était difficile de succéder à celui que le peuple avait déjà surnommé « Akbar le Grand » ! Passé la première euphorie du couronnement, Jahangir faisait maintenant face à l'étendue de ses responsabilités. Des millions de gens dépendaient de lui. Akbar lui avait légué un vaste empire et son administration n'avait rien d'anodin. Mahabat, Sharif, Koka et Abdullah l'avaient soulagé du plus grand poids, mais il lui restait à maintenir l'union, à protéger son peuple et, avant tout, à veiller au bien de tous.

Cependant, n'était-il pas né pour cela ? Si Mourad ou Daniyal avaient vécu, ils n'auraient pu ni voulu endosser une telle responsabilité. Lui, Jahangir, allait montrer au peuple qu'il était capable d'assumer l'héritage de son père. Les gens l'aimeraient comme ils avaient aimé Akbar. Un jour, la postérité verrait en lui l'Adil Padchah, l'empereur juste et bon.

Et pour s'assurer que ses ennemis ne s'avisent pas de déformer les faits de son règne, il avait décidé de tenir des chroniques, qu'il appellerait le *Jahangirmana* et qui allaient débuter au jour de son couronnement. Comme son grand-père, il laisserait pour la postérité un témoignage de sa propre main. Mais pour commencer…

Il plongea sa plume dans l'encrier et inscrivit les mots *dasturu-l-amal* : les lois de l'administration. S'arrêtant de temps à autre pour réfléchir, il finit par saisir une autre feuille. Il fallait édifier des *sarais*, des édifices destinés au repos le long des routes pour le confort des voyageurs. Les marchandises des commerçants et des caravanes ne pourraient être fouillées sans leur autorisation. Des hôpitaux devraient être construits dans chaque grande ville et l'on y engagerait des médecins confirmés. Il hésita, regarda sa coupe de vin et ajouta : les boissons alcoolisées, quelles qu'elles soient, seraient interdites dans tout l'Empire. En l'occurrence, c'étaient là des lois destinées à ses sujets, pas à lui-même.

Il rédigeait une page d'histoire. Ces lois seraient par la suite connues comme les douze édits de Jahangir. Même s'il était né de sang royal, destiné à ceindre la couronne, ses rêves avaient mis tant de temps à se réaliser qu'il avait cru que ce jour ne viendrait jamais. Il le devait en partie à la chance : Mourad et Daniyal étaient morts avant de se poser en véritables rivaux, Khusrau avait été écarté avant de représenter un authentique danger ; et malgré toutes les folies que lui-même avait commises, Akbar lui avait pardonné.

La main tremblante, Jahangir continua d'écrire. Il révisa la loi qui établissait qu'à la mort d'un homme ses biens revenaient à la couronne, si bien qu'il incombait à l'empereur de décider comment les transmettre. Dans ses dasturu-l-amal, Jahangir décréta que le droit des héritiers légitimes aux biens d'une personne ne sauraient être contestés.

Les douze édits furent propagés dans tout l'Empire, et le peuple s'extasia devant la bonté et la justice de l'empereur. Les éloges filtrèrent jusqu'au palais. Porté par les louanges du peuple, Jahangir ordonna qu'on pendît une Chaîne de justice.

Longue de huit pieds, elle était dorée, accrochée par une extrémité aux remparts du fort d'Agra et par l'autre à un poteau de pierre planté au bord de la Yamunâ. Soixante cloches de cuivre y furent fixées. Le petit peuple en fut ravi : toute personne qui estimait que justice ne lui avait pas été rendue pouvait se rendre au fort et agiter la chaîne, afin que le tintement des cloches attirât l'attention de l'empereur en personne.

Jahangir s'attaqua ensuite l'un des symboles de la souveraineté : le droit de frapper monnaie. Par un jour prometteur, il ordonna que des mohurs d'or et des roupies d'argent fussent gravés à son nom. Quelques jours plus tard, il en reçut les premières ébauches à la cour sur un coussin de velours noir. La vue de ces pièces d'or fit bouillir le sang dans ses veines : encore un instant qui passerait à la postérité. Il disparaîtrait, sa chair et ses os s'en iraient en poussière, mais des centaines d'années plus tard ces pièces scintilleraient encore dans la main des hommes. C'était là le privilège des souverains. Les yeux pleins de larmes, il reposa le coussin.

Ainsi Jahangir goûtait-il les premières manifestations de sa popularité et de son pouvoir. En tant que grand vizir, Muhammad Sharif se chargeait des affaires de l'État – à tel point qu'il n'avait plus le temps de superviser en personne les détails de l'emprisonnement du prince Khusrau.

C'était une grave erreur, ainsi que l'empereur et lui-même allaient bientôt l'apprendre à leurs dépens.

12

Pour accomplir leurs desseins, les seigneurs mécontents détournèrent les yeux sur Chusero en espérant, de cette façon, provoquer une révolution dans leur pays... Ils nourrirent leur ambition des éloges de leurs actions passées et l'animèrent des belles perspectives du succès présent.

Alexander Dow – *Histoire de l'Hindoustan*

– Le terme de ta grossesse approche.

Khalifa regarda son époux et rougit.

– Oui, seigneur, articula-t-elle de sa voix mélodieuse. J'ai prié pour que ce soit un fils, un garçon vigoureux.

Khusrau se renfrogna.

– À quoi bon un garçon ? Je n'aurai pas de trône à lui léguer. Mon père a fait en sorte qu'il en soit ainsi.

Khusrau et Khalifa conversaient dans l'appartement du prince. À première vue, toutes les richesses dont pût disposer un prince se trouvaient accumulées en ces lieux. Les fenêtres s'ornaient de rideaux de soie ivoire, sur le sol se succédaient de magnifiques tapis persans, les tables de santal incrustées de nacre portaient de précieux bibelots de terre cuite et les énormes vases d'or étaient pleins de roses jaunes d'été. Mais seulement à première vue : devant les portails, deux puissants Ahadis montaient la garde et, derrière les rideaux de soie, de lourds barreaux noirs gâchaient le raffinement de la pièce.

– Un jour viendra, ce trône sera tien, seigneur. Ce n'est qu'une question de temps.

Khusrau tourna vers elle un visage tordu par la rage. Il avait épousé Khalifa parce que Akbar avait voulu leur union, mais depuis il était follement amoureux de cette femme timide dont il n'avait découvert le visage qu'au soir de ses noces. De plus, elle lui était tellement dévouée qu'elle avait accepté de vivre en captivité dans ses appartements, et cela avait scellé la vénération du prince.

– Je le veux maintenant ! s'emporta-t-il. Il me revient de droit. Mon père n'est pas habilité à régner. C'était déjà la volonté de l'empereur Akbar.

– Chut, seigneur ! murmura la jeune femme en désignant la porte d'un œil effrayé. L'empereur va entendre tes éclats.

– Je m'en moque ! Combien de temps compte-t-il me garder prisonnier ? Voilà déjà six mois que cela dure.

– Peut-être lorsque l'enfant sera né... L'empereur sera content de voir son premier petit-fils.

– Je ne saurais attendre aussi longtemps ! Je ne veux pas que mon fils naisse en captivité.

Khusrau se mit à faire les cent pas, les mains derrière le dos. Il tremblait de colère. Non seulement son père lui avait ravi la couronne, mais il l'avait ignominieusement admonesté devant toute la cour, comme un enfant qui aurait commis une bêtise.

Il s'arrêta devant la fenêtre et regarda les dames du zénana impérial qui paressaient à l'ombre des grands peepuls, drapées de mousselines et de soieries multicolores, leurs servantes empressées à leur apporter des sorbets. Si elle l'avait voulu, Khalifa eût pu se trouver parmi elles. Jahangir lui avait donné le choix et elle avait préféré rester auprès de son époux.

Une porte intérieure s'ouvrit en hâte et un homme s'introduisit dans la pièce.

– Votre Altesse ! souffla-t-il.

Khusrau fit volte-face, tandis que Khalifa revêtait vivement son voile.

Abdur Rahim salua le prince. Commandant en chef des armées d'Akbar, il avait été l'un des plus fervents partisans de Khusrau.

– Je vous demande pardon, Votre Altesse, mais je n'avais aucun moyen d'annoncer mon arrivée sans que l'empereur l'apprenne.

– Tu as bien fait. Quelles nouvelles m'apportes-tu ?

– Nous réussirons à vous tirer des geôles de l'empereur. Husain Beg et Mirza Hasan sont prêts à vous aider.

– Parfait ! sourit Khusrau.

D'un seul coup, sa mauvaise humeur s'envola pour faire place à cet enthousiasme juvénile qui avait charmé tant de courtisans.

– Quels sont les projets ?

– Dans trois jours, l'empereur doit partir chasser. Comme d'habitude, il vous fera garder dans la tour pendant son absence.

Khusrau détestait particulièrement cette prison de pierre. Lorsque Jahangir s'attardait dans de trop longs séjours à l'extérieur d'Agra, Khusrau restait enfermé dans cette tour sans même pouvoir sortir pour une promenade.

– La chasse impériale ne s'achèvera que tard dans la nuit. Cela nous donne tout le temps nécessaire pour nous enfuir. Vous devrez partir au matin, dès que la troupe ne sera plus en vue.

– Mais comment sortirai-je ? L'empereur ne m'autorise aucune visite et m'interdit formellement de quitter la tour.

– Vous devrez vous échapper *avant* de gagner la tour. Le lendemain étant l'anniversaire de votre grand-père, peut-être pourriez-vous effectuer un pèlerinage sur sa tombe, à Sikandara. J'attendrai là-bas, avec une importante armée et nous vous délivrerons de vos ravisseurs.

Khusrau prit un air déçu.

– Je ne sais pas s'il me sera possible d'échapper à mes gardiens.

– Il vous faudra essayer, Votre Altesse. Ce sera le meilleur moment. L'empereur ne sera pas là. De nombreuses heures s'écouleront avant qu'il n'apprenne la nouvelle de votre fuite. Les geôliers deviennent négligents : j'ai pu entrer ici sans me faire remarquer.

– Et la princesse ? demanda soudain Khusrau en désignant Khalifa.

Cette dernière secoua la tête derrière son voile.

– Tu dois y aller seul, seigneur. Tu voyageras plus vite sans moi. L'empereur ne me fera pas de mal, d'autant que…

Elle toucha son ventre.

Khusrau acquiesça puis se tourna vers Abdur Rahim :

– Vous devrez cependant vous arranger pour m'amener la princesse une fois que nous serons… où allons-nous ?

– À Lahore.

– Lahore ? Mais pourquoi pas au Bengale ? Mon oncle, Rajah Man Singh, nous aiderait.

– Non, Votre Altesse. Votre oncle et Mirza Aziz Koka ont échappé de justesse à la mort. Aujourd'hui encore, des espions les surveillent sans relâche. L'empereur serait immédiatement informé si nous partions pour le Bengale et nous serions capturés en chemin. Si nous nous rendons à Lahore et parvenons à nous emparer du fort, nous aurons un bastion d'où nous pourrons lancer nos attaques. Une fois que Lahore sera nôtre, nous enverrons chercher Mirza Koka et Rajah Man Singh. De plus…

Abdur Rahim hésita.

– De plus ? insista Khusrau.

– Si nous échouons à Lahore, nous pourrons trouver refuge un peu plus au nord. Le chah de Perse ne nous refusera pas son aide. Tandis que du Bengale, nous n'aurions plus où nous tourner, si nous étions défaits là-bas.

– Soit, vous avez raison. Rassemblez des hommes.

Le khan-i-khanan salua et repartit par la même porte.

Khusrau se pencha vers Khalifa.

– Pourras-tu demeurer sans moi, ma douce ?

– Tout se passera bien. Qu'Allah soit avec toi, je prierai pour ta sécurité.

L'aube se parait de rose lorsque Khusrau écarta précautionneusement les rideaux. Dans le lointain, il discerna le nuage de poussière soulevé par la chasse impériale. On n'était qu'en avril mais les premières chaleurs de l'été se faisaient déjà sentir, si bien qu'une telle équipée n'était envisageable que tôt le matin ou en fin d'après-midi.

Khusrau s'éloigna de la fenêtre, le cœur battant d'impatience. Il était temps de passer à l'action. Les gardes allaient bientôt venir le chercher pour l'emmener à la tour. Il parcourut d'un rapide coup d'œil la pièce vide. Khalifa avait été envoyée au zénana pour la nuit, comme chaque fois que Khusrau devait regagner sa tour. Il se dirigea vers la porte de ses appartements et frappa brutalement.

Un garde ensommeillé entrouvrit prudemment le panneau.

– Oui, Votre Altesse ?

– Je désire me rendre à Sikandara pour rendre hommage à mon grand-père. Fais seller mon cheval.

– Mais... Votre Altesse... L'empereur n'a autorisé aucun déplacement. Je dois demander à mon chef...

– Assez ! cria Khusrau.

Il n'avait pas trop à se forcer pour simuler une ire princière.

– Je n'accepte aucune objection de la part d'un simple garde ! L'empereur te fera décapiter si tu m'empêches d'effectuer ce saint pèlerinage. Je me plaindrai à Sa Majesté de ta désobéissance.

– Mais, Votre Altesse, ce n'est pas possible... répéta désespérément le garde. Je ne peux vous laisser partir ainsi...

– Tu tiens si peu à la vie ? demanda Khusrau d'un ton dangereusement calme.

L'autre finit par capituler :

– Vos désirs sont des ordres, Votre Altesse. Veuillez m'excuser.

– C'est bon. Alors, selle mon cheval, ainsi que je te l'ai ordonné.

Lorsque l'homme se fut éclipsé, après avoir refermé la porte à double tour, Khusrau s'assit comme une masse, le front trempé de sueur. N'en avait-il pas trop fait ? Le garde l'avait-il cru ou allait-il revenir accompagné du grand vizir pour l'interroger plus avant ? Parcouru d'un frisson glacé, il pria. Qu'Allah le prenne en pitié ! Une fois que Muhammad Sharif serait là, probablement furieux d'avoir été réveillé à l'aube, il jetterait Khusrau dans la tour pour ne l'en plus tirer.

Aussi, lorsqu'on frappa doucement à la porte, se leva-t-il en tremblant. C'était le garde, le visage marqué par la frayeur.

– Les chevaux sont prêts, Votre Altesse.

Le palais était encore endormi lorsque Khusrau enfourcha sa monture. Il jeta un bref regard aux gardes qui l'accompagnaient, inconscients qu'il leur restait à peine une heure à vivre.

Sur la route de Sikandara, la petite troupe fut attaquée par les hommes d'Abdur Rahim. Abandonnant les cadavres des gardes au bord du chemin, le prince reprit sa route au galop, accompagné de trois cent cinquante cavaliers. Devant le mausolée dédié à son grand-père, Husain Beg et Mirza Hasan se joignirent à lui. Malgré leurs protestations, Khusrau s'arrêta un instant face au tombeau d'Akbar et formula une prière pour le succès de son expédition. Puis il remonta à cheval et la troupe continua en direction de Lahore.

– Masse-moi les épaules.

La jeune esclave répondit sur-le-champ au désir de Jahangir et l'empereur se détendit sous l'habile massage de ses doigts.

Il avala une gorgée de vin avant de reposer son gobelet. La chasse avait été un succès. Il n'avait manqué que deux fois sa cible. Tous ses autres coups de feu avaient porté leurs fruits. Autre avantage des monarques : dans son empire, tout terrain de chasse était *son* terrain de chasse.

Derrière lui, un grand bassin de cuivre venait d'être installé, que les eunuques emplissaient d'eau chaude. L'empereur aimait à se tremper un instant dans un bain délicatement parfumé avant de se faire habiller en vue des réjouissances du soir.

Un discret éternuement attira son attention. Il ouvrit un œil languide et aperçut Hoshiyar Khan à la porte.

– Qu'y a-t-il, Hoshiyar ?

– Pardon, Votre Majesté. Mais le grand vizir est dans le vestibule et demande audience.

– Dis-lui de patienter une heure. Il pourra me parler pendant la musique.

– C'est de la plus haute importance, Votre Majesté. Le vizir assure qu'il ne peut attendre.

Sûrement des nouvelles du Dekkan. Jahangir avait poursuivi la campagne inachevée d'Akbar, néanmoins pouvait-il être déjà question de victoire ? Il se leva, le cœur battant à l'idée que son armée eût pu remporter un si prompt succès après les multiples échecs qu'Akbar avait connus sur cette frontière. Il enfila son peignoir de soie rouge et sortit dans le vestibule. Seuls les hommes de la famille impériale étaient autorisés à entrer dans le zénana, ce qui obligeait l'empereur lui-même à se déranger pour accueillir ses visiteurs au-dehors.

Il trouva un Muhammad Sharif anxieux, occupé à faire les cent pas ; dès qu'il aperçut l'empereur, le grand vizir se mit à genoux et accomplit le konish.

– Je vois que j'ai dérangé le bain de Votre Majesté. Je vous demande pardon.

– Quelles nouvelles m'apportes-tu ? Avons-nous remporté une victoire dans le Dekkan ?

– Non, Votre Majesté. Je... J'apporte de mauvaises nouvelles...

Il hésita puis lança :

– Le prince Khusrau s'est échappé.

– Échappé !

Khusrau enfui ? Quand ? Où ? À peine monté sur le trône, Jahangir allait-il déjà le perdre ? Une onde de peur le parcourut.

– Mais comment ? reprit-il. Ne t'ai-je pas ordonné de le faire surveiller en permanence ?

– Oui, Votre Majesté. Cependant, il s'est enfui. Ce matin, alors que vous étiez à la chasse, le prince a demandé ses chevaux sous le prétexte d'aller s'incliner sur la tombe de l'empereur Akbar. En route, il a été rejoint par le khan-i-khanan, Husain Beg et Mirza Hasan, accompagnés d'au moins quatre cents cavaliers.

– Pourquoi ne m'en a-t-on pas informé plus tôt ? gronda Jahangir.

– Je ne l'ai moi-même appris qu'il y a quelques instants, Votre Majesté. Lorsque l'allumeur de lampes est monté à la tour et l'a trouvée vide.

– C'est par ta faute !

– Oui, Votre Majesté. Je suis prêt à endurer la punition que vous voudrez bien m'infliger. Cependant… je ne demande qu'une faveur : laissez-moi me lancer en personne à la poursuite du prince et vous le ramener.

L'expression de Jahangir s'adoucit. Ce n'était pas le moment de s'affoler. Il s'agissait d'organiser une expédition et lui seul pouvait en donner l'ordre.

– Très bien. Tu rachèteras ton erreur en capturant Khusrau. Prépare-toi à partir pour le Bengale. Il n'a pu que courir chercher refuge auprès de son oncle Rajah Man Singh.

– Je pars immédiatement, Votre Majesté.

Sharif salua et recula vers la porte.

– Attends. Envoie d'abord des espions. Au fond, il n'est peut-être pas chez Rajah Man Singh. Pars demain, dès que les espions auront confirmé la destination de Khusrau. Quand tu la connaîtras, lance-toi à sa poursuite et ne le lâche plus. Ramène-le moi, mort ou vif. C'est bien compris ?

– Oui Votre Majesté

Sharif souriait. Rien ne pourrait le combler davantage que de rapporter la tête de Khusrau sur un plat d'or à l'empereur.

– Puis-je prévenir les espions, maintenant ?

Préoccupé, Jahangir lui fit signe de se retirer. Soudain, une idée le frappa. Et si Khusrau refusait de se rendre aux forces impériales ? Et s'il choisissait de se battre ? Appuyé par le khan-i-khanan, il ne pouvait avoir d'allié plus aguerri. Et si Muhammad Sharif était tué dans l'affrontement ?

– Muhammad !

Son ami s'arrêta net devant la porte.

– Envoie plutôt Cheikh Farid Boukhari ainsi qu'Ihtimam Khan pour lui servir d'éclaireur et d'agent de renseignements. Je désire que toi, tu restes à la cour, ta présence m'est nécessaire ici.

Sharif résista. Ainsi, il n'aurait pas la joie de pourchasser le prince !

– Mais, Votre Majesté…

– J'ai parlé, Muhammad !

De nouveau, Jahangir se reprit et ajouta :

– Comprends à quel point j'ai besoin de toi. Nous partirons ensemble, dès que la destination de Khusrau nous aura été confirmée.

– Comme vous voudrez, Votre Majesté.

Muhammad Sharif s'inclina et quitta rapidement le harem.

L'empereur retourna vers son bain et se glissa dans l'eau, les esclaves lui frottant les épaules tandis qu'il réfléchissait. Son père avait-il éprouvé le même chagrin lorsqu'il l'avait trahi ? Au temps de leur réconciliation, alors qu'au chevet de l'empereur déjà malade, Salim lui faisait la lecture, le vieil homme l'avait arrêté pour demander :

– Dis-moi, la couronne est-elle si importante pour toi ?

La question avait fusé si brusquement que le prince n'avait su que regarder son père en pensant que la couronne ceignait déjà le front d'Akbar, qu'il en éprouvait le poids depuis quarante-neuf ans. Comment pouvait-il imaginer que l'on pût se sentir mourir de convoitise ? Akbar n'avait pas insisté et, tendant le doigt sur la page, il avait simplement dit :

– Recommence à ce paragraphe.

Maintenant, songeait Jahangir en contemplant l'eau savonneuse, il savait ce que c'était que d'être empereur et d'avoir un fils qui voulait désespérément le devenir aussi.

Dans la soirée, un messager parvint au palais, rapportant que Khusrau se dirigeait vers Lahore. Cheikh Farid Bukhari partit à sa poursuite. Lassé par la musique et les danses, l'empereur interrompit le concert pour aller se coucher.

Tandis qu'il dormait, esclaves et eunuques préparaient ses bagages. L'armée impériale venait de recevoir son ordre de marche. Le lendemain matin, à l'aube, Jahangir quittait Agra à la tête de ses troupes. Moins de douze heures après avoir appris l'évasion de Khusrau, il se lançait avec ses hommes à la poursuite du fugitif.

13

Ils allaient parmi les nobles morts alignés des deux côtés de la route... Mahabat Khan se tenant à côté du prince afin de les lui présenter et de lui donner leurs noms. Devant ces cadavres qui se balançaient au gré du vent, il dit à Khusrau : « Sultan, vois tes soldats qui se battent contre les arbres. »

B. Narain – *Chronique hollandaise de l'Inde moghole*

Tiède et humide, la nuit tomba comme une masse sur le Bengale. Voilà cinq jours qu'il pleuvait, de ces grosses gouttes suffocantes qui semblaient vous boucher les poumons. Les maisons de Bardwan empestaient la moisissure, les moustiques grouillaient jour et nuit sans qu'aucune fumigation de feuilles de neem n'en vînt à bout. D'arachnéennes moustiquaires drapaient lits et matelas comme autant de fantômes transparents. De son lit, Mehrunnisa regardait la *punkah* rectangulaire suspendue au plafond, doucement agitée pour l'éventer. Peu à peu, le mouvement diminua puis s'arrêta et la corde se détendit sous la porte. La jeune femme attendit, cependant l'humidité l'enveloppait comme un animal étouffant, et elle appela doucement :

– Nizam !

Derrière sa porte, le petit esclave s'éveilla en sursaut et se remit à remuer la jambe de droite à gauche pour actionner la corde de la punkah accrochée à son doigt de pied.

Mehrunnisa se tourna vers Ladli qui dormait à côté d'elle puis écarta doucement sa petite tête de son bras. La transpiration poissait le front de l'enfant et de minuscules gouttes avaient glissé sur la peau de sa mère. Elle s'essuya et souffla sur la tête du bébé. Ladli se retourna en soupirant, les bras et les jambes en travers du lit. Mehrunnisa se hissa sur un coude pour mieux la regarder. La chaleur du Bengale ne semblait pas la déranger, elle dormait tranquillement, la bouche ouverte, le souffle légèrement sifflant car elle avait le nez pris par une indisposition d'été.

Mehrunnisa l'effleura des doigts, caressant ses genoux ronds et ses cuisses potelées, souriant aux fossettes de ses poings minuscules, à la chair tendre de son menton. Au début, alors qu'elle venait de naître, sa mère passait des nuits entières à la contempler ; elle avait cru qu'elle s'en lasserait vite mais, six mois plus tard, elle s'éveillait en pleine nuit avec ce même désir. Cette enfant ne cessait de l'émerveiller. *Merci, Allah !* Elle se pencha pour embrasser le petit nez rond comme un bouton. Dans son sommeil, le bébé posa une main sur la tête de sa mère et ses petits doigts se fermèrent sur une épaisse mèche noire. Mehrunnisa sourit et se dégagea aussi doucement que possible.

Au plafond, la punkah grinça et s'arrêta de nouveau. Nizam avait dû s'endormir encore. Tout d'un coup, l'éventail repartit de plus belle, voltigeant et traçant de larges cercles humides au-dessus d'elle. Que faisait donc ce garçon ? Elle allait se décider à intervenir quand une silhouette se dessina dans l'embrasure de la porte. Ali Quli hésita puis entra d'un pas qui résonna dans la nuit silencieuse.

Mehrunnisa porta un doigt à ses lèvres en désignant Ladli.

Ali Quli s'arrêta et lui fit signe de s'approcher. Son épouse se redressa, se glissa sous la moustiquaire et quitta le lit pour rejoindre son mari devant la fenêtre. Ensemble, ils contemplèrent le jardin en contrebas. La lune déclinait mais dispensait encore assez de lumière argentée pour leur permettre de se voir. Ali Quli sortit une lettre de la poche de sa kurta.

– Des nouvelles de bapa ? demanda Mehrunnisa.

– Non. De la cour. Le prince Khusrau s'est évadé.

La jeune femme ouvrit de grands yeux.

– Quoi ?

– Tu m'as bien entendue. Le prince Khusrau s'est enfui à Lahore.

– À Lahore…

– Alors qu'il aurait pu venir ici, rejoindre son oncle Man Singh. Qu'il est sot !

– Mais c'est ici que l'empereur serait venu le chercher d'abord, rétorqua Mehrunnisa. Il tombe sous le sens qu'il se réfugie à l'opposé. Comment s'est-il enfui ? Je croyais qu'il était sous bonne garde.

Ali Quli sourit.

– L'empereur a éloigné la plupart de partisans du prince, mais il a oublié le khan-i-khanan. Mirza Abdur Rahim a pu l'arracher à ses gardiens.

Emporté par son enthousiasme, Ali Quli avait élevé la voix.

– Doucement, seigneur ! souffla Mehrunnisa.

Nizam était derrière la porte. Comme tous les serviteurs, il avait l'oreille fine. On ne pouvait lui faire confiance. L'esprit bourdonnant de pensées, elle se détourna de son mari. Et si l'appui du khan-i-khanan se révélait déterminant ? Et si Jahangir perdait cette couronne qu'il venait à peine de ceindre ?

– Qu'a décidé l'empereur, seigneur ?

– Il a quitté Agra pour Lahore avec l'armée impériale. Mais ils ne rattraperont jamais le prince qui se déplace avec une petite troupe. Lahore n'a pas de gouverneur, en ce moment. Khusrau prendra la ville sans difficulté. Dès lors, le Nord-Ouest se ralliera à nous…

Ali Quli partit d'un grand rire joyeux sans plus chercher à retenir sa voix :

– Et tout l'Empire suivra !

Le cœur de Mehrunnisa se mit à battre furieusement. Elle savait qu'un nouveau gouverneur venait seulement d'être nommé à Lahore, qu'il était encore en chemin. Comment une ville sans chef pourrait-elle se défendre contre une armée menée par le khan-i-khanan en personne ? Jamais l'empereur n'eût dû pardonner aux mutins, jamais il n'eût dû laisser à Abdur Rahim son titre de khan-i-khanan. Soudain, une parole prononcée par Ali Quli revint à l'esprit de la jeune femme.

– « … se ralliera à nous » ? Pourquoi parles-tu de « nous » ?

– Parce que je pars cette nuit. Prépare-moi mes bagages. Je dois rejoindre immédiatement l'armée du prince. Le khan-i-khanan aura forcément besoin de mes talents.

Mehrunnisa n'en revenait pas. Fallait-il qu'il fût stupide pour s'imaginer pouvoir traverser tout l'Empire à la recherche du prince Khusrau et de son armée ! Combien de temps durerait ce voyage ? Six mois ? Huit mois ? Tant d'événements pouvaient se produire dans l'intervalle ! Si l'empereur capturait Khusrau, la vie d'Ali Quli ne vaudrait plus rien. Une seconde offense contre l'empereur serait impardonnable. Évidemment, Ali Quli ne s'arrêtait pas à ce genre de considérations. Comment le convaincre de ne pas commettre cette erreur lourde de conséquence ?

– Attends un peu, seigneur. Il serait judicieux de connaître l'avis des autres nobles avant de prendre une décision. D'autres nouvelles ne vont pas manquer de nous parvenir bientôt. Je t'en prie !

– Attendre, attendre ! Je ne fais que cela !

La voix d'Ali Quli résonna si fort dans la pièce que Ladli s'éveilla et se mit à pleurer.

Mehrunnisa se précipita vers le lit, souleva la moustiquaire et prit la petite fille dans ses bras.

– Là, mon bébé !

Elle tenta de la bercer pour la rendormir, mais l'enfant avait reconnu la voix de son père et se mit à gazouiller.

– Je dois partir. Rejoindre l'armée du prince, déclara Ali Quli qui se dirigea vers la porte. Le voyant s'éloigner, Ladli se remit à pleurer.

– Fais-la taire ! s'écria Ali Quli. Et prépare mes bagages.

Mehrunnisa le foudroya du regard. Comment pouvait-il partir ? Et qu'adviendrait-il de sa femme et de sa fille en son absence ?

– Attends, seigneur ! Songe que l'empereur t'a épargné une fois en t'envoyant ici. Si le prince est de nouveau défait, Jahangir n'hésitera plus à te faire exécuter. Attends d'abord la réaction de Rajah Man Singh ou du khan-i-khanan. Tes actes se répercuteront sur nous… Ladli, moi et même mon bapa.

Pour toute réponse, Ali Quli présenta un visage grimaçant de fureur, à tel point qu'elle crut qu'il allait portait la main sur elle ; cependant, elle demeura immobile, le bébé vagissant dans ses bras. Sans un mot, il sortit en trombe et, surprenant au passage Nizam qui les épiait à quatre pattes, il lui envoya une taloche sur la tête ; le jeune garçon alla bouler en pleurnichant contre les dalles de la véranda.

– Depuis combien de temps sommes-nous là ?

– Huit jours, Votre Altesse, répondit Husain Beg.

Le prince Khusrau contemplait la colline désolée qui flanquait les remparts de Lahore. Arrivés en vue de la ville, ils l'avaient trouvée bouclée et fortifiée. Le terrain lui-même semblait inhospitalier, le sol desséché de pierraille grisâtre, la végétation rabougrie par la soif ; la seule touche de couleur provenait des roches brunes. Le jour, le soleil calcinait, la nuit il gelait presque. Le siège, le climat et le manque de cohésion de son armée mettaient ses hommes à rude épreuve.

– Lahore ne tiendra guère plus longtemps, commenta Khusrau d'un ton plein d'espoir.

En son for intérieur, cependant, il n'y croyait plus tant le rongeait la peur, sa compagne de chaque jour depuis son évasion.

– Non, Votre Altesse. Ses réserves doivent être épuisées. Toutefois…

Husain hésita.

– Nous devons prendre le fort avant l'arrivée des armées impériales, j'en suis conscient, répondit Khusrau. Comment Ibrahim Khan a-t-il pu se préparer à notre arrivée ?

– Sa Majesté lui a dépêché une estafette alors qu'il était déjà en route pour prendre son poste de gouverneur. Profitant de son avance, il s'est précipité pour fortifier la ville.

Voyant la mine déconfite de son jeune capitaine, Husain Beg ajouta d'un air retors :

– Cependant, un élément plaide en votre faveur, Votre Altesse. L'armée d'Ibrahim Khan est composée de commerçants et de domestiques. Il n'a pas eu le temps de former de vrais soldats. Depuis huit jours que nous les assiégeons, ils n'ont pas été ravitaillés une seule fois. Ils vont bientôt se rendre.

– Je l'espère.

Khusrau passa une main poussiéreuse dans ses cheveux puis s'en fit une visière pour se protéger du soleil. Jour après jour, son armée avait fait exploser des projectiles à proximité des remparts, mais chaque nuit, à la faveur de l'obscurité, les hommes d'Ibrahim s'étaient employés à réparer les brèches. Pour des domestiques et des commerçants, ils faisaient preuve d'une étonnante détermination et d'une extraordinaire loyauté, deux qualités dont Khusrau ne pouvait certes pas féliciter ses hommes. Depuis huit jours qu'ils étaient devant Lahore, la forteresse n'était toujours pas tombée.

Il retourna lentement vers le camp et sa peur redoubla. Parviendraient-ils à investir le fort avant l'arrivée des renforts impériaux ? Khusrau n'avait nulle part ailleurs où se cacher, nulle autre défense possible contre les légions de son père ; il était trop tard pour fuir vers la Perse, Jahangir le rattraperait avant la frontière.

Le prince donna un coup de pied dans une pierre qu'il regarda rouler dans la poussière rougeâtre. N'avait-il pas agi trop vite, sans préparation ? Cette fois, Jahangir ne ferait pas de quartier. On disait que la tête de Khusrau avait été mise à prix.

Il tenta de masser sa nuque douloureuse à force de lassitude. Faudrait-il donc qu'il fuie devant son père sa vie durant ? S'il se rendait, il se condamnait à mort. Un espoir lui restait, cependant. Son armée comptait plus de douze mille fantassins et cavaliers, dissidents ralliés à sa cause sur la route vers Lahore. Il préférait oublier les exactions de ces hommes qui, au long du chemin, avaient volé, pillé, violé, pour ne laisser que chagrin et détresse derrière eux. Mais il n'avait même pas tenté de les en dissuader.

– Votre Altesse !

Husain Beg arrivait, précédant une estafette qui annonça immédiatement :

– Votre Altesse, l'armée impériale menée par Cheikh Farid Boukhari se trouve à une journée de marche d'ici.

Khusrau blêmit.

– Ils ont tant avancé ! Ensuite ?

– Mirza Hasan est mort.

– Comment cela ?

– Les hommes de l'empereur l'ont capturé à Sikandara où il se risquait à rameuter des troupes.

L'estafette essuya son visage en sueur et poursuivit :

– L'empereur l'a fait piétiner par des éléphants.

Khusrau se mordit les lèvres pour ravaler ses larmes. Il perdait encore un partisan. Le temps de contenir son angoisse, et il s'adressait à Husain Beg :

– Il faut que nous prenions l'armée de Cheikh Boukhari par surprise cette nuit. Où établissent-ils leur camp ?

– Près de Sultanpur, Votre Altesse.

– Votre Altesse…

L'estafette hésita puis se lança :

– L'empereur lui-même les suit à la tête d'une gigantesque armée. Il est à une journée derrière Cheikh Boukhari.

Son père était sur ses talons. Il ne s'agissait plus de perdre un instant. Khusrau se sentit soudain armé d'une volonté d'acier. Il mourrait au combat s'il le fallait, mais jamais il ne se rendrait.

– Nous ne pouvons combattre sur deux fronts simultanément. Prépare une légion de dix mille hommes, je les mènerai à la bataille contre Cheikh Boukhari. De ton côté, veille à maintenir le siège avec le reste des hommes. Avec l'aide d'Allah, nous vaincrons au moins l'une des deux armées.

Animé de cette nouvelle détermination, il s'assit devant sa tente afin que ses hommes puissent savoir qu'il était là, prêt à les commander. Bientôt, leur peine serait récompensée, lorsqu'il monterait sur le trône. On lui avait rapporté que Jahangir était fou de rage contre lui, que les dames du zénana le maudissaient pour sa perfidie, que les nobles de la cour, qui l'avaient autrefois soutenu, dénonçaient à présent ses initiatives. Qu'il était effrayant de se savoir la cible de tant d'invectives ! Mais

Khusrau ne faisait-il pas exactement ce que son père avait fait pendant douze ans ? De quoi donc s'étonnait Jahangir ?

Cette nuit-là, alors que l'armée de Cheikh Boukhari, forte de cinq mille hommes seulement, établissait son camp près de Sultanpur, elle fut attaquée par surprise. Néanmoins, elle se défendit avec vigueur. Les hommes de Khusrau avaient beau être plus nombreux, ils manquaient de discipline et de l'entraînement des forces impériales. La bataille dura toute la nuit et se poursuivit durant la journée du lendemain.

Un arôme de poulet au gingembre et de riz des vallées de l'Himalaya emplissait la tente impériale. Jahangir se lava les mains, s'assit en tailleur sur son tapis et huma le fumet appétissant tandis qu'un esclave déposait devant lui l'assiette et ses trois *katoris* d'argent garnis de curry de poulet, d'agneau et de poisson. Au centre se dressait une pyramide de riz à peine cuit, un peu sec, comme il l'aimait, accompagné d'une *raita* de concombre et de tomates, ainsi que de deux tranches de mangue verte au vinaigre assaisonnée de piment et d'huile. L'esclave s'inclina et ajouta discrètement deux *papads* croustillants avant de se retirer.

Alors que l'empereur se penchait sur son repas, Mahabat Khan entrait en coup de vent :

– Votre Majesté, l'armée du prince Khusrau a attaqué celle de Cheikh Boukhari avec des forces beaucoup plus nombreuses.

Jahangir fit la grimace. Il n'avait rien mangé depuis la veille et avait faim. Mais ce n'était plus le moment, il plongea juste une poignée de riz dans le curry de poulet et avala en hâte.

– Hoshiyar, mon armure ! ordonna-t-il en s'essuyant les mains.

L'eunuque se précipita, cédant le pas à Muhammad Sharif qui arrivait à son tour :

– Nous devons partir immédiatement pour Sultanpur, Votre Majesté !

– Mon cheval est-il sellé ?

– Il vous attend, Votre Majesté.

Oubliant son armure, Jahangir sortit en courant. Mahabat Khan lui fournit une lance et ils partirent au triple galop. À l'aube de la quarantaine, Jahangir se sentait plus fort que jamais. Peu importait qu'il se lançât dans la bataille sans protection, avec pour toute arme une lance et une dague ! Il humait avec délectation le parfum du danger, si longtemps absent de sa vie.

À Sultanpur, Cheikh Boukhari tentait de résister au surnombre de ses assaillants. La bataille semblait perdue lorsque Ihtimam Khan, le *kotwal* que Jahangir avait nommé éclaireur pour cette mission, surgit à la tête d'un escadron portant les drapeaux de Jahangir. À la vue de la bannière impériale, les rebelles supposèrent que l'empereur en personne était survenu. Abdur Rahim, le khan-i-khanan, s'affola et lâcha la bannière de Khusrau. Aussitôt, ses partisans crurent que leur prince était mort. Dans la confusion qui s'ensuivit, Cheikh Boukhari, Barha Sayyid et Ihtimam Khan en tuèrent quelques-uns et laissèrent détaler les autres.

Khusrau, Abdur Rahim et Husain Beg déguerpirent à leur tour avec une petite escorte ; ils prirent la direction de Kaboul avec l'espoir de se réfugier en Ouzbékistan.

Lorsque l'empereur arriva sur le champ de bataille, ce fut pour constater la défaite et la fuite de Khusrau. Il ordonna à Cheikh Boukhara de rattraper les rebelles et poursuivit sa route vers la maison de Mirza Kamran, à la sortie de Lahore, afin d'y attendre la nouvelle de la capture de Khusrau.

*
* *

Khusrau et sa cohorte galopèrent à bride abattue sur la route de Kaboul. Le surlendemain au soir, ils établirent leur campement au bord d'une rivière appelée Chenab. Il était tard et les bateaux étaient déjà tous amarrés. Les pêcheurs avaient regagné leurs demeures, à l'exception d'un qui s'était attardé à repriser ses filets. On le conduisit à Khusrau.

– Prépare ta barque pour nous faire traverser, ordonna celui-ci.

– Votre Altesse, bégaya l'homme. L'empereur a ordonné que personne ne traverse la rivière sans son autorisation. Il faut me montrer un édit marqué du sceau impérial.

– Je t'ordonne de nous emmener ! s'emporta Khusrau.

Il n'était pas arrivé si loin pour voir contrarier ses desseins par un quelconque intrigant. Il devait passer la rivière ce soir, à tout prix.

– Je ne peux pas, Votre Altesse. Il faut me pardonner.

À cet instant, Abdur Rahim se présenta, suivi d'une femme et de deux enfants apeurés, et le pêcheur tressaillit.

– Est-ce ta famille ?

– Oui, Votre Altesse.

– Parfait...

Khusrau sortit de sa tunique un couteau dont il passa la lame sur ses doigts, faisant perler deux gouttes de sang.

– Cela te plairait-il de les voir mourir ?

Le pêcheur tomba à genoux, les yeux pleins de larmes.

– Pitié, Votre Altesse ! supplia-t-il. Épargnez-les. Je vais vous faire traverser. Laissez vivre ma femme et mes enfants !

– Très bien. Apprête ton bateau. Abdur Rahim, libère ces gens et que l'armée nous suive dès que nous serons passés de l'autre côté.

Tandis que progressaient les préparatifs, Khusrau attendait sur la rive de la Chenab, les talons enfoncés dans la terre boueuse. Le doigt qu'il s'était coupé lui fit mal et il frémit. Où avait-il appris une telle violence ? Qu'était-il donc devenu ? La peur, l'anxiété et le manque de sommeil l'avaient transformé en un monstre dans lequel il ne pouvait se reconnaître. Qu'en dirait Khalifa ? À la pensée de sa femme, il baissa la tête et ne put retenir ses larmes. La reverrait-il jamais ? Et l'enfant, leur enfant... Ses pleurs se transformèrent en sanglots.

C'est alors qu'Abdur Rahim s'approcha pour annoncer que le bateau était prêt ; accompagnés d'Husain Beg, ils embarquèrent et le pêcheur commença ses manœuvres à la rame. Le cours de la Chenab étant rapide et accidenté, il fallait une grande expérience pour la traverser sans incident. De dangereux bancs de sable apparaissaient çà et là. Le pêcheur, cependant, était un homme avisé. Il savait sa famille à l'abri et ne comptait pas désobéir à l'empereur. Aussi se dirigea-t-il vers l'un de ces bancs de sable où il eut tôt fait de s'enliser. Il eut ensuite beau jeu de feindre en dégager son embarcation. Dès que Khusrau eut la tête tournée, il sauta dans l'eau et nagea jusqu'à la rive, laissant le prince et ses compagnons prisonniers des flots noirs comme de l'encre.

Khusrau appela mais sa voix fut emportée par le grondement du courant. Le prince jura, envoya un coup de pied dans la coque du bateau, manquant de le renverser avec ses deux compagnons. Il renonça vite ; aussi braves qu'ils fussent sur un champ de bataille, aucun des trois hommes ne se sentait le cœur d'affronter l'onde tumultueuse.

Toute la nuit, ils attendirent les secours de l'armée. Bercés par le chant persifleur de la rivière qui tourbillonnait autour d'eux, ils finirent par s'endormir.

À l'aube, Khusrau s'assit en se frottant les yeux ; quand il ouvrit les paupières, il ne saisit pas tout de suite ce qu'il voyait : la bannière dorée au lion couché. Toutefois, sorti de l'engourdissement du sommeil, il reconnut les armes de l'empereur. Sur les deux rives s'étiraient les troupes impériales. Tandis qu'il dormait, celles-ci avaient vaincu sans mal les rebelles au bord de la Chenab ; il ne leur restait plus, dès lors, qu'à guetter le lever du soleil. Quelques soldats arrivèrent en barque et capturèrent Khusrau.

L'empereur se pencha pour respirer le cœur d'une rose jaune. Puis il se redressa et interrogea :

– Quand doivent-ils arriver ?

– Bientôt, Votre Majesté, répondit l'un de ses serviteurs.

Jahangir reprit sa promenade le long de l'allée fleurie, suivi de loin par quelques gardes. Mirza Kamran avait réalisé un magnifique travail. Malgré le climat sec, son jardin resplendissait de verdure et de couleurs, les parfums se mêlaient subtilement entre eux et l'eau des rigoles d'irrigation murmurait agréablement à travers la végétation. Les oiseaux gazouillaient dans les grands chenars qui répandaient leur ombre autour des pelouses. Tout cela dégageait une charmante impression de paix que Jahangir ne goûtait que davantage depuis qu'il avait appris la capture de son fils.

Derrière lui retentirent des bruits de portail qui s'ouvrait, de foulées martiales qui s'approchaient. Jahangir se retourna pour considérer les soldats qui amenaient Khusrau, Husain Beg et Abdur Rahim, tous trois enchaînés les uns aux autres ; les pieds entravés, le prince marquait le pas entre ses compagnons. Tous s'arrêtèrent devant l'empereur et s'inclinèrent.

– Votre Majesté, annonça Mahabat Khan empressé, je vous conduis le prince Khusrau, Husain Beg et le khan-i-khanan.

Jahangir jeta un regard froid sur son fils qui fondit soudain en larmes, ce qui arracha une grimace de dédain à l'empereur.

– Qu'as-tu à dire pour te justifier ?

Khusrau ne sut que hoqueter et sangloter. Ces derniers jours lui avaient trop coûté ; il en était presque soulagé de ne plus avoir à prendre de décision, de ne plus avoir à se battre. À dix-neuf ans, il avait passé sa vie entouré de courtisans qui n'avaient aspiré qu'à lui emplir la cervelle de rêves creux sur le pouvoir et la monarchie. Il n'avait pas connu de véritable enfance et, à gémir devant son père, il pressentait qu'il ne connaîtrait pas non plus l'âge adulte.

– Votre Majesté, pardonnez-moi... balbutia Husain Beg. Je ne savais pas ce que je faisais. Le khan-i-khanan m'avait promis la richesse si j'aidais le prince. Je n'aurais jamais dû désobéir à mon empereur. Pardonnez-moi, je vous en supplie ! Je suis votre loyal serviteur et le resterai toujours...

– Assez ! s'écria Jahangir. Tu es aussi lâche que malhonnête. Tes actions ont parlé pour toi et ton châtiment sera fonction de ton crime.

Puis il se tourna vers Mahabat Khan :

– Conduis le prince Khusrau en prison. Qu'il y demeure enchaîné. Quant aux autres, qu'on les enferme l'un dans la peau d'un bœuf, l'autre dans la peau d'un âne, qu'on les hisse sur des mules, la tête tournée vers la queue, et qu'on les promène ainsi à travers Lahore afin que tous connaissent leur disgrâce.

Husain Beg tomba à genoux, entraînant ses compagnons à l'imiter, mais Jahangir leur tourna le dos et les trois hommes furent traînés hors du jardin malgré leurs cris.

Les ordres de l'empereur furent exécutés. Un bœuf et un âne furent tués et écorchés, leurs dépouilles, encore chaudes du sang de leurs précédents occupants, furent jetées sur Husain Beg et sur Abdur Rahim. Les deux prisonniers furent ainsi menés à travers la ville, les lourdes peaux se desséchant au soleil, leur collant au corps et aux cheveux dans une odeur pestilentielle.

Après douze heures de ce traitement, Husain Beg mourut sur sa mule, d'étouffement et de déshydratation. Il fut alors décapité et sa tête, rembourrée d'herbe, expédiée vers Agra où elle fut accrochée aux remparts du fort à titre de leçon pour les dissidents potentiels.

Le khan-i-khanan, quant à lui, survécut. Fils du très populaire diwan Bairam Khan, il était fort aimé du peuple, si bien que, malgré les ordres de l'empereur, les gens lui jetèrent des seaux d'eau qui empêchèrent la peau de l'âne de se dessécher et lui donnèrent des fruits à manger. Au bout de deux jours, Jahangir le fit ramener dans sa prison.

*
* *

Les rebelles matés, Jahangir annonça son entrée en grande pompe dans Lahore. Ce serait son premier déplacement en Inde Moghole en tant qu'empereur. Quelques jours s'écoulèrent, au cours desquels les habitants eurent le temps d'apprêter leur ville tandis que Jahangir tenait sa cour dans la maison de Mirza Kamran et se promena longuement dans les jardins. Il cherchait toujours une punition appropriée pour les partisans de Khusrau. Il avait pardonné une fois à Abdur Rahim, pour fêter l'avènement de son accession au trône, rien ne l'obligeait à recommencer. Si le khan-i-khanan était mort aussi vite qu'Hasan Beg, sa disparition eût servi de leçon à tous ; mais il avait survécu et, en bonne logique, Jahangir était tenu de lui pardonner à nouveau. Cependant, l'ancien commandant en chef venait de subir une telle humiliation qu'il n'était sans doute pas près de relever la tête. Jahangir devait encore décider ce qu'il ferait du reste de la prétendue armée de son fils.

L'empereur se couchait dans son lit à baldaquin lorsque l'idée lui vint. Le lendemain matin, en s'éveillant, il fit mander Mahabat Khan.

– Combien de soldats de Khusrau avons-nous capturés ?

– Environ six cents, Votre Majesté.

– J'ai trouvé quel châtiment leur infliger. Ils doivent mourir.

– Ce sera fait, Votre Majesté.

– Fort bien. Mais je veux que leur mort marque les esprits. Que leurs corps soient pendus au vu et au su de tous et que Khusrau constate le résultat de ses entreprises sur ceux qui l'ont soutenu.

Mahabat Khan attendit la suite et, tandis que l'empereur dictait ses volontés, un mince sourire étira les lèvres du ministre. C'était encore mieux qu'il ne l'avait imaginé. Ni Khusrau ni la postérité n'oublieraient jamais cette punition.

Les jours qui suivirent, une intense activité régna autour des jardins de Mirza Kamran. On abattit de nombreux arbres et leurs troncs furent taillés en forme de pieux aux pointes effilées.

Arriva le matin prévu pour l'entrée solennelle de Jahangir à Lahore. C'était une ville de première importance, tant administrative que stratégique et, n'étaient les guerres du Dekkan, l'empereur eût aimé y résider car le climat y était plus tempéré qu'à Agra. Le sort, autant que Khusrau, avait voulu qu'il s'y rendît en hâte, mais ses habitants allaient maintenant le découvrir dans toute sa gloire. Il se leva et sentit l'impatience grandir en lui à mesure qu'il était baigné et habillé. Il allait étonner le monde et les générations futures en parleraient longtemps.

Khusrau lui fut amené devant la maison de Mirza Kamran.

– Je suis disposé à oublier ta désobéissance de ces derniers jours et, pour preuve de mon pardon, tu monteras avec moi dans le *howdwah*.

Le prince tomba à genoux.

– Merci, Votre Majesté.

Délivré de ses chaînes, il fut escorté vers l'éléphant qui portait le howdwah. Jahangir s'installa le premier, puis ce fut le tour de Khusrau. Surpris, le prince vit alors Mahabat Khan grimper à son tour pour venir s'asseoir à ses côtés.

Guidé par son cornac, l'éléphant se leva lentement et, accompagné d'une fanfare de trompettes, le cortège s'ébranla vers Lahore. Alors qu'ils abordaient la route, Jahangir entendit son fils pousser une exclamation d'horreur.

Jusqu'aux portes de la ville, des pieux avaient été plantés à intervalles réguliers le long de la route afin de servir de pal aux soldats qui n'avaient pas eu la chance d'être pendus. Cela devait être récent, car certains se tordaient encore de souffrance. D'autres corps se balançaient aux arbres qui bordaient la voie. Au passage de la procession impériale, ceux qui vivaient encore interpellèrent le prince.

Tremblant comme une feuille, Khusrau se cacha la face entre les mains. Il reconnaissait ces hommes, tous ces soldats qui l'avaient servi. C'était lui qui les avait menés à cette mort atroce.

L'empereur le considérait d'un air sévère. Soudain, il lui leva le visage pour l'obliger à regarder.

– Observe le sort des scélérats qui t'ont soutenu. C'est ta faute s'ils en sont là aujourd'hui.

Livide, le visage baigné de larmes, Khusrau contempla l'affreux spectacle.

Mahabat Khan se pencha vers lui :

– Votre Altesse, je voudrais vous présenter ces hommes. Voici…

Et le prince d'entendre, horrifié, l'énumération des noms de ses soldats à mesure qu'ils progressaient dans leur macabre périple. Un vent sauvage se leva brusquement, qui vint malmener les corps pendus aux branches et leur fit heurter les troncs.

– Voyez, prince, comme vos braves guerriers se battent contre les arbres ! articula férocement le ministre.

Le jeune homme ferma de nouveau les yeux et, cette fois, son père le laissa tranquille. La leçon avait porté ses fruits. Le cortège parvint à Lahore et Jahangir fit son entrée au fort, un demi-sourire aux lèvres. Jouant les empereurs bienveillants, il jeta des poignées de pièces d'argent au peuple.

Près de lui, Khusrau encore blême et tremblant considérait la foule sans la voir, l'œil révulsé ; jamais plus il ne serait le même.

La mousson d'été avait commencé et, à travers tout le Bengale, il pleuvait nuit et jour. Les maisons étaient constamment humides, tout moisissait, tout rouillait, les termites se gavaient du bois des meubles et des charpentes pendant que les moustiques poursuivaient sans relâche leurs infortunées victimes.

Mehrunnisa se détourna de sa broderie en soupirant. Bardwan ne ressemblait décidément pas aux plaines du Gange. Ici, la pluie ne faisait pas revivre la campagne mais apportait en surabondance insectes ou vers de terre ; même les arbres et les buissons semblaient menaçants tant ils poussaient vite, dans une débauche de feuilles et de ramures sauvages, profitant de la moindre crevasse du sol.

Voilà plus d'un an qu'avec Ali Quli elle résidait au Bengale et rien ne laissait espérer qu'ils retourneraient jamais à la cour ou que l'empereur se souvenait d'eux. Mehrunnisa avait entendu parler du châtiment réservé à Khusrau et à ses partisans. C'était cruel, certes, mais nécessaire à l'autorité impériale. Rien ne pouvait s'élever au-dessus de la couronne, même s'il fallait, pour cela, en passer par des mesures radicales afin de décourager toute nouvelle tentative de rébellion.

Fort heureusement, Ali Quli avait fini par se rendre aux arguments de Mehrunnisa et ne s'était pas lancé, comme il en avait eu l'intention, à la poursuite de Khusrau. En apprenant la capture du prince – cette information s'était propagée à une étonnante vitesse –, il avait tendu la lettre à son épouse. Mehrunnisa l'avait lue attentivement puis rangée dans un coffre.

Elle s'appuya au rebord de la fenêtre. Quelle tristesse de recevoir des nouvelles de la capitale au travers de dépêches et de récits de voyageurs quand elle aspirait tant à vivre là-bas, à constater les événements de ses yeux ! Si son époux n'avait pas été assez stupide pour soutenir Khusrau dans sa première tentative de captation du trône, ils résideraient toujours à proximité de la cour. Heureusement que, cette fois, elle avait été la seule à connaître les désirs insensés d'Ali Quli ! Le petit Nizam avait été renvoyé dans son village ; Mehrunnisa ne voulait pas courir le risque de le garder à Bardwan où il finirait certainement par bavarder.

Elle saisit le coffret de bois incrusté d'ivoire dans lequel elle gardait ses lettres les plus précieuses et en tira le farman qu'elle avait glissé sous la pile. Du bout des doigts, elle en retraça les caractères turcs dont l'encre pâlissait ; il y avait bien des années que le prince Salim avait rédigé ce décret décernant à Ali Quli le titre de Tueur de tigre. Mehrunnisa s'attarda sur la curieuse phrase qui apparaissait au bas du document. « *Puisses-tu connaître la paix à jamais.* » Était-ce le prince qui avait écrit cela ? Non, ce ne pouvait être de sa main ; cela devait venir d'un clerc trop zélé. Néanmoins, c'était une étrange façon de clore un message officiel. Elle rangea le farman, remit le coffre sous sa collection de voiles multicolores puis retourna à la fenêtre.

Une soudaine exaspération s'empara d'elle. Elle eût donné n'importe quoi pour retourner à Lahore, ne fût-ce que pour une courte visite, pour retourner à la source du pouvoir, participer à la vie de la cour et trépider à ses intrigues.

Mais Ali Quli était en disgrâce, et où il allait, son épouse devait le suivre. Elle trouvait sa seule consolation dans les lettres mensuelles de bapa qui prenait, malgré ses obligations, le temps d'emplir chaque fois plusieurs pages de sa belle écriture. Il lui rapportait les rumeurs de la cour, les échos de la famille et, lorsqu'il le pouvait, lui donnait des nouvelles de l'impératrice douairière et du zénana. Plus encore que Lahore, son père manquait à Mehrunnisa ; elle rêvait de s'asseoir à nouveau dans le jardin avec lui, sous un ciel piqueté d'étoiles et de l'écouter parler, de lui montrer Ladli, sa petite-fille qu'il n'avait pas encore vue.

Au-dehors, la pluie ne cessait de tomber et les arbres ployaient sous un vent barbare. Elle frissonna. Elle avait l'impression que jamais plus elle ne quitterait le Bengale.

Cependant, à des milliers de lieues de là, à Lahore, l'empereur Jahangir allait et venait dans ses appartements, plongé dans ses pensées. Maintenant qu'il en avait fini avec Khusrau, il était temps de passer à des activités plus plaisantes.

14

Cette passion pour Mehr-ul-Nissa, que Salim avait refoulée par respect pour son père autant que par peur, lui revint avec une violence accrue lorsqu'à son tour il monta sur le trône de l'Inde. Il possédait dorénavant le pouvoir absolu ; rien ne saurait plus contrarier sa volonté ni ses plaisirs.

Alexander Dow – *Histoire de l'Hindoustan*

Jahangir poussa un soupir de contentement en s'adossant aux coussins de soie et desserra les fermetures de sa qaba afin de respirer plus librement. Il n'avait pas souvenir d'avoir jamais autant mangé, ni d'avoir eu, ces derniers temps, le temps de profiter agréablement d'un repas. Il venait de déguster des brochettes d'agneau cuits à la perfection ; marinées dans du jus de citron vert additionné d'ail et de romarin, elles avaient été cuites sur des braises ardentes. Il se tapota l'estomac et leva sa coupe emplie de vin rouge.

Il regarda les dames du harem assises autour de lui, revêtues de mousselines multicolores et qui lui souriaient à qui mieux mieux. Il n'avait pas encore décidé laquelle partagerait sa couche ce soir mais se réjouissait de les retrouver. Dans sa hâte à poursuivre Khusrau, il avait quitté Agra avec une suite des plus réduites. Quatre mois avaient passé avant qu'il pût ordonner au prince Khusrau d'escorter les dames jusqu'à Lahore.

La cour reprit alors sa vie habituelle. Jahangir commença par octroyer propriétés et faveurs à ceux qui avaient prêté main-forte à l'Empire durant la rébellion de Khusrau. Mahabat Khan et Muhammad Sharif reçurent d'importants mansabs accompagnés d'autres revenus.

Quelques mois plus tard, Jahangir apprenait qu'un mouvement de rébellion se levait dans le Bihar. Il décida d'y envoyer

Rajah Man Singh à la tête de son armée et le releva de son poste de gouverneur du Bengale. À sa place, Jahangir nomma Qutubuddin Khan Koka, son frère de lait ; il eût préféré le garder auprès de lui, mais ce dernier avait insisté pour obtenir ce gouvernement.

L'empereur reposa sa coupe et fit signe à une concubine de seize ans, qu'il venait d'ajouter à son zénana.

– Suis-moi dans la chambre, lui murmura-t-il.

– Oui, Votre Majesté.

Le timbre chantant de la jeune fille fit naître des frissons dans le dos de l'empereur.

Sans mot dire, les autres dames regardèrent le maître emmener sa dernière conquête.

La charge de l'État était parfois tellement pesante ! Jahangir écoutait d'une oreille distraite les proclamations du Mir Tozak à travers le Diwan-i-am. Les pétitions suivaient les distributions de jagirs et de mansabs, et le budget enregistrait chaque nouvelle décision. Le soleil lui donnait envie de rejoindre les dames dans les jardins ou de les suivre dans les nouveaux bains qu'il venait de faire installer.

– Votre Majesté ?

Tiré de ses pensées par le silence alentour, Jahangir jeta un regard irrité sur le Mir Tozak.

– Plaît-il ?

– Le diwan de l'Empire, mirza Ghias Beg, demande audience, Votre Majesté.

– Faites-le entrer.

Le père de Mehrunnisa effectua le konish de rigueur.

– Votre Majesté, je viens d'être informé de nouvelles inquiétantes en provenance de Kandahar. Les gouverneurs d'Herat, de Farah et du Sistan se sont alliés sous les ordres du chah Abbas de Perse pour attaquer la ville. Beg Khan, le gouverneur de Kandahar, a envoyé un courrier et demande l'assistance de l'armée impériale.

Jahangir s'assombrit.

– Comment est-ce possible ? Le chah Abbas est comme un frère pour moi. Un frère envahit-il les terres d'un autre frère ?

– Votre Majesté, il est impératif que nous y expédiions une armée. Kandahar est un centre de commerce de la plus haute importance pour l'Empire, le point de rencontre des marchands entre l'Inde et les pays du Couchant. Si nous l'abandonnons à la Perse, Kaboul et tout le nord-ouest de l'Empire risquent de subir le même sort.

Jahangir dut admettre le bien-fondé des arguments de Ghias Beg, Cependant, il ne pouvait croire que le chah Abbas eût entrepris d'attaquer Kandahar, alors qu'un an auparavant tous deux échangeaient encore des missives amicales et que le chah le félicitait pour son accession au trône.

– Très bien, finit-il par répondre. Qu'on envoie une troupe à Kandahar. Prends garde à ce que les soldats ne se montrent pas trop agressifs tant que cette affaire ne sera pas tirée au clair. Envoie un messager au chah de Perse pour l'informer de cette attaque. Il prendra les mesures requises à l'encontre de ses gouverneurs.

Ghias salua et recula. La voix de l'empereur l'arrêta :

– Mirza Beg, tu seras récompensé pour les services que tu rends à l'Empire.

– Je n'ai nul besoin de récompense, Votre Majesté. Néanmoins, je vous remercie.

Jahangir se tourna vers Muhammad Sharif :

– Comment ces gouverneurs osent-ils envahir notre province sans l'autorisation de leur chah ?

– Votre Majesté, nous venons de changer de régime et les gouverneurs auront cru que, dans la confusion consécutive à la transmission de pouvoir, ils pourraient s'emparer de Kandahar. Allah a voulu que Votre Majesté soit présente à Lahore et puisse superviser personnellement cette campagne.

– Certes… Avertis le zénana que nous reportons à plus tard le retour sur Agra.

Lorsque le darbar fut achevé, Jahangir regagna ses appartements et se rendit dans sa cour privée lesté d'un sac de grains. Les pigeons se précipitèrent pour picorer avidement ses mains ouvertes.

Non loin de lui retentit un discret éternuement qui fit fuir la plupart des oiseaux. Hoshiyar Khan s'approcha et remit une lettre scellée à l'empereur qui attendit que l'eunuque se fût éloigné pour l'ouvrir. Elle venait du Bengale. Jahangir la lut rapidement puis la posa près de lui et s'adossa au tronc du neem en plissant les yeux au soleil qui se reflétait sur le marbre de la cour. Ses espions avaient bien fait leur travail.

– Begam sahiba, voilà du courrier de Lahore.

La petite esclave présentait une lettre posée sur un plateau d'argent.

Mehrunnisa tendit le bras avant même que la fillette eût fini de parler. Des nouvelles de Lahore, enfin ! Près de trois mois s'étaient écoulés depuis la dernière lettre de son père. Ghias avait pour habitude de répondre promptement, mais ses nouvelles responsabilités quant au problème de Kandahar lui prenaient le peu de temps qui lui restait. Mehrunnisa déroula la missive en savourant le crissement du papier sous ses doigts et s'apprêta à lire. Comme toujours, bapa commençait par le mot « Bien » afin qu'elle sût, dès le premier coup d'œil, qu'il n'y avait pas lieu de s'inquiéter. Dans sa hâte à lui répondre, Mehrunnisa oubliait fréquemment de mentionner ce mot et, invariablement, Ghias l'en morigénait dans sa réponse. Ainsi, cette nouvelle lettre débutait par les mêmes reproches habituels :

« Ma chère Nisa,

« J'ai ta lettre devant moi et, encore une fois, tu as omis de m'indiquer que tout se passait bien pour toi, au Bengale. Il a fallu que je parcoure en hâte tout ton texte avant de comprendre qu'il en était ainsi. J'imagine que tu as hérité mon entêtement à ne pas suivre les instructions de ton bapa, car le mien me réprimandait souvent pour d'autres choses. Mais peu importe, quand je reçois tes lettres, cela me donne l'impression que tu es là, près de moi. Je me dis que dans un mois tu tiendras ce papier entre tes mains et que tu liras ces lignes.

« Comment va Ladli ? A-t-elle grandi ? Parle-t-elle beaucoup ? Le portrait d'elle que tu m'as envoyé me console un peu de ne pas vous voir en personne. Il paraît difficile d'affirmer à qui elle ressemble. À toi ? À maji ? Ou à moi, bien que je ne le lui souhaite pas ! Parle-lui de nous, ma fille ; qu'elle sache qui nous sommes et que nous existons même si elle ne nous connaît pas. »

Une petite main vint tirer la ghagara de Mehrunnisa. La jeune femme sourit à l'enfant qui s'accrochait à ses genoux et la fixait de ses yeux curieux en tendant la main vers la lettre :

– Donne.

– Non, ma chérie. Tu pourrais la déchirer. Va jouer avec le cheval et le chariot que Nizam t'a fabriqués.

Ladli secoua la tête :

– Donne-moi.

Comme Mehrunnisa tenait la lettre hors de sa portée, la petite grimaça, comme si elle allait éclater en sanglots.

– Viens ici, céda sa mère.

Elle déposa la lettre sur une table, hors de sa portée, prit l'enfant sur ses genoux et lui dégagea le front de quelques cheveux rebelles. La fillette se blottit contre elle, le pouce dans la bouche. Grâce à elle, cette longue année loin de bapa et de maji avait été à peu près supportable.

– Ça vient de ton dada, Ladli. C'est un grand homme, très important, le diwan de tout l'empire.

Mehrunnisa avait déjà passé de longues heures à raconter à l'enfant qui étaient ses grands-parents, mais aussi comment s'écoulait la vie à la cour moghole, à évoquer le luxe du zénana, l'argent qui s'écoulait avec la générosité du vin, le vin qui s'écoulait comme l'eau. Mais, par-dessus tout, elle avait parlé de Jahangir, l'empereur. Un jour, se disait-elle, elle l'emmènerait à la cour et la présenterait aux dames du harem, surtout à l'impératrice douairière, Ruqayya Sultan Begam.

Fixant la fillette, elle reprit son récit ; même si elle l'avait déjà entendu mille fois, les yeux de Ladli s'écarquillèrent de ravissement aux merveilles qu'elle entendait. Elle ne parlait pas encore beaucoup, mais sa mère était persuadée qu'elle comprenait tout. Peu après, elle s'endormit et Mehrunnisa la porta doucement dans son lit avant de la recouvrir d'un drap de coton. Ensuite, elle regagna sa place et reprit sa lecture :

« Mirza Massoud est revenu à Lahore ; il a passé plusieurs mois chez nous. Il a beaucoup vieilli et c'est aujourd'hui son fils aîné qui mène la caravane. Comme chaque fois, il a demandé de tes nouvelles, tu es toujours sa fille adoptive préférée et il a demandé que je lui lise toutes tes lettres. Je crains que nous ne puissions plus le voir, à moins d'aller nous-mêmes en Perse, car il supporte de moins en moins les voyages. Je n'oublierai jamais ma dette envers Mirza Massoud, ma chère Nisa : il t'a ramenée à moi. Je lui en serai éternellement reconnaissant.

Je crois pouvoir dire que Muhammad a fini par trouver sa place. J'avais espéré que le mariage et les enfants allaient l'assagir, mais il n'en a rien été. Il lui reste un côté indépendant, je dirais presque sauvage, que rien ni personne ne saura soumettre. Sais-tu que lorsque le prince Khusrau s'est évadé vers Lahore, il voulait partir avec lui ? Alors que l'empereur Jahangir s'est montré si bienveillant envers notre famille ! Nous n'en serions pas là sans les faveurs de Sa Majesté. Ton mari lui-même ne doit sa liberté et sa fortune qu'aux bonnes grâces de l'empereur. Remercions Allah que vous vous soyez trouvés au Bengale au moment de l'escapade de Lahore. »

Mehrunnisa ne put réprimer un petit sourire. Si bapa savait ! Mais elle n'avait rien dit à personne, surtout pas à bapa. Elle ne voulait pas que son mari tombât plus bas encore dans l'estime de son père. Toutefois, une autre pensée la préoccupait : elle revint sur le passage concernant Muhammad. Quelle folie l'habitait ? Il n'y avait jamais eu de familiarité entre elle et ce frère auquel elle préférait Abul. Muhammad lui avait toujours semblé agité, toujours à désirer ce qu'il ne possédait pas ; à présent, il voulait soutenir le prince Khusrau. Bapa l'avait empêché de commettre l'irréparable, Allah en soit loué !

« Mais il suffit. J'ai de bonnes nouvelles à t'apprendre. L'empereur a jugé bon de nous accorder une faveur plus grande encore en unissant nos deux familles. Rends-toi compte ! Sa Majesté a demandé la main d'Arjumand Banu pour le prince Khurram. Cette union attirera une grande distinction sur notre famille. Nous serons donc apparentés par alliance à la maison impériale... Qui eût cru que nous connaîtrions jamais une telle prérogative en Inde ?

La cérémonie des fiançailles aura lieu dans quelques mois, et ta maji et moi-même serions très heureux si tu pouvais y assister. Viens, ma chérie, et amène Ladli avec toi. Il y a si longtemps que nous ne nous sommes vus ! Cela te donne une excellente occasion d'effectuer ce voyage, ton époux ne pourra te le refuser. Je joins à ce message une lettre à son attention pour lui expliquer ma demande. Il est dommage que ton époux ne puisse se joindre à toi pour venir rendre ses hommages à l'empereur mais, si Allah le veut, cette discorde finira par s'effacer. En attendant, et en tout cas pour cette occasion, il te faudra venir seule. »

Au comble de l'agitation, Mehrunnisa reposa la lettre. Elle qui pensait tant à la cour moghole quelques instants auparavant ! Voilà qu'elle avait l'occasion d'y retourner si Ali Quli lui en donnait l'autorisation. Elle baissa la tête en priant intérieurement. *Fais qu'il dise oui !* Elle lut de nouveau la lettre. Arjumand Banu allait se fiancer au prince Khurram ! Sa nièce, épouser le troisième fils de l'empereur, le petit garçon élevé par l'impératrice douairière... Arjumand était la préférée des enfants d'Abul, sa perle. N'avait-il pas dit un jour à Mehrunnisa : « Si tu dois avoir un enfant, Nisa, qu'Allah fasse que tu aies une fille qui ressemble à Arjumand. Elle emplira ton cœur d'une joie incommensurable. »

La jeune femme contempla la fillette endormie près d'elle, les genoux ramenés sur sa poitrine. Abul avait raison. Il devait être fou de joie à l'idée de ce mariage. C'était un honneur sans précédent pour toute la famille. La petite Arjumand – elle n'avait pas quatorze ans – allait devenir princesse.

Naguère, Mehrunnisa elle-même pensait devenir princesse. Dorénavant, ce titre échoirait à sa nièce.

À contrecœur, Ali Quli accepta de laisser sa femme et sa fille se rendre à Lahore. Les requêtes de Ghias Beg étaient des ordres ; son beau-père était trop puissant pour qu'il se risquât à lui refuser quoi que ce fût.

Il les regarda partir d'un air sombre malgré le sourire heureux qu'elles-mêmes affichaient. Elles ne lui manqueraient pas, mais il ne goûtait pas pour autant cette désertion.

*
* *

– Elles sont arrivées !

À ce cri, Ghias Beg dévala l'escalier de pierre et déboucha dans la cour au moment où les porteurs déposaient le palanquin. Incapable de se retenir davantage, il se pencha pour aider les voyageuses.

La main fraîche de sa fille sortit des rideaux et s'appuya sur lui. Dès que Mehrunnisa fut debout, il l'étreignit puis recula pour la regarder.

Elle souleva son voile et sourit. La maternité avait donné à son visage une nouvelle plénitude, mais elle avait toujours la peau lisse, ses splendides yeux saphir et ses cheveux aile de corbeau qu'elle avait coiffés en arrière. Elle était mince et souple comme une jeune fille. Son père se pencha pour l'embrasser sur le front. Voilà trop longtemps que tous deux ne s'étaient pas vus.

– Tu n'as pas changé depuis ton mariage, Mehrunnisa.

Elle rougit et son regard brilla de joie.

– Merci, bapa. Je suis tellement contente d'être ici !

De nouveau, elle l'étreignit puis demanda soudain, l'air inquiet :

– Mais tu as vieilli. Prends-tu bien soin de toi ?

– Vieilli ? Moi ?

Il passa une main dans ses cheveux parcourus de fils blancs.

– Ah, tu veux parler de ceci ? Mais c'est un signe de sagesse, pas de vieillesse ! Le diwan de l'Empire doit avoir l'air digne !

Il regarda autour de lui.

– Où est ma petite-fille ?

– Ici ! cria une voix flûtée.

Ladli courut vers Ghias aussi vite que le lui permettaient ses jambes potelées et se jeta sur lui. Il la souleva de terre et l'étreignit, un immense sourire aux lèvres. Cette enfant qui ne le connaissait pas se précipitait dans ses bras en toute confiance.

– Sais-tu qui je suis ? demanda-t-il en reculant pour mieux l'observer.

Elle était minuscule, presque un modèle réduit de sa mère, avec ses deux tresses noires, mais les sourcils de son père sur un large front ainsi qu'un menton pointu qu'elle haussait avec fierté.

– Oui, tu es Dada. Maman dit que tu es un très grand homme, lança-t-elle d'un seul trait.

Ghias Beg rugit de plaisir avant de se tourner vers sa fille, les yeux étincelants.

– Elle parle déjà beaucoup ! Elle fait de vraies phrases, comme toi à son âge, toujours pressée de tout commenter.

Là-dessus, il revint à l'enfant qui gardait les bras autour de son cou :

– Et alors ? Que t'a encore dit maman ?

– Que l'empereur Jahangir est beau.

– Ladli ! s'écria Mehrunnisa. Assez bavardé. Rentre à la maison.

– Laisse-la.

Sous le regard de son père, elle baissa les yeux. Il la dévisagea d'un air perplexe. Si Allah en avait décidé autrement, peut-être serait-elle impératrice aujourd'hui… Il fut arraché à ses pensées par Ladli qui lui tirait la barbe pour capter son attention.

– Où est Dadi ? demanda-t-elle d'un ton péremptoire.

– À l'intérieur, elle t'attend.

Tenant l'enfant d'un bras, il passa l'autre sur l'épaule de sa fille et tous trois entrèrent dans la maison.

Les jours suivants, la demeure de Ghias Beg fut mise sens dessus dessous par les préparatifs des fiançailles. L'empereur en personne devait y assister. Un bataillon de servantes, armées de brosses et de balais, s'abattit sur la maison qui fut nettoyée dans ses moindres recoins, les tapis sortis, secoués et battus, les sols lustrés, les vitres lavées, les murs blanchis à la chaux, les cuivres et l'argenterie astiqués. On prépara des cadeaux pour le fiancé et pour l'empereur. Partout s'élevaient divers arômes, encens et essences. À l'office, les cuisiniers s'activaient à préparer le festin. Sucreries et pâtisseries mijotaient sur des poêles de fonte. Dans chaque pièce éclataient de somptueux bouquets de fleurs.

Enfin, le grand jour arriva.

Les hommes s'assemblèrent dans la cour derrière Ghias, les dames se massèrent sur les balcons, le visage voilé. Toute la matinée, des estafettes du palais, des ministres, des gardes et des courtisans se succédèrent pour vérifier les installations et la sécurité, pour donner des ordres de-ci de-là, jusqu'à porter la mère de Mehrunnisa au bord de l'évanouissement. Et la cérémonie n'avait même pas commencé !

Enfin, arrivèrent les serviteurs personnels de l'empereur.

– Le cortège est parti. Préparez-vous !

Mehrunnisa vit son père tirer sur sa qaba et s'assurer que sa dague d'apparat était bien fixée à sa ceinture. Il arborait une mine aussi inexpressive que solennelle. Mais elle savait très bien qu'au fond il était tendu. À côté de lui se tenait Abul, éclatant de fierté. Lui aussi avait vieilli ; sa sœur ne l'avait pas vu depuis des années et elle lui trouvait aussi quelques cheveux blancs. Cependant, il restait toujours aussi taquin et, au début de la matinée, il avait pu s'en donner à cœur joie avec Ladli qui finit par réclamer à cris aigus d'être portée sur ses épaules pour se promener dans le jardin. Abul et Mehrunnisa n'avaient pas trouvé beaucoup de temps pour bavarder, mais il avait prononcé une phrase, l'air émerveillé, qui avait suffi à révéler ce qu'il pouvait ressentir :

– Arjumand va être princesse, Nisa. Imagine ! Ma petite Arju, princesse !

Puis, sur le point de la quitter, il avait ajouté :

– Comment devrai-je l'appeler quand elle sera mariée au prince Khurram ?

Cependant, il était heureux. Comme eux tous. Et empli de fierté en raison de l'honneur qui était ainsi fait à leur famille.

Peu après, la fanfare impériale faisait son entrée dans la cour.

L'assistance laissa échapper des exclamations extasiées à l'apparition des deux éblouissants cavaliers. Même Ghias Beg, qui avait souvent vu l'empereur dans ses tenues d'apparat, ne put réprimer un soupir d'admiration.

Jahangir et le prince Khurram chevauchaient en tête du cortège, suivi de leurs courtisans. Les diamants, émeraudes et rubis qui constellaient leurs vêtements scintillaient au grand soleil. Tout le monde plongea dans un profond taslim.

Ghias se redressa le premier pour aller aider l'empereur à descendre de cheval.

Le cœur battant à tout rompre, Mehrunnisa se pencha sur le balcon pour mieux apercevoir Jahangir. Enfin elle le retrouvait !

Ladli tira sur sa ghagara :

– Maman, je veux voir l'empereur !

Sa mère la souleva dans ses bras.

Elles regardèrent en silence s'accomplir les formalités d'usage. L'empereur et le prince Khurram se tenaient maintenant devant Ghias qui prononçait son discours de bienvenue.

Mehrunnisa n'avait pu fermer l'œil de la nuit. Trouverait-elle Jahangir changé ? Sa nouvelle charge lui aurait-elle donné de la dignité ? La jeune femme pouvait à présent constater qu'il en était bien ainsi. Il semblait plus calme, plus serein, plein d'une assurance qu'elle ne lui connaissait pas. La couronne seyait à sa tête.

Dans son ardeur, Mehrunnisa se pencha un peu trop et faillit basculer de l'autre côté avec l'enfant. Elle se redressa vivement et, tenant fermement Ladli contre elle, continua de dévorer Jahangir des yeux, observant le moindre détail de son apparence : les tempes grisonnantes qui se devinaient sous son turban, les rayons de lumière captés par sa tenue éclatante, son rire un peu caverneux lorsque Ghias Beg fit une plaisanterie qui lui plut. Elle attendait, le souffle court, qu'il jetât un coup d'œil vers le balcon, afin qu'elle pût bien voir son visage.

– Mama !

Ladli posa une menotte sur son visage pour attirer son regard.

– C'est lui, le prince Khurram ? Qu'il est beau !

De nombreuses années auparavant, Mehrunnisa avait pensé la même chose au sujet du prince Salim. Elle devait reconnaître que ce petit Khurram, qu'elle avait parfois gardé au zénana, était devenu un beau garçon ; Arjumand avait beaucoup de chance. Il restait immobile, regardant autour de lui d'un air incertain, comme s'il était intimidé de se voir ainsi l'objet de toutes les attentions. Mais quoi de plus naturel quand on avait tout juste quinze ans ? Il changeait souvent de pied d'appui, frottait son menton glabre et observait les palanquins qui arrivaient dans la cour.

Les dames du zénana descendirent une à une, conduites par une personne qui disparaissait complètement sous ses voiles. Sans doute l'impératrice Jagat Gosini. Mehrunnisa en fut certaine lorsqu'elle la vit se diriger vers Khurram et adresser un vague salut de tête à Ghias qui s'inclinait devant elle.

Quel dommage que Ruqayya ne fût pas là ! Elle avait préféré rester à Agra. Mehrunnisa eût aimé la revoir mais comprenait qu'elle ne voulût pas céder le pas devant Jagat Gosini et les autres épouses de Jahangir.

Les formalités accomplies, l'empereur, l'impératrice, le prince Khurram et les dames pénétrèrent dans la maison. Mehrunnisa reposa Ladli par terre en s'apprêtant à accueillir les pensionnaires du zénana.

Les cérémonies de fiançailles se déroulèrent dans la plus grande solennité. Les dames de la maison de Ghias Beg et les épouses de l'empereur y assistèrent derrière un écran de soie. Arjumand occupait le premier rang, proche du parda, un voile à sequins d'or sur le visage. À plusieurs reprises, Khurram jeta un regard dans sa direction et, chaque fois, les dames partirent de petits rires qui l'obligeaient à se détourner aussitôt. Mehrunnisa se pencha vers sa nièce :

– Il est très beau, ma chérie.

Elle reçut, pour toute réponse, un hochement de tête intimidé. Les hommes se tenaient au milieu de la salle : les *qazis* d'un côté, Jahangir et Ghias Beg de l'autre. Les qazis enregistrèrent l'engagement d'Arjumand Banu Begam, fille d'Abul Hasan et petite-fille de Ghias Beg, auprès du prince Khurram, fils de l'empereur Jahangir. Ghias signa le contrat et salua le souverain avant de lui remettre la plume d'oie. Mehrunnisa se dit que Khurram allait au-devant d'une bonne surprise. Sa nièce était la plus jolie de toutes les femmes de la famille. Lorsqu'il lèverait le voile, il serait comblé.

Après la cérémonie, les serviteurs apportèrent des assiettes de curry de chevreau et de poulet, des plateaux de poissons d'eau douce grillés à l'ail et au jus de citron, des pilafs au safran agrémentés de grains de raisin, de noix de cajou et de noix, et des pots d'argent emplis de *khus* et de sorbets au gingembre. Les hommes mangèrent d'un côté de la salle et les femmes de l'autre, séparés par de longues tentures de mousseline.

Derrière le parda ainsi dressé, Mehrunnisa ne quittait pas Jahangir des yeux. Elle se tourna vers Jagat Gosini qui tenait sa cour dans un coin de la pièce, les dames papillonnant autour d'elle. L'impératrice avait une voix de plus en plus impérieuse, un regard plus arrogant que jamais, et elle haussait les sourcils avec dédain lorsque quelque chose lui déplaisait. Exactement comme Ruqayya.

Un léger sourire effleura les lèvres de Mehrunnisa. Toutes ces simagrées avaient durci les traits de Jagat Gosini. Ce n'était pas grave pour Ruqayya, qui était née laide et devait faire appel à d'autres qualités pour conserver sa place au zénana et dans le cœur d'Akbar. Mais Jagat Gosini était belle… ou, plutôt, l'avait été. Maintenant, elle ne souriait presque plus et sa bouche ne présentait qu'un mince filet serré, une moue désapprobatrice. Qu'en pensait Jahangir ? Il n'était pas attiré par les femmes à la mine allongée et au regard morose. Pour autant qu'elle s'en souvînt, il préférait les personnes gaies, charmeuses et spirituelles.

– Ce *burfi* est infect !

Tirée de ses pensées par la voix de Jagat Gosini, Mehrunnisa la vit qui repoussait son assiette de pâtisseries à la noix de coco.

– Je vous demande pardon, Majesté, s'empressa de répondre Asmat Beg. Je vais vous en faire apporter une autre part.

– Non, je n'en veux plus. Donne-moi un verre de vin.

– Tout de suite, Votre Majesté.

Mehrunnisa se rembrunit. Depuis qu'elle était entrée dans cette maison, Jagat Gosini ne cessait de se plaindre. Soit la nourriture n'était pas cuite à la perfection, soit les servantes étaient paresseuses, et mille autres choses encore... Et la malheureuse Asmat de s'empresser pour tâcher de lui choisir les plus succulents pilafs, les plus belles parts de curry, les plus délicates pâtisseries. À tel point qu'elle n'avait pas eu le temps de s'asseoir et de manger un peu. Elle semblait harassée, des cheveux s'échappaient de son chignon habituellement impeccable et son voile avait glissé sur ses épaules. Elle qui s'était donné tant de mal pour préparer cette fête n'en était guère récompensée.

Et voilà que l'impératrice lui donnait des ordres comme à une domestique. Irritée, Mehrunnisa se leva et s'approcha de sa mère :

– Je vais apporter son vin à l'impératrice. Assieds-toi un peu.

Guidant Asmat vers son divan, elle lui fit prendre sa place.

– Je veux mon vin ! s'exclama Jagat Gosini.

– Toute de suite, Votre Majesté ! Ma mère est fatiguée ; je vous servirai mieux.

– Qui es-tu ?

– Mehrunnisa. L'épouse d'Ali Quli.

Elle s'en alla verser le vin dans une coupe.

Lorsqu'elle la tendit à Jagat Gosini, celle-ci demanda :

– Où t'ai-je déjà vue ?

Que dire ? Que répondre ? Tout de même pas *Khurram* ? Si elle prononçait le nom du prince, Jagat Gosini se rappellerait tout. Mehrunnisa préféra laisser un temps de silence flotter délicatement entre elles puis finit par répliquer :

– Je ne sais pas, Votre Majesté.

L'impératrice rougit, sentant confusément qu'elle avait été jouée, et se détourna. Soudain, sa voix retentit de nouveau, mordante :

– Maintenant, je me souviens de toi ! Tu as épousé ce soldat persan de mauvaise réputation.

Mehrunnisa lui jeta un regard noir et préféra se taire.

– Dis-moi, murmura l'impératrice en claquant des doigts pour attirer l'attention des dames autour d'elle, la dernière fois que j'ai demandé de tes nouvelles, tu n'avais pas d'enfant. Depuis combien de temps es-tu mariée ?

Mehrunnisa l'interrogea d'un ton suave :

– Votre Majesté a demandé de mes nouvelles ? Moi, une simple femme de soldat ? Pourquoi ?

– Je... L'empereur... Nous aimons connaître le sort de nos sujets. De tous nos sujets, même de ceux qui ont trahi le trône comme ton mari. Réponds-moi, maintenant : depuis combien de temps es-tu mariée ?

– Treize ans, Votre Majesté.

– Et tu n'as toujours pas d'enfant ? Ton mari devrait prendre une autre épouse, si ce n'est déjà fait – une femme qui lui serve à quelque chose.

– J'ai un enfant, Votre Majesté, rétorqua Mehrunnisa en contenant sa rage.

Elle s'éloigna de Jagat Gosini, bousculant au passage une dame du harem, puis revint en tenant Ladli par la main.

L'impératrice contempla la fillette, ses grands yeux gris, sa masse de cheveux noués dans la nuque, ses joues roses, son ventre dégagé où le minuscule choli de soie ne rejoignait pas tout à fait le haut de sa ghagara.

– Jolie enfant ! murmura-t-elle.

Elle prit deux de ses bracelets d'or et les tendit à la petite.

– Tiens, prends.

Sentant la gêne de sa mère, Ladli fit la moue et secoua la tête :

– Veux pas. Tu peux les garder.

Le regard étincelant de colère, Jagat Gosini releva la tête vers Mehrunnisa.

– Tu n'as donc donné qu'une fille à ton mari ? Et insolente, encore ! Tu devrais lui enseigner la politesse. Les roturiers ne doivent jamais refuser un cadeau de la part d'une personne de sang royal

– C'est que notre famille sera bientôt associée à la vôtre, Votre Majesté. Nous ne serons donc plus roturiers.

– Ce sera grâce à moi, Mehrunnisa, ne l'oublie jamais !

Elle tendit de nouveau les bracelets à Ladli.

– Prends-les, petite. Je te l'ordonne.

Mehrunnisa se pencha vers Ladli et saisit les bracelets en disant :

– Merci, Votre Majesté.

Elle salua et toutes deux s'éloignèrent, la tête droite, du cercle formé autour de l'impératrice. Dès qu'elles furent sorties de la pièce, elle envoya Ladli jouer avec ses cousines puis courut dans le jardin baigné de lumière. Elle se pencha sur le puits et jeta les bracelets dans l'eau en les regardant briller une dernière fois au soleil.

Jamais sa fille ne porterait un cadeau fait avec de telles arrière-pensées. Tremblante de fureur, Merhunnisa s'assit au bord de la margelle pour tenter de reprendre ses esprits. Elle avait failli se laisser emporter par sa virulence, au risque de rompre les fiançailles d'Arjumand. Bien que cette union eût sans doute été une idée de Jahangir, un caprice de Jagat Gosini aurait facilement pu tout gâcher. Quelle sotte elle avait été ! Elle eût déshonoré bapa, maji, Abul… Quant à Arjumand, la malheureuse n'eût jamais pu se marier : nul prétendant n'eût osé se présenter après un prince du sang.

Mehrunnisa resta assise un long moment, sentant peu à peu le soleil chauffer sa tête découverte. Puis, reprenant contenance, elle retourna dans la maison pour prêter main-forte à sa mère.

Dans l'après-midi, alors que le soleil était encore haut dans le ciel, courtisans et domestiques se dispersèrent parmi les bosquets ombrageux pour y faire la sieste ou répondre à quelque rendez-vous galant.

La pièce était fraîche et sombre, des tentures de khus avaient été tirées sur les fenêtres, que les domestiques arrosaient de temps à autre. Les joncs de khus poussaient au bord des rivières où se répandait leur odeur entêtante. Coupés et tressés en tapis, il suffisait de les asperger pour qu'ils embaument toute une maison. Le vent chaud des plaines du Gange s'était miraculeusement métamorphosé en brise fraîche, si bien que cela devenait un véritable délice de se reposer à l'abri des tentures odorantes. Après la longue cérémonie, plus personne ne voulait bouger, et le lourd repas entraînait chacun vers une bienfaisante sieste.

Le silence était tombé sur la pièce, à peine troublé par le doux gargouillis des pipes à eau et les conversations à voix basse des plus jeunes pensionnaires du harem. La fumée bleue des hukkahs flottait au plafond où elle se mélangeait avec l'encens de santal.

Ladli dormait, la tête sur les genoux de Mehrunnisa. Elle ne cessait de bouger, aussi sa mère lui caressait-elle le dos pour la calmer. Mehrunnisa s'installa plus confortablement contre le mur et regarda autour d'elle. Jagat Gosini dormait sur un divan, la tête reposant sur un coussin de velours ; elle ne bougeait pas, les mains croisées sur sa poitrine. Au repos, son expression était plus douce et elle paraissait aussi jeune que le jour où Mehrunnisa l'avait rencontrée dans le jardin de Ruqayya.

Soudain, la tenture de khus qui obstruait la porte fut relevée, inondant la pièce de soleil. Mehrunnisa se protégea les yeux de la main. La silhouette d'un homme se dessinait dans l'encadrement, le visage impossible à discerner mais ce n'était pas nécessaire. Elle l'avait aussitôt reconnu à son turban. Jahangir avait toujours aimé les grandes plumes de héron.

Interdite, Mehrunnisa ne bougea plus, le cœur battant si fort qu'elle avait l'impression d'en être devenue sourde. Elle agrippa l'épaule de Ladli.

– Votre Majesté, vous êtes venu nous rejoindre ! s'exclamèrent quelques dames ravies.

Aussitôt toute la pièce se mit à bourdonner de jeunes femmes qui se levaient et venaient saluer l'empereur. Elles jetaient des regards furtifs aux petits miroirs qu'elles portaient en bague au pouce pour s'assurer que leur coiffure et leur maquillage étaient seyants. Certaines concubines allèrent jusqu'à se pendre à son bras et à l'entraîner vers leurs divans.

Jahangir se mit à rire et en enlaça une. Ravie, l'élue l'emmena vers son siège. C'est alors que Jagat Gosini éleva la voix :

– Je suis là, Majesté.

Il lui jeta un coup d'œil et se dégagea doucement des mains de la concubine après lui avoir murmuré quelques mots à l'oreille. Celle-ci s'éloigna en faisant la moue tandis que Jahangir allait s'asseoir près de l'impératrice.

– Félicitations, ma chère ! observa-t-il aimablement. Tu vas avoir une très jolie bru.

– Merci, seigneur. En vérité, nous sommes fortunés de faire alliance avec la famille de Mirza Beg.

Merhunnisa en resta bouche bée. Était-ce cette même impératrice qui l'avait tant raillée deux heures auparavant ? Jagat Gosini minaudait comme une adolescente. Mais Jahangir semblait insensible à ses tentatives. Il ne cessait de regarder la jolie concubine qui s'était langoureusement allongée sur un divan et lui offrait un florilège de ses poses les plus alanguies. Pourtant, il restait près de l'impératrice ; il voulait l'honorer le jour où son fils se fiançait.

– Asmat, donne du vin à l'empereur, ordonna Jagat Gosini sans quitter son maître des yeux. Asmat !

– J'y vais, Votre Majesté, dit Mehrunnisa frémissante de colère.

Sa mère était retournée depuis longtemps à l'office. Comment l'impératrice osait-elle traiter sa mère de la sorte ?

– Qu'attends-tu ? insista Jagat Gosini.

Soudain, voyant Mehrunnisa se lever, elle se ravisa :

– Pas toi, appelle une domestique.

– Votre Majesté, il n'y a pas de domestiques ici. Je suis seule pour vous servir.

Là-dessus, elle saisit le plateau posé à côté de Jagat Gosini. Celle-ci secouait la tête en regardant la porte, comme pour lui suggérer de s'éclipser.

Faisant mine de n'avoir rien vu, Mehrunnisa versa le vin dans un gobelet qu'elle tendit à Jahangir.

Lorsqu'il tendit la main, elle sentit son cœur battre, pourtant il ne la regarda même pas. Leurs doigts s'effleurèrent brièvement. *Regarde-moi !* Il n'en fit rien, trop occupé par les appas de la concubine. Redoublant d'audace, Mehrunnisa recula brusquement. L'empereur n'avait pas encore saisi le gobelet qui tomba par terre dans un claquement métallique, répandant le vin sur le divan et tachant la ghagara de l'impératrice. Mehrunnisa, quant à elle, se trouvait à l'abri de toute projection.

– Petite sotte ! s'exclama Jagat Gosini en se levant d'un bond. Tu ne sais pas servir du vin ?

Mehrunnisa soutint son regard mais, du coin de l'œil, elle vit Jahangir lever un instant la tête sur elle, revenir à la concubine, puis rester interdit.

– Je vous présente mes excuses, Votre Majesté, dit-elle d'un air innocent. Cela ne se reproduira pas.

– Je ne te le conseille pas. Va chercher des serviettes.

– Attends !

La voix de l'empereur avait résonné. Il se leva en vacillant.

– Qui es-tu ?

En parfaite comédienne, elle lui sourit. Au Bengale, Ali Quli ne la regardait jamais et les coolies la lorgnaient stupidement ; et voilà pourtant qu'elle attirait l'attention de l'homme qui avait tout et plus encore. C'était la sensation la plus délicieuse du monde !

– La fille de Mirza Ghias Beg, Votre Majesté.

Jahangir la dévisageait tel un homme assoiffé devant une fontaine. Elle était là, devant lui. Les années parurent s'effacer et ce fut comme s'ils se trouvaient sur la véranda de Ruqayya. Il savait parfaitement qui elle était, mais il avait posé la première question qui lui fût venue à l'esprit.

Il prit une longue inspiration, un peu tremblée. Son interlocutrice avait un nez aristocratique, les lèvres comme des boutons de rose, une silhouette élancée. Si les peintres de la cour la voyaient, ils la supplieraient tous de poser pour eux.

Ses seins palpitaient sous son choli de soie. Elle rougissait, ce qui ne lui en donnait que plus de charme, et ne bougeait pas d'un pouce, les bras le long du corps, les mains ornées de bagues de diamants et de rubis.

Mehrunnisa leva les yeux sur Jahangir et en éprouva un choc. Ce qui avait commencé comme un jeu pour agacer Jagat Gosini prenait un tour beaucoup plus sérieux. Elle avait envie de le toucher, juste de lui tenir la main et de sentir la tiédeur de sa peau sur la sienne. Avec lui, cet homme qu'elle ne connaissait que de loin, elle se sentait à l'abri, comme si elle n'avait plus rien à prouver. Il serait pour elle ce port où elle pourrait amarrer et laisser reposer ses pensées. Soudain, elle se sentit lasse de toutes ces années, de son désir de le revoir, de son désir d'un enfant, de n'avoir pu réaliser qu'une seule de ses aspirations sur un si long laps de temps.

– Seigneur, je suis trempée, geignit Jagat Gosini. Envoie-la me chercher des serviettes.

– Envoie quelqu'un d'autre, ma chère, dit Jahangir en repoussant le bras qu'elle avait posé sur lui. Je voudrais lui parler.

Il se retourna vers Mehrunnisa et reprit d'une voix douce :

– Quel est ton nom ?

Bien sûr qu'il connaissait son nom ! Combien de fois ne se l'était-il répété ? Mais il voulait l'entendre le prononcer.

– Mehrunnisa

– Soleil des femmes…

Il articulait ces mots comme s'il les dégustait. Il la contempla longuement :

– C'est vrai, ajouta-t-il.

Elle frissonna sous ce regard inquisiteur. Elle avait l'impression qu'il la déshabillait, tant de ses vêtements que de ses émotions, afin de percer ses plus profonds secrets. Y verrait-il de l'amour ? Y verrait-il treize années de désir ? Elle constatait qu'il ne l'avait pas oubliée et cette pensée l'électrisa. Il lui était si facile, à elle, de se souvenir de lui ! Elle pensait à lui depuis l'âge de huit ans. Mais que lui parvînt à la garder en mémoire… Cependant, il n'avait pas fait la moindre tentative pour la retrouver depuis qu'il était empereur. Que fallait-il en conclure ? Qu'allait faire Jahangir ? Il n'avait plus de père pour contrecarrer ses désirs, désormais.

– Votre Majesté, j'ai besoin de Mehrunnisa à l'office, lança la voix d'Asmat. Elle doit donner des instructions aux cuisinières.

Tout à coup, Mehrunnisa n'avait plus aucune envie de bouger. L'empereur avait le pouvoir de métamorphoser sa vie, pourquoi ne pas saisir cette occasion ? Elle se raidit, et Asmat devinant son attitude, qu'elle ne connaissait que trop, ajouta calmement :

– Je vous en prie, Votre Majesté.

– Envoyez quelqu'un d'autre, dit Jahangir.

– Je vous demande pardon Votre Majesté, mais... ma fille est mariée et...

Jahangir se tourna comme s'il venait seulement de saisir ce qu'elle voulait.

– Je comprends. Tu as ma permission de t'en aller, Mehrunnisa.

Cette dernière salua et sortit. Elle força ses pieds à la mener vers la porte, sentant les regards de Jahangir et de Jagat Gosini posés sur elle. Elle ne put s'empêcher de se retourner et frissonna de nouveau. L'empereur la fixait d'un œil concupiscent, l'impératrice avec une haine implacable.

Sur le seuil, elle hésita encore. Asmat la poussa d'une main ferme dans le dos.

Cette nuit-là, Mehrunnisa ne dormit pas. Asmat n'avait pas dit un mot, si ce n'était pour la retenir à l'office sous un prétexte fallacieux. Quelques heures plus tard, le thé fut servi, puis la cour rentra au palais. La famille finit par se retirer dans ses chambres respectives, contente de pouvoir enfin goûter un repos bien gagné – si bien que Mehrunnisa n'avait pas eu l'occasion de parler avec sa mère.

Avait-elle bien fait de vouloir attirer à nouveau l'attention de Jahangir ? Ses précédentes tentatives pour le séduire semblaient aujourd'hui enfantines, surtout avec de tels enjeux. Il y avait beaucoup, infiniment plus à gagner… et à perdre.

Jahangir avait perdu ce caractère emporté qu'elle lui connaissait. Le jeune homme irréfléchi avait fait place à un homme puissant et sûr de lui, charmant et cruel. Toute sa vie, il avait obtenu ce qu'il voulait. Personne ne lui avait jamais rien refusé et, en tant qu'empereur, personne ne pouvait plus rien lui refuser.

Elle se leva, posa un châle sur ses épaules et se rendit à la fenêtre, regarda la cour maintenant déserte. Il faisait sombre, mise à part la petite tache de lumière prodiguée par une lampe accrochée au-dessus de l'entrée des écuries. Que pouvait bien faire l'empereur en ce moment ? Son sens de la justice était légendaire ; le peuple, à travers le pays, ne parlait que de ses douze édits et de la chaîne de justice. Pourtant sa cruauté était tout aussi légendaire. Il ne reculait jamais devant les exécutions en masse, infligeant aux condamnés les pires tourments. Si Jahangir voulait Mehrunnisa, alors Jahangir obtiendrait Mehrunnisa. Mais à quel prix ? Elle était mariée et appartenait à Ali Quli.

Pourtant, son mariage avec ce soldat, leurs relations désastreuses, l'absence d'enfant pendant si longtemps, toutes les moqueries qu'elle avait subies, pour finir par ne mettre au monde qu'une fille… ? À présent, elle se sentait tiraillée. Une part d'elle-même désirait ne se consacrer qu'à Ladli, dont le moindre souffle lui était un cadeau ; l'autre part aspirait à retrouver Jahangir, l'homme qui la faisait rêver depuis tant d'années.

La situation devenait difficile, trop difficile. Mehrunnisa se retourna vers sa chambre en soupirant et s'allongea dans son lit, faisant remuer Ladli qui posa une petite jambe sur le ventre de sa mère ; celle-ci demeura encore un long moment éveillée puis s'obligea à fermer les yeux. Elle devait absolument dormir, sinon elle ne serait pas de taille à affronter le sermon que ne manquerait pas de lui infliger sa mère dès le matin.

Ghias Beg serra les flancs de sa monture pour la faire accélérer. L'empereur l'avait appelé de toute urgence. Il était surpris par cette soudaine convocation et se demandait ce qui l'attendait. Il s'était à plusieurs reprises rappelé les événements de la veille. Qu'avait-il fait qui pût déplaire à Jahangir ? Tout s'était bien passé. L'empereur avait paru satisfait et ses cadeaux plus que généreux avaient comblé Arjumand.

Toujours dubitatif, il se présenta dans le grand salon où l'attendaient Mahabat Khan et Muhammad Sharif, debout, entourant Jahangir.

– *Inchah Allah*, Votre Majesté.

– *Inchah Allah*, Mirza Beg. J'ai beaucoup apprécié la cérémonie de fiançailles que tu as organisée, hier. L'union de nos deux familles sera un avantage pour chacun de nous.

– Votre Majesté est trop bonne. L'honneur est pour nous.

– Certes, certes. Mais ce n'est pas la raison pour laquelle je t'ai fait venir.

Ghias Beg se tut et attendit.

– Tu as une fille mariée, je crois ?

– J'en ai quatre, Votre Majesté, par la grâce d'Allah.

Jahangir eut un geste impatienté.

– Je parle de Mehrunnisa, celle qui a épousé Ali Quli.

– Oui, Votre Majesté.

– Son mari est un dissident. Il s'était rallié à mon fils rebelle, Khusrau, alors que mon père régnait encore sur le pays, afin de l'aider à monter sur le trône à ma place. J'ai pardonné sa trahison avec mansuétude.

– Votre Majesté est très bonne. Mon gendre s'est laissé abuser et entraîner par des factieux, mais je sais qu'il en éprouve le plus grand regret.

– Certes, certes. Néanmoins, il a commis un grand crime et doit payer pour ses fautes. Est-ce que tu comprends ?

– Votre Majesté… je… Ali Quli vous est loyal, dorénavant…

– Ta fille, Mehrunnisa, est très belle et tout à fait charmante. J'ai eu une entrevue des plus plaisantes avec elle, hier. Elle ferait honneur à n'importe quelle maison. Pour tout dire, elle est digne d'un roi.

Tout d'un coup, le diwan comprit la raison de cette convocation au palais. L'empereur voulait invoquer la *tura-i-chingezi*, la loi des Timour. Cela revenait à forcer Ali Quli à divorcer de Mehrunnisa pour que l'empereur pût l'épouser.

La tura-i-chingezi était assez répandue et tout homme devait s'estimer honoré de céder son épouse à l'empereur. Mais Ali Quli était frondeur et indocile. Ghias avait, à part soi, poussé un soupir de soulagement lorsque son gendre avait été envoyé à Bardwan, loin de la cour, car, s'il était resté à proximité, il eût tôt ou tard provoqué des remous. Et voilà que Jahangir voulait lui ravir son épouse…

Ghias Beg en restait sans voix. Il releva la tête et comprit que l'empereur attendait sa réponse.

– Vos désirs sont des ordres, Votre Majesté. Je ferai tout ce qui est en mon pouvoir pour assurer votre bonheur – et celui de ma fille !

Que pouvait-il dire d'autre ?

Jahangir parut rasséréné.

– Tu peux te retirer, maintenant.

Ghias s'en alla, laissant derrière lui un Jahangir plongé dans ses chimères. Bientôt, il dormirait auprès de la belle Mehrunnisa et en s'éveillant il contemplerait sa svelte silhouette à côté de lui… ces yeux magnifiques qui l'émerveillaient…

– Votre Majesté.

La voix de Mahabat Khan le tira de ses rêves.

– Je vous demande pardon, mais… Êtes-vous certain d'avoir bien choisi ? Cette femme vit depuis treize ans auprès d'Ali Quli et ne peut que nourrir un certain ressentiment à l'encontre de Votre Majesté pour les sanctions infligées à son époux.

– Ta sollicitude pour mon bien-être est des plus gratifiantes, Mahabat. Mais si tu l'avais vue, hier, si tu avais contemplé cette beauté, ce charme, cette grâce réunis en une seule personne… Elle est l'essence de la féminité…

Jahangir s'interrompit brusquement.

– Votre Majesté, le pressa Mahabat. Je vous conjure de reconsidérer vos désirs.

Mais le Soleil des femmes, Mehrunnisa, avait subjugué l'empereur et celui-ci n'aurait de cesse de la faire sienne.

En offrant Khurram à la petite-fille de Ghias, Jahangir pensait honorer le diwan. Mais il n'avait pas oublié pour autant que c'était le père de Mehrunnisa et qu'elle aussi serait heureuse de cette alliance. Sans trop savoir pourquoi, il ne s'était pas du tout attendu à la voir aux fiançailles. Elle habitait le Bengale, aux marches de l'Empire ; cependant, elle avait franchi cette immense distance pour assister à la cérémonie. À sa vue, il avait cru se consumer de l'intérieur, brûler d'un feu insatiable. Depuis des années, elle ne représentait pour lui qu'un rêve irréalisable, un souvenir lointain. En la revoyant soudain devant lui, il comprit qu'il ne pouvait plus revenir en arrière. Ali Quli devenait quantité négligeable.

Il n'avait pas hésité à invoquer la tura-i-chingezi. Sans en souffler mot à Mahabat ni à Sharif, il avait reçu une lettre un mois auparavant. Ses espions lui rapportaient une histoire contée par un jeune esclave nommé Nizam. Lorsque Khusrau avait pris la fuite pour Lahore, Ali Quli voulait partir le rejoindre. La sahiba l'en avait dissuadé.

L'avait-elle fait pour lui, Jahangir ? Et maintenant, accepterait-elle d'entrer dans son zénana ? Il se prit à douter. Pourtant, elle devait être sienne. Il baissa la tête, ferma les yeux. Fasse Allah qu'elle vienne, même si elle ne l'aimait pas ! Jahangir saurait lui montrer ce qu'elle représentait pour lui. Soudain, il se rappela son petit air rieur, sa réticence à quitter la pièce. Ne pouvait-il y voir quelque signe d'espoir ?

– Eh bien ? demanda la silhouette voilée. Que s'est-il passé ?

Mahabat Khan jeta un rapide regard autour de lui et entraîna la femme sous une tonnelle fleurie de jasmin. À quelques pas d'eux, le grand eunuque du harem, Hoshiyar Khan, faisait le guet devant les *diyas* de terre cuite dont les flammes vacillaient dans la nuit.

– Votre Majesté, souffla Mahabat, j'ai échoué. L'empereur désire invoquer la tura-i-chingezi. Il a ordonné à Ghias Beg de transmettre la nouvelle à Ali Quli.

Jagat Gosini poussa un soupir.

– As-tu rappelé à l'empereur la duplicité de cet homme ? Qu'il s'était rallié au prince Khusrau ?

– Oui, Votre Majesté, mais l'empereur a retourné l'information à son avantage. Il prétend soumettre Ali Quli en invoquant cette loi. Il est très épris de cette femme.

Mahabat était le premier à savoir combien la cour avait besoin du harem pour diriger l'Empire. Il opérait en collaboration avec l'impératrice, l'une dans l'ombre, l'autre en pleine lumière. À eux deux, ils pouvaient être puissants, si puissants que Jahangir ne se doutait même pas qu'il était mené par le bout du nez.

Pourtant, depuis que Jahangir était empereur, il devenait de plus en plus difficile à manipuler. À croire qu'avec ce turban impérial, le prince autrefois influençable parvenait à développer une réflexion tout à fait personnelle. Après ses douze édits et sa chaîne de justice, il prétendait se mêler des affaires de l'Empire. Aussi, lorsque Jagat Gosini avait demandé à Mahabat de dissuader Jahangir d'épouser Mehrunnisa, celui-ci s'était-il empressé d'accepter. Avec l'impératrice de son côté, il lui serait plus facile de débarrasser l'empereur de cette idée farfelue.

– Que faire ? demanda Jagat Gosini.

– Tout n'est pas perdu, Votre Majesté.

Mahabat sourit et son mince visage basané se plissa de ridules.

– Ali Quli doit d'abord accepter de se plier à l'ordre de l'empereur, poursuivit-il. Or, il y a des chances pour qu'il refuse.

– Crois-tu ?

– Oui, vraiment. C'est un soldat borné qui risque de laisser échapper quelque indiscrétion. À tout le moins, nous pourrions l'y aider. Il n'a aucun sens diplomatique. Sinon, il s'empresserait de donner sa femme à l'empereur. Or, je suis certain qu'il va se rebiffer. Laissons-le s'embourber seul.

Jagat Gosini se mordit les lèvres.

– Si tu le dis… Je m'en remets à toi pour que mes vœux s'accomplissent.

– Ce sera fait, Votre Majesté.

Il salua puis conclut :

– Je dois m'en aller, maintenant. Personne ne doit nous voir ensemble. Cependant, si je puis me permettre… Pourquoi vous intéressez-vous tant à cette Mehrunnisa ? Elle ne représente pas une menace pour vous. Ce ne sera qu'une flamme éphémère, comme l'empereur en a beaucoup vécues… Peut-être même pourrait-elle connaître le destin d'Anarkali…

Anarkali, la Fleur de grenade, comme Akbar appelait l'une de ses concubines préférées. En 1598, alors que la cour se tenait à Lahore, il avait surpris la belle faisant les yeux doux à Salim dans la galerie des glaces. Anarkali était alors en train de masser le vieil empereur qui avait vu les deux jeunes gens profiter d'un jeu de miroirs pour échanger des sourires. Furieux, l'empereur avait condamné la belle à mort. Il l'avait fait enterrer vivante et le mur avait été scellé brique par brique.

– Dans ce cas, autant laisser faire le temps, reprit Mahabat. L'empereur se lassera de Mehrunnisa comme de toutes les autres. Laissez-la l'épouser et, dans quelques mois, il l'aura oubliée.

L'impératrice se demandait jusqu'à quel point elle pouvait faire confiance à Mahabat.

– Non, murmura-t-elle. Cette Mehrunnisa est… différente des autres. Sa présence au zénana pourrait me nuire – et à toi aussi.

Incrédule, Mahabat faillit éclater de rire.

– À moi ? Comment le pourrait-elle ? Vous devez savoir que l'empereur a une totale confiance en moi. Nous sommes amis d'enfance.

– Dis-moi, se rend-il compte qu'il a déjà été amoureux de cette femme ?

Mahabat fit non de la tête. Le ton préoccupé de Jagat Gosini ne lui disait rien qui vaille. Si l'impératrice estimait cette personne dangereuse, elle ne pouvait complètement se tromper.

– Dans ce cas, il ne faut rien lui dire, poursuivit celle-ci. Va, maintenant. Hoshiyar me fait signe que quelqu'un arrive dans le jardin.

– Patience, Votre Majesté. Le temps travaille pour nous, répondit Mahabat en guise de salut. Là-dessus, il quitta le jardin du zénana.

L'impératrice le suivit des yeux puis s'adossa contre le banc de pierre. Un buisson de rath-ki-rani en fleur dispensait un parfum étourdissant dans la nuit tiède. Mahabat avait pris un grand risque en venant la voir ici, mais Hoshiyar avait su graisser quelques pattes pour rendre la chose possible. Jagat Gosini regarda ses mains. Elle aussi avait pris des risques. Si on l'avait surprise en présence d'un homme, Jahangir eût été furieux et elle préférait ne pas penser à ce qu'il aurait alors inventé pour les punir... Ses mains se mirent à trembler violemment et elle croisa les bras. Pour la première fois de sa vie, elle était obligée de faire appel à une aide extérieure au zénana... tout cela à cause de Mehrunnisa.

Une vague de haine la submergea. Une haine insensée, mais comme dans le zénana elle devait jouer son rôle d'impératrice sûre d'elle et avisée, c'était sur Mehrunnisa qu'elle concentrait toute sa hargne et sa jalousie. Oui, de la jalousie, enragée, effrénée, due à la passion de son époux pour cette femme, que toutes ces années de séparation n'avaient su altérer. Il y avait bien d'autres femmes dans le zénana pour Jahangir ; cependant, il semblait toujours garder une tendresse particulière pour Jagat Gosini. La seule femme susceptible de menacer son statut était donc Mehrunnisa : Jahangir ne s'intéressait pas à elle pour le titre qu'elle portait – elle n'était pas princesse –, ni pour ses alliances familiales – au fond, son père n'était et ne serait jamais qu'un réfugié persan –, mais pour elle-même.

Ghias Beg rentra chez lui sans se presser, laissant son cheval trotter tranquillement. Les projets de Jahangir lui mettaient l'esprit en ébullition. Sa fille, épouse de l'empereur ! Les fiançailles de sa petite-fille avec le prince Khurram n'étaient plus rien, comparées à cela.

Il s'efforça de se calmer. Tout d'abord, il devait songer à la réponse d'Ali Quli. Abandonnerait-il Mehrunnisa sans résistance ? Leur couple était mal assorti, Ghias l'avait constaté depuis des années et s'en attristait. Néanmoins, jamais sa fille ne s'en était plainte à lui.

En arrivant à la maison, le diwan apprit qu'un courtisan l'attendait dans le vestibule. À l'énoncé de son nom, il se précipita, écouta les doléances de l'homme et promit d'intervenir dans la mesure de ses possibilités. Son interlocuteur reconnaissant lui remit un lourd sac de mohurs d'or. Lorsqu'il fut parti, Ghias demanda qu'on lui envoyât sa fille, puis il vida le sac de satin sur une table et passa une main attendrie sur les pièces. Il achevait de les compter quand sa fille entra, le sourire aux lèvres.

Elle s'arrêta net en voyant son occupation.

– Où as-tu trouvé cela ?

– Ah ! te voici ! Viens t'asseoir, Nisa.

Il rangea les mohurs dans leur sac et plaça le tout dans un coffre qu'il ferma soigneusement à clef. C'est alors qu'il remarqua le regard de sa fille.

– Que se passe-t-il, ma chérie ?

– Où as-tu pris ces mohurs, bapa ?

– C'est un courtisan qui désire voir son fils intégrer l'armée impériale. Je lui ai promis d'en souffler un mot au khan-i-khanan.

– Tu acceptes des pots-de-vin, maintenant ?

Ghias tressaillit.

– Pas du tout ! Quel mot affreux ! Disons qu'il s'agit de… d'un paiement pour… pour service rendu.

– Un pot-de-vin, insista-t-elle. Comment peux-tu te conduire de la sorte, bapa ? Te rends-tu compte que si l'empereur l'apprend, tu auras les pires ennuis ? As-tu oublié pourquoi tu as dû fuir la Perse ?

Ghias se détourna de ce regard accusateur. Il avait un peu honte de s'être laissé surprendre. Pourtant, tous les courtisans quelque peu influents s'adonnaient couramment à ce genre de pratiques. Sa fille avait raison : il avait toujours commandé à ses enfants de vivre honnêtement, et voilà que lui-même transgressait cette règle ; certes, il avait des excuses – mille excuses plus probantes les unes que les autres. La vie à la cour n'était qu'un interminable cercle d'offres et de demandes. Il était courant, normal, de rémunérer la personne qui vous rendait un service.

Ghias poussa un soupir. Personne d'autre dans la famille n'eût osé lui parler de cette façon, pas même Asmat. Mais avec Mehrunnisa, il en allait autrement. Il l'avait toujours adorée et lui avait octroyé plus de liberté qu'à aucun autre de ses enfants. Et maintenant, elle se permettait de le réprimander pour une pratique des plus ordinaires au palais.

– Tu ne comprends pas, ma fille.

Il lui prit la main et désigna les meubles qui les entouraient.

– Comment crois-tu que nous ayons pu nous offrir une telle magnificence ? En tant que diwan, je reçois de confortables rémunérations, mais jamais elles ne m'auraient permis de faire face aux innombrables réceptions que je dois donner pour garder mon rang. Ne t'inquiète pas pour cela. Si je t'ai fait appeler, c'est pour tout autre chose. Je reviens d'une audience à laquelle m'avait convoqué l'empereur.

Mehrunnisa afficha un air méfiant et attendit la suite.

– Pourquoi ne m'as-tu pas raconté ce qui s'est passé hier ? reprit-il.

– Parce qu'il n'y avait rien à raconter. De plus, nous nous sommes couchés tellement tard... Tu étais déjà parti quand je me suis levée. Et je croyais que maji... Qu'aurais-je pu te dire, bapa ? Que j'ai rencontré l'empereur ? Que je l'avais déjà vu dans le zénana ? C'est tout.

– C'est déjà beaucoup. Il m'a fait une proposition très délicate. Il désire invoquer la tura-i-chingezi.

Mehrunnisa s'empourpra.

– Jamais mon époux n'acceptera !

– Et toi ? Que désires-tu ?

La jeune femme secoua la tête. Depuis qu'elle était toute petite, elle avait toujours parlé librement avec son père ; cependant, jamais elle n'avait abordé sa vie de couple avec Ali Quli. En outre, elle ne pouvait non plus formuler son secret désir de devenir l'épouse de Jahangir. Non pour le pouvoir ou pour les bijoux – quoique cela entrât tout de même un peu en ligne de compte… –, mais pour son sourire, pour la tendresse de sa voix, pour sa passion à l'égard de l'Empire. Elle voulait appartenir à cet homme qui savait donner corps à ses obsessions. Elle voulait ressentir la force de son amour.

Cependant, elle se contenta de répondre :

– J'agirai comme tu le souhaites.

Ghias soupira de nouveau. Merhunnisa, une enfant docile, consciente de son devoir filial ? Quelque tentante que pût être la proposition de l'empereur, quelque légale qu'elle fût, Ghias autant que Mehrunnisa connaissaient la différence entre désirer une chose et rester dans le droit chemin.

– Tu dois rester avec ton mari. J'aimerais pouvoir décider autrement, j'aimerais pouvoir effacer toutes ces années…

– Chut ! murmura-t-elle en lui posant une main sur le bras. Ne te renie pas. Tu as fait une promesse à Ali Quli et il t'a fallu l'honorer puisque c'était là le désir de l'empereur Akbar. Ma place est auprès de mon mari. C'est à lui de décider de ce qu'il fera de moi. Je vais immédiatement donner l'ordre qu'on prépare mes bagages pour repartir à Bardwan.

Ghias la considérait tristement. Sa propre fille, obligée de fuir la maison paternelle… Peut-être le temps et la distance permettraient-ils à l'empereur d'oublier Mehrunnisa.

Le père et la fille restèrent silencieux un long moment. Certes, ils connaîtraient un honneur à nul autre pareil si elle devenait impératrice de l'Inde Moghole, mais Ali Quli se trouvait en travers de ce chemin-là. Une même pensée leur vint à l'esprit, une pensée inavouable qu'ils refusèrent d'échanger.

Ensuite, Ghias claqua des doigts pour qu'on lui apporte son nécessaire d'écriture. Jahangir désirait prendre Mehrunnisa pour épouse, et il revenait à Ghias d'en avertir son gendre.

Certainement, Ali Quli refuserait. Quelle serait alors la réaction de l'empereur ? Jahangir conservait un caractère irascible. Comment répondrait-il à l'insoumission d'un sujet qui l'avait déjà trahi une fois ?

Ghias poussa encore un soupir et plongea sa plume d'oie dans l'encrier. Il eut tôt fait d'emplir une page entière de son écriture souple, non sans avoir à plusieurs reprises réfléchi à la tournure la plus diplomatique à donner à ses phrases. De toute façon, quoi qu'il écrivît, de quelque manière que ce fût, des difficultés s'annonçaient.

Par la grâce d'Allah, Jahangir n'oublierait pas les longues années de service de son diwan, sa loyauté à l'Empire – ce qui l'empêcherait peut-être de se venger sur sa famille.

Le lendemain matin, Mehrunnisa partait pour Bardwan avec Ladli. Elle emportait la lettre de son père à l'adresse d'Ali Quli. Ghias ne lui en avait pas communiqué le contenu ; cependant, elle savait qu'il lui rapportait les exigences impériales.

C'était à son époux de décider.

15

Que puis-je écrire sur cette malencontreuse affaire ? Combien j'en fus chagriné et ennuyé ! Qutbu-d-din Khan Koka était pour moi comme un fils chéri, un frère, un ami d'enfance. Mais le moyen de résister aux décrets de Dieu ?

Le Suzuki-i-Jahangiri

Mehrunnisa descendit précautionneusement du palanquin. Tous les muscles de son corps la faisaient souffrir après ce long voyage, ballottée dans une inconfortable couche. Voilà près de deux mois qu'elle avait quitté Lahore. L'aller lui avait paru plus facile. Peut-être parce qu'elle savait que d'agréables moments l'attendaient alors, tandis que rien ne pouvait la réjouir dans ce retour. Chaque foulée de ses porteurs lui rappelait qu'elle ne reverrait jamais Jahangir.

S'il n'avait tenu qu'à elle, elle ne fût jamais repartie pour Bardwan, surtout pour affronter la colère de son mari qui allait certainement l'accuser d'avoir voulu séduire l'empereur. Car c'était vrai.

En outre, elle se tourmentait à la pensée que son père pût accepter des pots-de-vin. Elle qui avait toujours cru Ghias Beg au-dessus de tout soupçon ! Pour être l'un des esprits les plus fins et les plus avisés de l'Empire, il n'en était pas moins faible… et humain.

Enfant, elle l'avait vu s'entretenir souvent avec des visiteurs qui lui laissaient des bourses pleines d'or, quand ce n'était pas un cheval arabe, mais elle n'en avait pas saisi le sens implicite. Maintenant ces souvenirs lui revenaient à l'esprit.

Elle examina avec stupéfaction la cour de sa maison, déserte. Où étaient-ils tous ?

Les petites esclaves arrivèrent en courant.

– Bienvenue, sahiba.

– Où est votre maître ? demanda-t-elle en aidant Ladli à descendre du palanquin.

– Parti chasser, sahiba.

– J'ai pourtant envoyé quelqu'un hier l'avertir de mon arrivée.

Les servantes détournèrent prudemment la tête en se pressant de décharger les bagages.

Mehrunnisa essuya la sueur de son front d'un geste las. Voilà l'homme pour lequel elle s'était donné la peine de rentrer ! Il ne venait même pas l'accueillir après une absence de près de cinq mois. Sans doute était-ce mieux ainsi, elle aurait le temps de se reposer avant la confrontation.

Ali Quli ne rentra que très tard de la chasse. Le lendemain matin, après sa toilette et son repas, il se rendit dans les appartements de sa femme.

Mehrunnisa leva les yeux de son livre.

– *Inchah Allah !*

– Tu as fait bon voyage ? grommela-t-il.

– Oui.

Ils n'avaient rien d'autre à se dire. Elle se rendit soudain compte qu'elle avait les mains moites et les essuya sur sa ghagara. Comment aborder la question qui la taraudait ?

Ali Quli lui facilita la tâche :

– Qu'est-ce que c'est ? demanda-t-il en désignant le sac brodé qui contenait la lettre.

– Une missive de mon père. Il m'a demandé de te la remettre.

Il la saisit avec méfiance.

– Que se passe-t-il ?

Elle secoua la tête, feignant l'ignorance. La veille au soir, elle avait contemplé le clair de lune depuis sa chambre, l'ombre des collines qui entouraient la maison. Voilà deux longs mois que son père avait rédigé cette lettre. Et si l'empereur avait déjà oublié son souhait ? Et puis elle se rappela l'aspiration de Jahangir à monter sur le trône. Quinze années durant – parfois avec impatience, mais, le plus souvent avec une louable patience –, il l'avait attendu. Un tel homme ne pouvait l'oublier.

– Lis, seigneur, et tu sauras.

Ali Quli ouvrit le sac et déroula le papier. Le cœur de Mehrunnisa s'emballa. Elle eut beau l'observer, il ne laissa rien paraître de sa lecture ; cependant, son cou rougit et la couleur eut tôt fait de lui monter aux joues.

D'un geste rageur, il jeta la missive sur la table.

– Comment l'empereur a-t-il pu te voir ? Tu es mon épouse. Tu aurais dû prendre garde de ne pas lui montrer ton visage, au lieu d'attirer son attention de façon éhontée. Comment se fait-il, d'abord, que tu l'aies rencontré ?

– Cela s'est produit durant les fiançailles d'Arjumand. Je me devais d'y assister.

– Jamais je n'accepterai cette demande ! articula-t-il en grimaçant de rage. Tu es ma femme et tu le resteras. Même l'empereur ne peut m'obliger à céder. Ah, le bel empereur que voilà ! Si j'avais bien rempli mon rôle, cette mauviette de Khusrau serait sur le trône à l'heure qu'il est, et moi capitaine des armées impériales, au lieu de pourrir dans ce trou à rats.

Il jeta un regard mauvais à Mehrunnisa qui le considérait avec effroi.

– Baisse les yeux, femme ! ainsi qu'il sied à une humble épouse. Tu n'es qu'une misérable ! Je connais toutes tes simagrées avec l'empereur, je suis au courant de vos premières rencontres.

Mehrunnisa écarquilla encore les yeux, comme si elle venait de recevoir un coup de poing dans le ventre. Certes, elle avait joué les coquettes avec Jahangir, mais tant de temps avait passé…

– Ah ! triompha-t-il. Tu croyais que je n'en savais rien ! Alors que le jour où je t'ai épousée, je savais déjà que je t'enlevais au prince Salim ! Il te désirait et c'est moi qui t'ai eue. Il te désire toujours et je te tiens toujours. Je ne lui pardonnerai jamais d'avoir gâché ma carrière.

Là-dessus, il se dirigea vers la porte, laissant Mehrunnisa muette d'égarement. Avant de sortir, il ajouta :

– Tu resteras enfermée dans cette chambre et n'en sortiras que quand je t'en donnerai l'autorisation. Je m'en vais quelques jours.

Mehrunnisa ferma les yeux. Voilà l'homme qu'elle avait épousé ! Il devenait fou. Croyait-il pouvoir tenir tête à l'empereur ?

– Seigneur, murmura-t-elle d'un ton suppliant. Ne commets pas d'impair. Un simple refus suffira à l'empereur. Il serait imprudent de provoquer sa colère.

Il lui décocha un sourire mauvais.

– Nous verrons combien de temps il conservera son trône.

Peu après, il partait en lançant son cheval au galop. Rajah Man Singh avait quitté le Bengale mais, sur cette terre de rébellion, d'innombrables oreilles se tenaient prêtes à l'écouter. Si loin de la cour impériale, il croyait que tout restait possible.

Mais Jahangir n'était pas naïf. Le Bengale grouillait d'espions impériaux et la moindre parole prononcée à son encontre trouvait invariablement le chemin de la cour, et lui était aussitôt rapportée.

Jahangir trônait à la *jharoka* qui dominait la cour d'entrée du fort de Lahore. De ce balcon édifié à même les remparts du château, l'empereur donnait audience au public, trois fois par jour, matin, midi et soir. Même lorsqu'il était souffrant, il s'obligeait à y assister. Dès le début de son règne, il avait compris l'importance pour le peuple de voir son souverain et de s'assurer de sa bonne santé, afin d'empêcher la propagation de rumeurs préjudiciables.

On avait organisé un combat d'éléphants, semblable à celui qui l'avait opposé à l'animal de son fils Khusrau, de nombreuses années auparavant. Celui-ci siégeait près de son père, l'air sombre. Jahangir pressentait que l'esprit de rébellion n'avait pas quitté ce garçon. Il était d'autant plus indispensable de passer pour un monarque juste et généreux ; il avait donc publiquement pardonné à Khusrau, ce qui l'obligeait à supporter sa présence en public. Voilà bien longtemps que son affection pour lui était morte. C'était tout juste s'il supportait de s'asseoir près de lui tant leur antipathie mutuelle devenait palpable.

Si seulement il pouvait suivre le conseil de Mahabat Khan et faire exécuter son fils ! Il n'en éprouverait pas le plus petit remords. Mais les dames du harem ne cesseraient de le lui reprocher et il ne connaîtrait plus la paix. Toutefois, il devait prendre une décision avant que Khusrau ne représentât de nouveau une menace pour l'empereur.

Les deux éléphants se précipitèrent l'un contre l'autre dans un énorme fracas. La foule poussa des cris de joie, mais l'empereur n'y prêta nulle attention.

Le matin même, Ghias Beg était venu lui apprendre qu'Ali Quli avait refusé d'obtempérer à son ordre. Sur le moment, il avait failli le frapper de rage. Tous les matins, en s'éveillant, il pensait à Mehrunnisa. Ghias l'avait renvoyée au Bengale et, lorsque Jahangir lui avait demandé pourquoi, le diwan avait répondu qu'il accomplissait son devoir de père. Que répondre à cela ? Dès lors, Jahangir avait attendu. Patiemment. Tout cela pour recevoir cette rebuffade ! Comment ce gredin d'Ali Quli osait-il mécontenter son empereur ? Déjà, les rumeurs couraient sur sa passion pour Mehrunnisa. Le refus d'Ali Quli allait faire jaser tout l'Hindoustan.

Par bonheur, les nouvelles de Kandahar lui avaient réchauffé le cœur. L'armée impériale avait atteint les avant-postes le mois précédent et les usurpateurs avaient fui alors que les étendards de Jahangir fondaient sur eux. Le chah de Perse avait envoyé un ambassadeur à la cour moghole pour assurer Jahangir de son amitié et s'excuser de la conduite de ses gouverneurs. L'empereur s'était montré courtois mais n'en pensait pas moins. L'attaque sur Kandahar avait été orchestrée par le chah en personne, afin de mettre à l'épreuve sa détermination en matière de politique étrangère.

De lassitude, Jahangir se passa une main sur le front. Mais il demeurait hanté par ces beaux yeux saphir. Du jour où il les avait revus, tous ses rêves, un peu assoupis par les années, s'étaient éveillés avec la fraîcheur du premier jour. Et cette femme restait hors de sa portée !

Un messager s'approcha du jharoka, descendit de cheval, salua puis tira une lettre de sa ceinture. Jahangir la saisit immédiatement. À mesure qu'il lisait, son visage s'assombrissait davantage. Subitement, il se leva et rentra dans le palais.

Quelques instants plus tard, Mahabat Khan et Muhammad Sharif, remarquant que le jharoka était vide, se précipitaient à sa recherche.

– Votre Majesté, j'espère que vous n'avez pas reçu de mauvaises nouvelles ! s'écria Mahabat Khan.

– Si. Ali Quli rassemble des troupes en secret. Envoie une armée pour le mettre au pas.

– Votre Majesté, peut-être vaudrait-il mieux lancer auparavant une enquête ? risqua Muhammad Sharif.

– Pourquoi ? Nous savons déjà que l'homme est un dissident. Il aurait dû être exécuté pour ses crimes, au lieu de quoi je lui ai pardonné. Cette fois, il ne s'en tirera pas !

Là-dessus, Jahangir se dirigea vers la porte à grandes enjambées.

– Sire…

Sharif s'éclaircit la gorge avant d'emboîter le pas à l'empereur.

– Sire, toute la cour connaît votre intérêt pour son épouse. Il serait inconvenant d'ordonner son exécution.

Jahangir s'arrêta net et fit face aux deux hommes :

– Mehrunnisa ? Crois-tu que le peuple m'accuserait d'inventer une révolte dans le but de la conquérir ?

Ni Sharif ni Mahabat Khan ne le contredirent, car c'était exactement leur conviction. Mahabat envoya un coup de coude à Sharif.

– Que Votre Majesté veuille bien reconsidérer sa décision, enchaîna ce dernier. Il serait préférable d'attendre un second rapport confirmant ces informations. Peut-être le gouverneur du Bengale pourrait-il aller rendre visite à Ali Quli, à moins que vous n'ordonniez à ce soldat de venir vous présenter ses respects. Ainsi, la cour constaterait votre impartialité.

Jahangir se frotta le menton.

– Tu as peut-être raison. Rassemblons des preuves à l'encontre de cet homme. Je vais tout de suite écrire à mon frère de lait, Qutubuddin Khan Koka.

L'empereur s'éloigna de ses conseillers, un petit sourire aux lèvres. Le sort venait de jeter la vie d'Ali Quli entre ses mains. Quant à Mahabat et à Sharif... Pourquoi voulaient-il le dissuader ? Ils n'éprouvaient aucune affection pour ce soldat ; en fait, ils le détestaient cordialement. Pour ce qui concernait Mehrunnisa, ils ne savaient rien d'elle. Pourtant, c'était la deuxième fois que Mahabat exprimait un avis à son sujet. Pourquoi ?

L'empereur regarda ses deux plus puissants ministres partir à reculons. L'insistance de Mahabat le rendait suspect. Il y avait pour le moment plus important à régler ; bientôt, sans doute, Mehrunnisa rejoindrait le palais. Certes, il n'eût pu l'arracher de force à Ali Quli. Mais une rébellion, voilà qui changeait tout...

Ce soir-là, il s'assit pour écrire à Qutubuddin Khan Koka. Le gouverneur du Bengale devait convoquer Ali Quli, afin de l'interroger sur ses activités. S'il s'estimait satisfait de ses réponses, il l'enverrait alors se présenter à la cour. À lui de tirer ses conclusions d'après l'attitude du soldat. Jahangir ajouta que si Ali Quli refusait de faire allégeance à son empereur et que Koka découvrait un quelconque mouvement de sédition, il recevait toute autorité pour le punir comme il le jugerait bon.

Quelques jours plus tard, la cour impériale se déplaçait de Lahore à Kaboul, afin de passer les mois d'été dans le confort d'une ville plus fraîche.

Au Bengale, dès que Qutubuddin Khan Koka reçut la lettre de l'empereur, il envoya un messager sommer Ali Quli de venir se présenter au palais du gouverneur.

Ali Quli ne répondit pas.

Koka en fut aussi mortifié que furieux. Il agissait sous les ordres de Jahangir, ce qui signifiait qu'Ali Quli désobéissait aux injonctions de l'empereur. Il rassembla une troupe bien armée et marcha sur Bardwan.

Le soleil de l'après-midi montait la garde, haut dans le ciel, forçant tous les êtres vivants à chercher un abri à l'ombre. Aucun signe de vie n'était perceptible dans la maison d'Ali Quli. Les volets étaient tirés sur les tentures de khus. Les chevaux piaffaient dans leurs stalles, tâchant de se débarrasser des mouches qui s'attaquaient à leur dos, et les palefreniers gisaient dans le foin, à demi endormis.

Un messager arriva en courant, ruisselant de transpiration.

– Appelez votre maître ! glapit-il. J'apporte d'importantes nouvelles.

L'un des palefreniers se leva et courut dans la maison. Ali Quli arriva peu après, en boutonnant sa qaba.

– Qu'y a-t-il ?

– Sahib, le gouverneur du Bengale, Qutubuddin Khan Koka, sera ici sous peu.

Ali Quli lui opposa un regard interrogateur. Les domestiques le regardaient en silence. Le seul bruit audible provenait de la respiration haletante du messager.

– Emmenez-le aux cuisines et donnez-lui à boire, ordonna-t-il.

Puis il appela son eunuque.

– Bakir ! Envoie un message aux émirs des environs pour les avertir de l'arrivée de Koka. Qu'ils préparent leurs hommes à la bataille s'il le faut. Je leur donnerai le signal. Attends…

Il se tourna vers le messager :

– Le gouverneur est-il encore loin de Bardwan ?

– À une journée de marche, sahib.

– Tu as entendu, Bakir ? Que les émirs se tiennent prêts pour demain.

Bakir s'exécuta tandis qu'Ali Quli rentrait dans la maison. Sa femme l'attendait dans ses appartements. Le bruit de la cour l'avait attirée à la fenêtre et elle avait entendu l'échange avec les serviteurs.

– Seigneur, ne commets pas d'impair. Il se peut que le gouverneur ne vienne que pour t'apporter un message.

Si seulement il consentait à l'écouter un peu… Mais Ali Quli était sur le pied de guerre, attiré par l'odeur de la poudre, et rien ne saurait le détourner de ce piège trop séduisant.

– Rentre dans ta chambre, je me charge de cette affaire !

– Je t'en prie... Il ne s'agit sans doute que d'un malentendu.

Il la toisa d'un regard narquois et elle préféra baisser les yeux.

– Ne t'inquiète pas, chère épouse. Je vivrai encore de longues années, beaucoup trop longues pour ton bonheur, railla-t-il.

Le cœur lourd, Mehrunnisa quitta lentement les appartements de son époux. Tout cela n'annonçait rien de bon.

– À l'attaque ! hurla-t-il en brandissant son épée.

À son ordre, l'armée se mit en marche... Ali Quli ouvrit les yeux sur le noir du plafond. Où était-il ? Il poussa un soupir de soulagement en reconnaissant sa chambre. Ce n'était qu'un rêve. Il se retourna et se rendit compte que le bruit des pas était bien réel.

Il sauta du lit et se précipita vers la fenêtre, tâchant de distinguer ce qui se passait dans l'obscurité. Mais le silence était retombé ; cependant, il repéra une lueur, une torche qui s'allumait non loin.

Complètement réveillé, il saisit son épée, dévala l'escalier et secoua Bakir. Les deux hommes se précipitèrent. Mais ils ne trouvèrent personne, à part les palefreniers. Ali Quli se sentit revivre. Il avait donc rêvé...

C'est alors que trois hommes sortirent de l'ombre. Ali Quli serra la poignée de son épée en les reconnaissant, Qutubuddin Khan Koka, flanqué de ses deux serviteurs cachemiriens, Amba Khan et Haidir Malik, qui le saluèrent.

– *Al-Salam alekum*, Ali Quli, dit Koka.

– *Walekum-al-Salam*, répondit Ali Quli sans lâcher son épée.

Koka ouvrit les mains.

– Je ne suis pas armé, et je viens en paix.

Son interlocuteur se détendit, mais un de ses palefreniers alluma une torche au fond de la cour, révélant les troupes impériales en armes.

Serrant les poings, il se retourna vers Koka, l'air mauvais. Était-ce ainsi que le gouverneur prétendait venir en paix ? Koka s'avança d'un pas.

– Je viens de la part de l'empereur…

Ali Quli poussa un cri strident, de rage et de révolte. Hurlant comme une bête blessée, il se rua sur Koka avant que le gouverneur n'ait eu le temps de réagir et lui plongea son épée dans le ventre. Koka recula en titubant, cherchant à saisir sa propre dague, mais Ali Quli le désarma et se mit à le taillader sauvagement.

Les entrailles de Koka se répandirent sur le sol ; il porta une main à son ventre, comme pour les retenir, avant de s'écrouler. Simultanément, Amba Khan s'élançait en brandissant son épée. Ali Quli fit volte-face pour le cueillir directement sur l'acier de sa lame, le décapitant net. Amba était mort avant d'atteindre le sol.

Haidar Malik et le reste des troupes chargèrent. Submergé, Ali Quli se débattit comme un animal acculé, frappant dans tous les sens ; il tua encore deux hommes, mais ses adversaires étaient trop nombreux.

Soudain, il sentit une douleur fulgurante et vit une épée jaillir de son propre ventre. Toutes ses forces semblèrent l'abandonner avec le sang qui coulait à flots de son corps. Il ne parvint même plus à soulever son arme. Il eut l'impression de prendre feu puis… plus rien.

Mehrunnisa demeurait interdite à la fenêtre, la main sur les rideaux. L'odeur du sang lui monta aux narines et elle en eut un haut-le-cœur. Elle aurait aimé s'éloigner de ce carnage qui se déroulait sous ses yeux, mais elle restait fascinée, incapable de se détacher de cet affreux spectacle.

Elle vit les hommes de Koka mettre son époux en pièces et s'acharner longtemps encore après qu'il fut mort. Puis ils s'en prirent à Bakir et aux palefreniers. En quelques instants, ceux-ci furent également mis en pièces et des mares de sang s'écoulèrent sur le sol poussiéreux.

Les soldats venaient de se transformer en une troupe sauvage excitée par la vue et l'odeur du sang, prête à s'en prendre à tout ce qui lui tomberait sous la main.

– La maison ! hurla un guerrier.

Ils se précipitèrent sur la porte et tambourinèrent avant de l'enfoncer à coups de pied. Mehrunnisa se rua dans la chambre de sa fille qu'elle secoua par l'épaule.

– Réveille-toi ! Il faut partir.

Ladli ouvrit de grands yeux sur sa mère.

– C'est déjà le matin ?

Mehrunnisa l'enroula dans un drap, la prit dans ses bras et courut vers le corridor.

En bas, les soldats avaient pénétré dans la maison. Les esclaves se mirent à hurler, mais déjà les hommes les entraînaient pour les violer. Ils saccageaient tout, les vitres, la vaisselle, les meubles, déchiraient les rideaux, urinaient sur les tapis.

– Ce misérable avait une femme, cria quelqu'un. Trouvez-la !

– Maman ! pleura Ladli.

Merhunnisa lui ferma la bouche d'une paume affolée.

– Tiens-toi tranquille ou ils vont nous trouver.

Ils grimpaient l'escalier. Elle entendit des pas sur le palier, qui se rapprochaient de sa chambre. Peut-être que si elle essayait par la fenêtre… Courant à l'aveuglette, elle heurta un obstacle imprévu. Deux mains l'empoignèrent. Elle sentit son cœur s'arrêter en voyant le soldat aux yeux injectés de sang.

– Pitié…

Elle ne put en articuler davantage.

Il lui demanda à voix basse :

– Vous êtes la femme d'Ali Quli ?

Pétrifiée de terreur, elle hocha la tête. Jamais elle n'avait éprouvé une telle peur. L'homme avait le visage baigné du sang qui lui coulait d'une arcade sourcilière tailladée.

– Venez, dit-il en l'entraînant rudement.

– Non !

– Ne criez pas, les soldats vont vous entendre. Venez…

Elle tenta de se dégager mais il la tenait d'une poigne de fer.

– Je vais vous protéger, ajouta-t-il. Il faut vous cacher. Les hommes sont assoiffés de sang, ils ne s'arrêteront pas tant qu'ils ne vous auront pas mise à mort… ou pire.

L'homme poussa Mehrunnisa et Ladli dans le grand coffre où elle gardait ses voiles. À peine l'avait-il refermé que les soldats pénétraient dans la pièce. Il s'assit sur le couvercle en feignant un étourdissement.

– Elle est là ?

– Non, elle a dû s'enfuir. Elle ne doit pas être loin de la maison. Cherchez dehors.

Cependant les soldats commencèrent à fouiller la pièce, ouvrant les armoires, passant leurs épées à travers les soieries et les draps de lin. Plusieurs coups de pied heurtèrent le coffre. Mehrunnisa se recroquevilla à l'intérieur, tâchant de couvrir Ladli de son corps. Et, tout aussi brusquement qu'ils étaient entrés, ils se retirèrent, ne laissant plus flotter qu'un épais silence. Dans son coffre, Mehrunnisa se rendait à peine compte qu'elle étouffait ; étreignant Ladli, elle se laissa soudain aller à respirer.

Peu après, l'homme souleva le couvercle :

– La voie est libre.

Comme il l'aidait à se hisser à l'extérieur, Mehrunnisa entendit sa fille gémir ; alors seulement elle se rendit compte qu'elle lui avait laissé la main plaquée sur la bouche. Quand elle l'enleva, la petite gardait la trace rose de ses doigts autour des lèvres et du nez.

– Qui êtes-vous ? demanda Mehrunnisa.

– Je m'appelle Haidar Malik, sahiba. J'étais un des serviteurs de Qutubuddin Khan Koka. Il ne fallait pas que ces soldats s'en prennent à vous. D'ailleurs… l'empereur ne m'aurait jamais pardonné si un malheur vous était arrivé.

Mehrunnisa le dévisageait avec horreur. Jahangir était-il donc responsable de l'attaque contre Ali Quli ? Cependant, elle avait assisté à toute la scène : Koka avait à peine commencé à parlementer qu'Ali Quli lui avait plongé son épée dans le ventre, sans la moindre provocation. Elle frissonna et serra sa fille contre elle.

– Je vais vous emmener au camp, dit Malik.

Sans mot dire, Mehrunnisa le suivit ; ils traversèrent la cour maintenant silencieuse. Elle eût accompagné cet homme n'importe où, car elle se sentait incapable de réfléchir. Elle se laissa guider par la haute silhouette de Malik à travers les rues désertes de Bardwan ; il portait Ladli sans le moindre effort, comme le plus léger des fardeaux. Merhunnisa dépassa les échoppes fermées du bazar, les lampes qui se balançaient dans l'air humide, les chiens errants qui fouillaient les tas d'ordures. Tous ses efforts, toutes ses pensées tendaient à cette marche derrière Malik, à placer un pied devant l'autre, sans plus réfléchir.

Lorsque le soleil se leva, elle était assise, les yeux grands ouverts, dans la tente de Malik, encore abasourdie. Son choli et son voile étaient maculés de sang séché, et cette odeur lui levait le cœur. Un coq chanta. Elle se mit à trembler violemment, incapable de chasser les images de la mort d'Ali Quli – abattu comme un animal de boucherie. Il ne devait rien rester de lui, désormais, rien de cet homme qui avait été son époux. Rien que Ladli. La fillette, avec la faculté d'oubli des enfants, dormait à côté d'elle en lui tenant la main. Quant à Malik, il était retourné dans la maison après avoir posté des gardiens autour de sa tente.

Des médecins vinrent soigner les blessures du gouverneur, et un camp fut dressé dans la cour. Malik regarda les hakims recoudre les plaies de Koka. S'il s'en tirait, pensait-il, la dame réfugiée dans sa tente n'aurait plus rien à craindre. Mais le gouverneur ne reprit jamais conscience et se laissa emporter par la mort, douze heures après la bataille.

La nuit était tombée depuis un moment déjà ; pourtant, Asmat et Ghias Beg restaient encore dans leur jardin, l'esprit empli par mille pensées. La lettre leur était parvenue cet après-midi et chaque mot du court message occupait encore leurs esprits. Un certain Haidar Malik annonçait que Mehrunnisa se trouvait sous sa protection, ainsi que Ladli, et qu'Ali Quli était mort. Ghias en restait encore abasourdi. Pourquoi son gendre avait-il attaqué Koka ? Pourquoi l'avait-il tué ?

Asmat appuya la tête sur l'épaule de son mari.

– Pourrais-tu demander à l'empereur de la faire venir ?

Ghias la prit dans ses bras et l'embrassa en regrettant de ne pouvoir chasser cet air soucieux qui plissait le joli front de sa femme.

– L'empereur est désespéré de la mort de Koka. Et Koka a été tué par notre gendre. Le sort de Merhunnisa est entre les mains d'Allah.

Asmat leva sur lui ses yeux pleins de larmes.

– Mehrunnisa n'est pas responsable de la mort de Koka.

– Je sais. Je sais aussi que la famille de Koka crie vengeance contre Mehrunnisa et Ladli. Toutefois, tant que l'empereur ne nous la renverra pas, nous ne pourrons rien faire.

Asmat se cacha le visage dans les mains et son époux la regarda en s'efforçant de ravaler ses propres larmes. À quoi servirait-il de pleurer ? Peut-être à soulager un peu son cœur, mais l'inquiétude serait toujours là. Et Mehrunnisa se trouvait au Bengale, sous la seule protection de cet Haidar Malik, un inconnu. *Allah, par pitié, veille sur mon enfant.* Il se détourna, car il avait un autre sujet de préoccupation. Il redoutait de réclamer à l'empereur une escorte impériale pour Merhunnisa, autant à cause d'Ali Quli que de cette histoire qui serait bientôt révélée au grand jour. Et alors, il perdrait son rang et sa dignité. Pourquoi, Allah, pourquoi les ennuis s'accumulaient-ils soudain ?

Dans sa chambre, l'empereur Jahangir était captivé par le reflet des ombres mouvantes sur le mur. Autour de lui, le palais dormait, paisible et serein. Il pensait à Koka. Il conservait tant de souvenirs de son frère de lait ! Aussi loin qu'il remontait dans sa mémoire, son ami était là ; petits, ils dormaient dans le même lit, combattaient férocement autour du même lance-pierre, oubliant que l'un était prince du sang, héritier d'un empire, et l'autre roturier. Les propres frères de Jahangir, les princes Mourad et Daniyal, avaient grandi dans d'autres appartements et n'avaient pas souvent eu l'occasion de jouer ensemble. Plus tard, il n'avait vu en eux que des menaces contre ses prétentions au trône. Tandis qu'avec Koka, ce danger n'existait pas ; seule existait une profonde amitié. Et voilà qu'il était mort. Le message du Bengale expliquait qu'il avait longtemps souffert, appelant l'empereur dans son dernier soupir.

Jahangir baissa les yeux et les larmes lui coulèrent sur les joues. Il n'avait pas même le temps de le pleurer. L'Empire réclamait son attention. Un flot soudain de colère l'envahit. L'armée eût dû lui ramener Ali Quli vivant, afin qu'il pût le faire écarteler par des éléphants. Mais Ali Quli était mort. Et Mehrunnisa se trouvait au Bengale.

Au plus profond de son chagrin, il ne pouvait s'empêcher de penser à elle et de s'inquiéter. Il laisserait passer encore un peu de temps et la ferait appeler. Mais tant de malheurs s'étaient succédé. Ali Quli avait été tué par les hommes de Koka. Mehrunnisa n'allait-elle pas penser que c'était lui qui avait ordonné cette mise à mort ? Et, dans ce cas, saurait-elle le lui pardonner ?

16

Itimad-ud-Din, diwan ou chancelier de l'amir-ul-umra, avait un barbare à son service appelé Uttam Chand, qui dit à Dinayat Khan qu'Itimad-ud-Daulah avait détourné 50 000 roupies. Dinayat Khan le rapporta au roi, à la suite de quoi Itimad-ud-Daulah fut placé sous la garde de ce khan.

B. Narain – *Chronique hollandaise de l'Inde Moghole*

Une brise légère se faufila dans la chambre et tomba sur la lanterne. La lumière vacilla, étirant les ombres sur les murs. L'homme reposa sa plume d'oie, se rendit à la fenêtre, ferma les panneaux et appuya la tête contre la vitre.

De nouveau, la lanterne répandait sa lueur chaude dans la pièce, éclairant les meubles bas et les livres de comptes noirs de chiffres et de tableaux. Ghias Beg poussa un soupir et regagna sa place, afin d'y reprendre ses calculs.

Une ombre passa sur le seuil et il se raidit. C'était Asmat qui rejoignait leur chambre, le visage creusé par l'anxiété, les longs plis de sa ghagara affleurant les dalles du sol. Ghias se pencha de nouveau sur ses livres, mais ses paupières commençaient à se fermer malgré lui.

Près de lui, un vase de jasmins et de lilas faisait flotter un doux parfum. Il se souvint soudain que Mehrunnisa aimait à parer ses cheveux de ces fleurs. Voilà six mois qu'ils restaient sans nouvelles directes d'elle. Seule leur était parvenue une autre lettre, trop brève, d'Haidar Malik. Leur fille se portait bien, ainsi que Ladli, mais leurs vies étaient toujours menacées et il ne serait pas prudent de les risquer sur les routes du Bengale. Six mois d'anxiété ! Et cet autre souci qui prenait de l'ampleur.

Quelques heures plus tard, la lampe s'éteignit d'elle-même, plongeant la pièce dans l'obscurité. Au-dehors, le ciel s'éclaircissait et le veilleur de nuit repassa, qui égrenait les heures. Il y avait quelque chose de réconfortant dans cette voix tranquille ; une nouvelle journée commençait. Ghias écouta le bâton du veilleur s'éloigner en claquant sur le pavé. Bientôt il ferait jour... Pour lui, le jour du verdict.

– *Inchah Allah*, Ghias Beg !

– *Inchah Allah*, Dinayat Khan.

Le courtisan tendit la main, l'air grave.

– Reste un instant, mon ami. J'ai quelque chose à te dire.

Le diwan sentit son cœur s'emballer.

– Uttam Chand est venu me voir, hier soir, annonça Dinayat. Je pense que tu sais ce qu'il avait à me révéler.

Hochant la tête, Ghias se tourna vers la fenêtre, se pencha pour respirer l'air frais. La fin de sa brillante carrière de diwan de l'Empire s'annonçait. Aussi, que lui avait-il pris de détourner l'argent du trésor ?

Il repensa au jour où cette somme lui était arrivée entre les mains, si tentante alors qu'elle se perdrait dans l'énorme masse du trésor. L'un des fournisseurs de la cour lui avait envoyé une estimation des frais nécessaires pour ajouter une aile au fort de Lahore. Le trésor avait alors expédié l'argent au diwan. Tout à coup, le prix avait chuté de cinquante mille roupies. Les fiançailles d'Arjumand avaient écorné largement ses finances. Alors, il avait pris l'argent, laissant entendre que toute la somme avait servi à payer l'entrepreneur.

Un mois plus tard, ce dernier avait envoyé sa facture maintenant classée dans les livres du trésor. Et aujourd'hui, se clôturait le budget annuel. Ghias avait eu beau faire, il n'avait pu rendre l'argent au trésor, ni rien ajouter dans les livres qui pût expliquer cette disparité. Une seule autre personne était au courant : Uttam Chand, son clerc, qui avait vu passer la facture.

– Comment as-tu pu ? demanda Dinayat Khan.

Ghias regarda de nouveau par la fenêtre.

– Je ne sais pas. Une faiblesse passagère.

– Je vais devoir informer l'empereur. Tu le sais, n'est-ce pas ?

Une chape de honte l'enveloppa ; comment avait-il pu se laisser étourdir ? Au moins son père n'était-il pas là pour voir ce désastre. Mais sa femme l'était, et ses enfants également. Son geste les éclabousserait tous.

– Oui, répondit-il en soutenant le regard de Dinayat Khan. Fais ton devoir.

– Je regrette.

Le courtisan prit son ami par la main et ajouta :

– Je ferai mon possible pour plaider ta cause. Tu as été bon envers moi en me recommandant à ce poste de comptable du trésor. Je te suis redevable. J'espère que l'empereur saura se montrer compatissant.

Je *l'espère*. Ghias s'inclina et suivit son ami dans le Diwan-i-am où l'empereur tenait audience.

Quand il pénétra dans le zénana, Jahangir affichait la mine des mauvais jours. L'audience du matin lui avait paru interminable. Alors qu'il pensait se retirer, Dinayat Khan lui avait demandé audience. Ne pouvait-il se manifester plus tôt ?

– Qu'y a-t-il ? demanda-t-il en coupant court aux salutations du courtisan.

– Votre Majesté, je vous demande pardon d'interrompre votre repos. Mais le sujet qui m'amène était trop délicat pour que je l'aborde devant toute l'assemblée.

– Poursuis, dit Jahangir en s'adossant à son siège.

Sa mine s'assombrit encore à mesure que Dinayat parlait. C'en était trop. D'abord Ali Quli qui tuait son bien-aimé frère de lait, ensuite son beau-père qui commettait un forfait. Pardessus tout, il se languissait de Mehrunnisa. La veille, il avait donné l'ordre qu'on la ramenât du Bengale vers Agra avec une escorte impériale. Si seulement cette femme pouvait enfin lui sortir de l'esprit ! Mahabat Khan avait raison : la famille de Ghias Beg lui occasionnait trop d'embarras.

Dinayat Khan s'était tu et attendait sa réponse.

– Qu'on mette le diwan aux fers ! ordonna-t-il irrité.

– Votre Majesté, mirza Ghias Beg vous a bien servi. Il s'est montré loyal et juste dans son administration... jusqu'à maintenant. Veuillez lui pardonner.

– Non. Je ne veux plus couvrir la moindre infraction de cette famille. Ghias Beg a passé les bornes et doit en subir les conséquences. Il sera traité comme n'importe quel criminel.

– Votre Majesté, je vous en prie... Au moins, laissez-le à ma seule garde tant que vous n'aurez pas pris une décision à son sujet.

Jahangir jeta un regard noir à Dinayat Khan. En quoi ce courtisan pouvait-il se soucier de ce qui allait arriver à Ghias ? Un silence pesant s'abattit sur la salle alors que l'empereur réfléchissait devant son interlocuteur toujours à ses genoux. Finalement, il décida d'offrir à Ghias une chance de se disculper. N'était-il pas le père de la femme qui consumait chacune de ses pensées ?

– Très bien, conclut-il. Tu seras responsable de lui jusqu'à ce que je décide de sa sanction. Mais n'oublie pas que s'il échappe à ta surveillance, tu le paieras de ta tête.

– Je comprends, Votre Majesté.

Dinayat Khan s'inclina et se retira.

Ce soir-là, Ghias Beg fut placé en résidence surveillée, et ses fonctions temporairement suspendues. Il restitua l'argent au trésor, majoré d'une amende de deux cent mille roupies et attendit. Le temps saurait peut-être effacer la colère de l'empereur, et il gardait espoir de rentrer dans les bonnes grâces de Jahangir.

Le jeune homme se retourna pour vérifier que les gardes n'étaient pas aux aguets puis glissa à l'oreille du prince :

– Votre Altesse, j'ai un plan à vous soumettre.

– À quel sujet ?

– Pour vous libérer de votre détention.

Nuruddin jeta de nouveau un coup d'œil derrière lui et fit signe à Khusrau de le suivre.

Pour sa promenade matinale dans le jardin du fort de Lahore, il était suivi de quatre gardes puissamment armés.

Lorsque la cour était partie s'installer à Kaboul pour l'été, Khusrau était resté à Agra, à la garde de l'*amir-ul-umra* Muhammad Sharif et d'un courtisan du nom de Jafar Beg. Lorsque Muhammad Sharif suivit la cour à Kaboul, il laissa le prince sous la surveillance de Beg et de son neveu, Nuruddin.

Khusrau jeta un coup d'œil sur Nuruddin, l'air impavide, mais au fond il tremblait d'impatience. Il avait soigneusement cultivé l'amitié de Nuruddin, en qui il avait tout de suite repéré un jeune homme impressionnable.

– Comment comptes-tu agir ? Je suis sous bonne garde.

– Il n'existe qu'un moyen.

De nouveau, Nuruddin vérifia que personne ne pouvait l'entendre. Il se pencha pour parler encore plus bas :

– L'empereur adore la chasse. Que se passerait-il si un jour il lui arrivait, disons... un accident ?

Involontairement, Khusrau pressa le pas. Un assassinat ! Il en rougit d'enthousiasme.

– Es-tu inconscient ? Ses gardes du corps ne le quittent pas d'un pas. Jamais nous ne pourrons les convaincre...

– C'est déjà fait, Votre Altesse. Deux de ses Ahadis sont prêts à donner leur vie pour vous. Ils accompagneront l'empereur à sa prochaine chasse et le tueront accidentellement. Nul ne pourra vous soupçonner. Après sa mort, les nobles se tourneront vers vous. Après tout, vous êtes l'héritier naturel.

Khusrau n'en revenait pas. Cela semblait si facile ! Une pensée le frappa soudain.

– Nous aurons besoin d'une armée pour tenir mes frères en respect.

– J'ai déjà rassemblé des troupes, Votre Altesse. Begdah Turkman, Muhammad Sharif et Itibar Khan arriveront ce soir avec leurs cohortes pour vous jurer fidélité.

Khusrau allait de surprise en surprise.

– L'amir-ul-umra est avec nous ?

Nuruddin sourit.

– Pas le grand vizir. L'autre Muhammad Sharif, le fils aîné du diwan Ghias Beg. Vous savez sans doute, Votre Altesse, que nous sommes parents éloignés. Mon oncle Jafar Beg est le cousin de mirza Beg.

Ils se détournèrent en hâte, car un garde approchait :

– Il est temps de rentrer, Votre Altesse.

Khusrau hocha la tête et jeta un coup d'œil entendu à Nuruddin qui le salua respectueusement.

Jahangir fut réveillé par les serviteurs qui s'activaient autour de la tente impériale et allumaient le charbon de bois. Il s'étira lentement puis alla soulever le battant de l'entrée. Une brume épaisse avait envahi tout le terrain. La chasse ne pourrait commencer avant qu'elle se soit levée.

Le temps que ses esclaves lui fassent sa toilette et lui servent son repas, le soleil avait chassé la brume, augurant une journée radieuse, parfaite pour la chasse.

– Je dois rencontrer l'empereur !

Jahangir leva un regard irrité par-dessus son assiette de chappatis et d'œufs au curry accompagnés de cumin, d'oignons, de piments verts et de tomates. Pourquoi le dérangeait-on toujours pendant ses repas ? Il se tourna vers Hoshiyar Khan.

– Va voir dehors d'où vient ce bruit. Je ne désire pas être importuné.

– Oui, Votre Majesté.

L'eunuque salua et s'éloigna, pour revenir presque aussitôt.

– Votre Majesté, Khwaja Wais, le diwan du prince Khurram, demande audience. Il soutient que l'affaire est urgente et qu'il doit vous parler immédiatement.

Jahangir fit la grimace.

– Cela peut attendre. Dis-lui de revenir ce soir, quand je serai rentré de la chasse.

– Votre Majesté, je vous supplie de me recevoir !

– Le prince Khurram est là ?

Hoshiyar jeta un coup d'œil à l'extérieur de la tente et hocha la tête. Jahangir lui fit signe d'introduire les visiteurs.

Khurram porta une main à son front pour exécuter le konish devant son père. Puis il s'avança sur le tapis persan vert et or en s'éclaircissant la gorge.

– Qu'y a-t-il, mon enfant ? Je n'ai pas fini mon repas.

– Pardonne-moi, bapa, mais ceci ne peut pas attendre. Khwaja Wais désire te parler. Il a quelque chose d'important à te communiquer.

Khurram hésita puis désigna du regard le grand eunuque qui se tenait courbé sous le plafond bas de la tente.

– En privé.

– Hoshiyar Khan est un membre de mon zénana et j'ai toute confiance en lui. Parle vite.

Khurram passa une main sur sa joue glabre avant d'annoncer tout d'une traite :

– Un complot d'assassinat contre ta personne vient d'être découvert.

– Quoi ? rugit Jahangir. Qui a osé ?

Khurram hésita, changea de pied. Le rôle de porteur de mauvaises nouvelles n'avait rien de confortable mais, puisque Jahangir refusait de voir Khwaja Wais…

– Khusrau, lâcha-t-il enfin. Deux de tes Ahadis sont à sa solde et ont prévu de te tuer pendant la chasse. Khwaja Wais a eu vent du complot et s'est précipité pour m'avertir. J'ai pensé que tu aimerais l'interroger toi-même, c'est pourquoi je te l'ai amené.

Une telle colère montait en Jahangir qu'il en sentit la chaleur lui envahir la nuque puis la tête. Khusrau… toujours Khusrau ! Son fils aîné n'avait-il pas compris sa leçon sur la route de Lahore ? Si la nouvelle était vraie, la mort serait un châtiment trop doux.

– Fais entrer Wais.

Khwaja Wais fut introduit immédiatement.

– Comment l'as-tu appris ?

– Le prince a rassemblé quatre cents hommes pour lui prêter main-forte, Votre Majesté. Bien qu'ils lui aient juré allégeance, certains étaient de nos espions. L'un d'entre eux m'a donc averti. L'assassinat est prévu pour aujourd'hui. Votre vie est en danger, Votre Majesté. Je vous en prie, n'allez pas à la chasse !

– As-tu une preuve ?

Wais fouilla dans sa qaba et en sortit un paquet de lettres.

– Voici la correspondance échangée entre le prince Khusrau et son eunuque, Itibar Khan. Le prince y développe clairement son plan d'action et ne laisse subsister aucun doute sur sa participation au complot.

Jahangir arracha le paquet des mains du diwan.

– Comment as-tu obtenu ces lettres ?

– En payant les serviteurs de l'eunuque.

Le silence retomba tandis que l'empereur examinait les lettres. Il reconnut l'écriture de son fils et dut se rendre à l'évidence : Khusrau tentait bel et bien de le faire assassiner. La haine, l'antipathie qu'il avait refoulées par sens du devoir le submergèrent devant ces feuillets.

L'empereur lâcha soudain les lettres et se frotta machinalement les mains sur sa qaba, comme s'il s'était sali. Il considéra les deux hommes debout devant lui.

– Arrêtez les chefs et amenez-les moi, dit-il simplement.

Puis, se tournant vers Hoshiyar :

– La chasse est annulée.

Le cœur lourd, Ghias Beg regarda les quatre prisonniers s'avancer vers le trône. Ils s'arrêtèrent devant l'empereur puis exécutèrent maladroitement le konish, leurs chaînes de fer tintant dans le Diwan-i-am surpeuplé.

– Nuruddin, Itibar Khan, Muhammad Sharif et Bagdah Turkman, vous êtes accusés de tentative d'assassinat sur la personne de l'empereur ! proclama le Mir Tozak.

Ghias retint son souffle et considéra tristement les accusés. Muhammad Sharif gardait obstinément la tête baissée, comme s'il craignait de croiser le regard de son père.

Comment ce garçon avait-il pu ainsi les trahir ? se demandait Ghias bouleversé. Tout le temps qu'il avait passé sous le toit familial, faisant mine d'écouter les préceptes de son père, il n'avait cessé de comploter contre l'empereur. Sa vie durant, il avait fait preuve d'indiscipline. Ghias aurait dû voir venir le drame ; dès que Muhammad avait parlé de soutenir le prince Khusrau, au lieu de le faire taire, il eût dû tenter de le comprendre afin de mieux le réfuter. Mais comment se douter qu'il tenterait d'assassiner l'empereur ?

Au début de la semaine, Ghias lui avait rendu visite en prison. Il avait eu beaucoup de mal à en obtenir l'autorisation à cause de sa résidence surveillée, mais il restait diwan de l'Empire et ce titre lui garantissait encore une certaine autorité. La rencontre avait été brève, Ghias demeurant devant l'entrée de la cellule de Muhammad qui se recroquevillait dans l'ombre. Il lui avait parlé du chagrin de sa mère, de l'opprobre que ses actes allaient jeter sur la famille. Cette visite se fût résumé un monologue si, à la fin, Muhammad n'avait soudain levé la tête et demandé :

– Ai-je donc fait pire que toi, bapa ?

Là s'était achevée leur rencontre. À présent, Ghias contemplait son fils, conscient de sa propre responsabilité. Lui-même avait mal agi, comment pouvait-il exiger davantage de Muhammad ?

– Qu'on les mette à mort !

À ces mots de l'empereur, son cœur se serra. Il savait que le châtiment serait dur, mais l'idée que son fils pût lui être enlevé à jamais lui était insupportable.

– Votre Majesté…

Oubliant l'étiquette qui interdisait d'interrompre l'empereur, il n'avait pu s'empêcher de crier.

– Que veux-tu ? demanda Jahangir avec un regard noir.

Ghias secoua la tête. Que dire ? De quel droit pouvait-il implorer son indulgence ? D'abord Ali Quli tuait Koka, lui-même était accusé de détournement de fonds… Il se sentit rougir. Maintenant, son propre fils comparaissait pour régicide… Que pouvait-il demander ?

– Eh bien ? insista Jahangir.

– Rien, Votre Majesté…

L'empereur se détourna.

Les Ahadis poussèrent les quatre hommes vers la cour ouverte dans le prolongement de la salle, et Ghias se cacha la tête dans sa manche en apercevant leurs épées scintiller au soleil. Il entendit le terrible bruit de l'acier taillant dans la chair. Les hurlements des suppliciés emplirent les lieux, firent bientôt place à des gémissements puis au silence. Justice était faite. Cette exécution devant toute la cour assemblée servirait de leçon à ceux qui envisageraient de trahir à leur tour.

Ghias Beg demeura sur place, le visage baigné de larmes. Son monde s'était brusquement assombri. Il allait devoir annoncer à Asmat que leur fils aîné était mort. Même s'il estimait la sentence juste, Muhammad était leur fils. Malgré son entêtement, son orgueil, son insubordination, c'était leur fils.

– Tu as bien fait, Mahabat.

Jagat Gosini tendit au ministre deux sacs brodés emplis de mohurs d'or.

– Ce n'était rien, Votre Majesté.

Il n'en saisit pas moins les deux sacs et les soupesa avec plaisir.

– Les événements ont tourné au mieux de nos intérêts, commenta l'impératrice.

Assise sur son banc préféré, elle avait croisé les mains sur ses genoux.

– L'empereur ne parle plus de cette femme, ajouta-t-elle. Ou alors, je lui rappelle gentiment à quelle famille de traîtres elle appartient.

– Et je fais de même à la cour, Votre Majesté.

– C'est bien, Mahabat, tu es un loyal serviteur.

Il inclina humblement la tête sans cesser de sourire.

– J'ai une autre idée, Votre Majesté.

L'impératrice demanda aussitôt :

– Laquelle ?

– L'empereur est furieux contre le prince Khusrau. Peut-être pourrions-nous le convaincre que, tant qu'il vivra, il représentera une menace pour le trône...

Jagat Gosini poussa un soupir de satisfaction.

– Mon fils, Khurram, serait un choix idéal pour lui succéder.

– C'est certain, Votre Majesté. Le prince Khurram possède toutes les qualités nécessaires pour une telle charge.

L'impératrice se tourna vers Mahabat avec admiration. S'il parvenait à écarter Khusrau, la marche de Khurram vers le trône en serait facilitée et sa mère resterait puissante même après la mort de Jahangir.

– Vu ma position, je ne puis aborder ce sujet avec l'empereur.

– Alors laissez-moi m'en charger, dit Mahabat les yeux brillants. Je ne désire rien de plus que rester pour toujours à votre service.

Jagat Gosini le dévisagea un long moment. Du temps de sa jeunesse, on lui avait enseigné – elle ne se rappelait pas qui – de ne jamais demander de service à une personne qu'elle n'aimait pas, de peur de lui devoir une faveur trop coûteuse. L'impératrice n'aimait pas Mahabat, mais elle le trouvait utile à ses projets et admirait sa ruse.

– Tu es un homme de bien, Mahabat. Je n'oublierai pas ta loyauté.

– Votre Majesté, il vaudrait mieux faire exécuter le prince. S'il reste vivant, il ne cessera de vous créer mille difficultés.

Jahangir toisa ses deux ministres en secouant la tête. Voilà longtemps qu'il n'éprouvait plus le moindre sentiment paternel envers Khusrau. Pourtant, il ne se résignait pas à se ranger à l'avis de ses amis.

– Les dames du zénana ne me pardonneraient jamais sa mort, objecta-t-il.

– Dans ce cas, répondit Sharif, vous pourriez peut-être envisager un autre châtiment. Par exemple le rendre aveugle. Il ne serait plus d'une grande utilité pour ses affidés.

L'empereur baissa la tête en caressant du bout des doigts le rebord de son gobelet de jade. Là était sans doute la solution. Débarrassé de Khusrau, enfin, il se sentirait libre de ses mouvements. Au tréfonds de lui-même jaillit un bref sursaut de tristesse. Man Bai, sa première épouse, la mère de Khusrau, avait laissé le jeune garçon sous sa protection. Elle était morte à cause de sa rébellion, non sans avoir imploré son pardon ; mais l'eût-elle défendu si elle avait vu ce même fils tenter d'assassiner son père ?

– Bien, annonça finalement Jahangir. Qu'il perde la vue à Sultanpur, sur les lieux de sa défaite. Ensuite, nous retournerons à Agra.

Khusrau fut donc emmené à Sultanpur dans une cage dressée sur un éléphant. Sur son passage, la population s'était assemblée pour huer le malheureux prince qui ne pouvait se dérober à leurs quolibets. Sur les lieux de sa première défaite, il eut les yeux brûlés au fer rouge. Il ne souffrit pas longtemps avant de sombrer dans l'apaisement de l'inconscience.

Désormais aveugle, il fut ramené à Agra. Durant le voyage, il gisait dans le fond de sa cage, les mains plaquées sur ses oreilles pour ne plus entendre les insultes du peuple.

Au moins ne voyait-il plus ses tortionnaires.

17

Mher-ul-Nissa était une femme à l'esprit fier... Pour élever sa réputation dans le sérail, pour entretenir ses esclaves et pour vivre décemment malgré la maigre pension qui lui était versée, elle fit appel à ses talents en fabriquant quelques admirables pièces de tapisserie et de broderie, en peignant des soies avec une exquise délicatesse et en créant des ornements féminins de toutes sortes.

Alexander Dow – *Histoire de l'Hindoustan*

Un doux soleil de mousson descendait à l'horizon, répandant ses rayons dorés sur la ville d'Agra. Le crépuscule ne durerait que quelques minutes et la nuit tomberait aussitôt, avalant les palais qui demeuraient silencieux, comme satisfaits des événements de la journée. Une fois que les lanternes se mettraient à briller, que les lampes à huile seraient allumées, les dames du zénana se transformeraient en magnifiques papillons parés de bijoux, se plongeraient dans des bains d'eau de rose enrichie de la puissante essence du jasmin et se vêtiraient de fines mousselines, n'aspirant qu'à séduire leur seigneur et maître. La mousson était arrivée à l'heure, cette année-là, vite engloutie par la terre desséchée, et les pelouses vertes regorgeaient d'eau. Mais personne n'assista au spectacle du soleil couchant. Les jardiniers en avaient terminé depuis longtemps avec leurs travaux. Même les oiseaux s'étaient nichés dans leurs arbres en attendant la nuit.

Une silhouette restait, solitaire, dans le carré de melons des jardins du zénana. Vêtue de vert – un vert tendre assorti aux feuilles qui s'étalaient sur le sol –, elle était agenouillée sur des sacs de jute pour protéger sa ghagara de la poussière. Ses longs cheveux étaient attachés dans son dos pour former une masse aile de corbeau dont les reflets bleutés brillaient aux derniers rayons du soleil. Elle ne portait aucun bijou, pas même des boucles d'oreille, si ce n'étaient deux bracelets qui tintaient à chacun de ses mouvements alors qu'elle bêchait vigoureusement le sol autour des fruits. De temps à autre, elle soulevait doucement un melon et glissait dessous une grande feuille, ainsi qu'une autre afin de le couvrir en vue de la journée du lendemain. On lui avait appris que les melons mûrissaient mieux sous la lumière de leurs propres feuilles. Elle s'arrêta un instant pour essuyer la sueur de son front et laissa un peu de terre sur ses joues roses.

– Maman !

Mehrunnisa leva la tête et discerna Ladli qui la cherchait à travers le feuillage, la bouche tremblante d'une moue alarmée.

– Ici, fillette ! cria Mehrunnisa en levant la main.

Les boucles légères de l'enfant se rapprochèrent : la petite courait vers sa mère, sautant entre les melons avec la légèreté d'une gazelle. Déjà la petite se jetait dans ses bras en poussant des exclamations de joie et en l'embrassant sur les deux joues.

– Tu es sale, maman ! observa-t-elle en plissant le nez.

Elle s'éloigna en époussetant sa *kameez*, sa chemise à manches longues qu'elle portait sur son pantalon bouffant.

– Toute cette boue ! poursuivit-elle. Pourquoi travailles-tu dans le jardin, maintenant ? Pourquoi n'es-tu pas avec l'impératrice douairière ?

Mehrunnisa s'assit en riant sur un sac de toile.

– Parce que l'impératrice n'a plus besoin de moi, aujourd'hui. Alors j'ai eu envie de jardiner un peu avant le coucher du soleil. Comment se sont passées tes leçons ? As-tu appris quelque chose ou as-tu encore été méchante ? Le mollah s'est beaucoup plaint de toi.

– Le mollah se plaint toujours de tout. Il ne m'apprend rien du tout. Il dit que je ne suis qu'une fille, que je n'ai pas besoin d'en savoir trop. Puis-je m'asseoir un peu avec toi ?

– Oui, ma fille.

Mehrunnisa épousseta un sac pour lui ménager une place. Les observations de Ladli sur le mollah la faisaient rire ; cela lui rappelait un temps lointain où elle se plaignait de son professeur auprès d'Asmat. Elle observa avec amusement Ladli qui s'asseyait avec précautions sur le sac en tirant les bords de sa kameez sur la toile, afin qu'ils n'entrent pas en contact avec la terre. Parfois, elle avait du mal à croire que son enfant n'avait que six ans tant elle prenait déjà des allures de jeune fille. Mehrunnisa l'avait souvent surprise à se regarder dans une glace, se coiffer, changer de vêtements, à vérifier si une barrette d'émail seyait mieux d'un côté ou de l'autre de sa coiffure, ou si sa dupatta était bien drapée sur son épaule. Il lui arrivait également d'ouvrir la boîte à bijoux de sa mère pour les essayer un à un avant de les ranger soigneusement dans leur écrin de satin.

– Maman, quand sera-t-il à moi ? Et celui-ci ? Et celui-là ? demandait-elle en repoussant ses boucles sur ses épaules.

Voyant les yeux brillants levés sur elle, Mehrunnisa posa une main poussiéreuse sur le menton de sa fille, afin de lui demander un baiser.

– Maman, tu es toute sale ! protesta l'enfant.

Mehrunnisa sourit. À son âge, elle grimpait dans les arbres ou tirait sur les oiseaux avec un lance-pierre ou s'efforçait de toucher le *gilli* plus souvent qu'Abul. Mais elle avait alors Abul et Muhammad pour jouer, tandis que Ladli n'avait personne.

Elle replongea les mains dans la terre grasse, indifférente à l'état de ses ongles. C'était seulement en faisant du jardinage qu'elle parvenait à oublier les quatre années précédentes. Seule une intense activité physique lui permettait de dormir quelques heures la nuit, sans être hantée par des cauchemars de la mort d'Ali Quli.

Le soleil plongeait de plus en plus bas sur les collines et Ladli jouait les princesses sur son sac de toile, tandis que sa mère, vêtue comme une servante, nettoyait les melons en songeant à mille choses auxquelles elle s'était promis de ne pas penser.

Après la mort d'Ali Quli, l'empereur avait expédié au Bengale une escorte pour la raccompagner à Agra. Haidar

Malik, homme de confiance du défunt gouverneur Qutubuddin Koka, s'était occupé de Ladli et d'elle pendant les six affreux mois qui avaient suivi la mort d'Ali Quli. Il était parvenu à les protéger et, lorsque l'ordre de l'empereur était arrivé, avait utilisé le sceau d'or pour acheter des chevaux de somme et de la nourriture pour le voyage, ainsi que pour calmer la famille de Koka.

Dans l'incertitude, Merhunnisa avait retrouvé Agra. Ses parents avaient suivi la cour et l'empereur à Kaboul. En attendant leur retour, Ruqayya Sultan Begam, désormais impératrice douairière, l'avait priée de revenir au harem lui tenir compagnie. Le zénana impérial, avec ses nombreux appartements, ses cours, ses jardins et sa multitude d'occupants, restait certainement un endroit idéal où soigner ses blessures morales et réfléchir. Lorsque Ruqayya lui en laissait le temps, Mehrunnisa prit l'habitude de coudre et de peindre. Elle en vint rapidement à dessiner des ghagaras et des cholis pour les dames du harem. L'argent qu'elle en retirait allait dans un coffre de bois. Elle ne savait pas encore pour quel usage, car c'était la première fois de sa vie qu'elle avait de l'argent, gagné par elle, non obtenu de bapa ou d'Ali Quli ou de Ruqayya.

La cour avait fini par rentrer à Agra, et Mehrunnisa avait guetté un signe de Jahangir. Mais rien n'était venu que le silence ; de temps à autre, elle entendait parler de lui par les dames du zénana. Il semblait l'avoir oubliée.

Jahangir s'était encore marié deux fois, d'abord à la petite-fille de Rajah Man Singh, l'oncle de Khusrau. C'était bien sûr une union strictement politique, afin de s'assurer que Rajah Man Singh y réfléchirait à deux fois avant de vouloir placer son neveu sur le trône et de faire de sa petite-fille une veuve.

L'autre mariage de Jahangir survint une année plus tard, lorsque l'armée impériale conquit le royaume de Rajah Ram Chand Bundela. Celui-ci offrit sa fille en mariage à l'empereur, afin d'entretenir de bonnes relations avec son nouveau souverain ; c'est ainsi que cette princesse entra dans le zénana de Jahangir.

– Tu as terminé, Maman ?

La petite voix de Ladli tira Mehrunnisa de ses pensées. Le soleil était couché. Elle ramassa ses sacs et sa bêche, et toutes deux se dirigèrent vers leurs appartements.

Mehrunnisa se lava les mains, fit dîner Ladli, mangea un peu et coucha l'enfant avant de se diriger vers le hammam du zénana. À son retour, comme presque toutes les nuits, elle s'assit devant son miroir et alluma une lampe à huile.

Elle effleura lentement son visage. Son teint était toujours parfait ; autour de ses yeux de fines ridules étaient apparues, à peine visibles en plein soleil. Elle était toujours aussi mince qu'au temps de sa première jeunesse et ses hanches conservaient leurs délicates rondeurs. Elle était aussi sensuelle et désirable qu'une femme plus jeune… À cette différence près qu'elle se retrouvait veuve depuis quatre ans. Sans doute allait-elle passer le restant de ses jours derrière les murs du zénana et vieillir comme une concubine oubliée depuis longtemps. Au moins avait-elle Ladli.

Elle couvrit sa fille qui dormait avec cet abandon des enfants, inconsciente des tragédies qui avaient entouré sa jeune vie. La petite ne se souvenait pas beaucoup d'Ali Quli et posait peu de questions. Mais un jour, sûrement, sa terrible mort viendrait la tourmenter.

Mehrunnisa se dirigea vers la fenêtre, l'ouvrit et huma l'air frais qui s'introduisit dans sa chambre étouffante. L'agréable odeur de terre mouillée lui effleura les narines quand elle se pencha en pensant, comme à peu près toujours, à l'empereur. Il se révélait un habile homme d'État. L'empereur Akbar eût été fier de lui. Quant à elle, elle se félicitait du sort de Khusrau.

Quelques mois après que la cour fut retournée à Agra, l'empereur avait finalement reçu son fils après le darbar. Jahangir s'émut devant ce pitoyable jeune homme aveugle et défiguré, et le fit traiter par les meilleurs médecins de l'Empire afin que ceux-ci tentent de rendre la vue à son fils. Ils n'y parvinrent que partiellement. Désormais, le prince voyait assez bien d'un œil, mais l'autre était perdu à jamais. Toutefois, il restait jour et nuit sous la surveillance de gardes armés ; même si Jahangir l'avait rétabli dans le statut dont jouissaient ses autres fils, il se méfiait toujours de celui qui avait tenté de le faire assassiner.

L'année suivante, avec la gracieuse autorisation de l'empereur, les jésuites portugais convertirent trois neveux de Jahangir au catholicisme, les fils de feu le prince Daniyal. La cérémonie eut lieu dans l'église jésuite d'Agra, suivie d'une réception au palais impérial. Les prêtres s'étaient proposés pour éduquer les orphelins, pourvu que l'empereur les laissât convertir les enfants – ce que Jahangir avait accepté sans enthousiasme apparent.

Mehrunnisa sourit dans la nuit sombre. C'était là une brillante tactique. Les garçons convertis, ils ne représentaient plus de menace pour le trône. Jahangir se voyait ainsi débarrassé à moindres frais de quelques héritiers potentiels, car il était impensable que l'empereur de l'Inde Moghole ne fût pas musulman.

Si les jésuites étaient installés depuis longtemps en Inde, il y avait également d'autres *firangis*. Le monde s'ouvrait. Les nouveaux venus se présentèrent comme « ambassadeurs » d'une île minuscule en Europe, appelée Angleterre. Elle se trouvait à des milliers de lieues de l'Inde, et le voyage en mer durait au moins six mois. Les hommes qui vinrent représenter le roi Jacques Ier n'étaient guère que des marchands. Ils n'avaient aucun talent diplomatique et demandaient seulement de pouvoir faire commerce avec l'Inde.

Jahangir ne s'était pas occupé d'eux, les traitant comme s'ils n'étaient que de vulgaires chameliers. Et ce n'était que justice, selon Mehrunnisa. Au fond, qu'étaient-ils, ces Anglais, sinon des pêcheurs et des bergers ? Comment une si petite île pouvait-elle espérer se mesurer avec la gloire de l'Empire moghol ? L'Inde fonctionnait en autarcie, tandis que ces étrangers venaient chercher épices, cotonnades et salpêtre produits en abondance dans l'Empire. La simple politesse eût été de prendre contact avec son souverain par le truchement d'un ambassadeur.

Le capitaine du premier vaisseau anglais à aborder les côtes indiennes, Wiliam Hawkins, de l'*Hector*, était un homme érudit. Il parlait bien le turc, la langue de la cour. De leur moucharabieh, Mehrunnisa, alors en compagnie de Ruqayya, avait été impressionnée par sa prestance lorsqu'il s'était présenté à l'empereur. Mais polyglotte ou non, Hawkins était d'abord un commerçant. En tout état de cause, il restait aux Anglais à démontrer quels avantages ils pourraient apporter à l'Empire s'ils voulaient obtenir des privilèges. Pour le moment, les jésuites portugais occupaient une place déjà trop importante à la cour.

Saisie de son impatience coutumière, Mehrunnisa tambourina du bout des doigts sur le rebord de la fenêtre. Quand elle était petite, elle pensait que les dames du zénana impérial pouvaient contourner les règles que la société imposait aux femmes. Maintenant qu'elle faisait partie du harem, elle se rendait compte que cela ne suffisait pas. Même en ces lieux, rares étaient celles qui possédaient un quelconque pouvoir – pour cela il fallait être mariée à l'empereur, ou appartenir à sa famille directe, ou faire partie de ses favorites du moment. Parfois elle regrettait de ne pas être un homme, afin de pouvoir souffler ses recommandations à l'empereur. La présence anglaise dans l'Empire avait mis les jésuites dans l'embarras, et si Jahangir était mieux conseillé il saurait comment dresser les deux partis l'un contre l'autre pour en tirer avantage. Mais elle était là, condamnée à passer sa vie au zénana, sans espoir d'épouser l'empereur, loin des palpitantes perspectives politiques qui agitaient la cour.

– Te voilà ! Si tard !

Mehrunnisa se prosterna aux pieds de l'impératrice douairière.

– Je vous demande pardon, Votre Majesté.

– Tu devrais dormir davantage la nuit, mon enfant. Aide-moi à m'habiller, je te prie, Khurram doit venir me rendre visite.

Durant l'heure suivante, Mehrunnisa fit de son mieux pour tâcher de plaire à sa maîtresse. Il fallut d'abord l'aider à choisir une tenue parmi toutes celles qui lui furent présentées. Non, elle ne pouvait revêtir celle-ci, elle l'avait déjà portée deux fois. Ses dames de compagnie étaient-elles insensées au point de croire qu'elle allait se montrer dans des vêtements usés ? Non, pas celle-ci non plus, elle était bleue ; aujourd'hui n'était pas un jour bleu. Quant à celle-là... il fallut que la bijoutière lui présentât ses nouveaux rubis sertis de diamants pour que l'impératrice jugeât un nouveau vêtement inadéquat. Elle finit cependant par se décider et les dames de compagnie entreprirent de l'habiller. Tandis que Mehrunnisa lui fixait son voile dans les cheveux à l'aide d'une épingle, le prince Khurram fit son entrée. Toutes les dames saluèrent.

Il se rendit auprès de sa mère adoptive et embrassa sa joue parcheminée.

– Comment vas-tu, *ma* ?

– Bien. Et je me porterais mieux si tu venais plus souvent.

Habitué à ces aimables reproches, Khurram sourit en s'asseyant près d'elle. Il savait lui faire oublier ses colères. Il prit un burfi dans un plateau d'argent et le lui tendit en essuyant ses doigts pleins de beurre sur une serviette de soie. La première fois qu'elle avait vu le jeune prince, Ruqayya lui avait fait goûter cette pâtisserie avec les mêmes gestes affectueux. Il l'imitait sans en être conscient.

La jeune femme acheva de draper le voile de l'impératrice sur ses épaules et recula pour juger de l'effet tout en souhaitant le bonjour au prince :

– *Inchah Allah*, Votre Altesse !

– *Inchah Allah*, Mehrunnisa ! répondit celui-ci avec amabilité.

– Khurram, intervint Ruqayya qui ne voulait pas qu'on lui volât une seconde d'attention, raconte-moi ce que tu as fait ces dernières semaines.

Tout en écoutant le prince, Mehrunnisa l'observait. Âgé de dix-neuf ans, il semblait cumuler toutes les qualités que l'on pouvait rêver chez un jeune homme et la cour le tenait pour le véritable héritier du trône. Heureuse Arjumand ! Cependant, quatre années s'étaient écoulées depuis les fiançailles de sa nièce avec Khurram. Entre-temps sa famille était tombée en disgrâce, et Mehrunnisa se demandait si le mariage aurait jamais lieu. Certes, le déshonneur était officiellement levé et son père était parvenu à rentrer dans les bonnes grâces de l'empereur, mais celui-ci paraissait avoir oublié les fiançailles de son troisième fils. De même que ce dernier, semblait-il.

Elle sourit et il lui répondit d'un clin d'œil furtif sans cesser de parler. Allongée sur son divan, les yeux clos, Ruqayya lui tenait la main d'un geste possessif.

– Vas-tu assister aux fêtes de Nauroz ? demanda-t-il soudain à la jeune femme.

– Oui, Votre Altesse.

Le nouvel an était proche.

– Et toi, ma ?

L'impératrice douairière caressa la tête de Khurram.

– Moi aussi, mon chéri. Mehrunnisa m'y accompagnera.

– Les bazars seront magnifiques, cette année. Je compte y passer tout mon temps... après avoir présenté mes respects à l'empereur, évidemment.

– N'oublie pas de visiter Sa Majesté tous les jours. Il sera très fâché s'il ne te voit pas.

– Je n'y manquerai pas. Ma mère me l'a déjà réclamé. Je sais ce qu'exige l'étiquette, ma. Pourquoi me la serinez-vous toutes les deux ?

À l'évocation de Jagat Gosini, Ruqayya s'était raidie ; aussi Mehrunnisa s'apprêtait-elle à intervenir, mais Khurram changea aussitôt de sujet :

– Et Mehrunnisa ? La laisseras-tu se promener un peu au bazar ? Comment veux-tu qu'elle se trouve un autre mari si tu la gardes constamment enfermée ?

Mais l'impératrice douairière restait les yeux dans le vague.

– Si ta mère te donne des conseils, articula-t-elle, alors écoute-la, elle, plutôt qu'une vieille femme qui n'a plus voix au chapitre.

Après la mort d'Akbar, elle avait dû, à son grand regret, céder le titre de Padchah Begam à Jagat Gosini. Depuis, les deux femmes observaient un silence glacial chaque fois qu'elles se rencontraient, se saluant à peine. Ruqayya se plaignait amèrement de l'injustice de sa situation en oubliant la cruauté dont elle-même avait fait preuve envers la seconde épouse de Salim lorsqu'elle lui avait pris son fils.

Si Merhunnisa avait naguère détesté l'épouse de Jahangir, tout en la plaignant d'avoir perdu Khurram, elle plaignait désormais Ruqayya. Mais son aversion pour Jagat Gosini ne s'était pas apaisée pour autant. Au cours de ces dernières années, elle avait eu vent des manœuvres de l'impératrice pour empêcher Jahangir de l'épouser. Dans le zénana impérial, rien ne restait longtemps secret.

Elle savait aussi que Jahangir ne venait jamais rendre visite à Ruqayya en raison de sa propre présence auprès de l'impératrice douairière. Si elle l'avait pu, Jagat Gosini eût fait renvoyer Mehrunnisa, mais Ruqayya l'avait défendue vaillamment. L'épouse de l'empereur avait dû céder, préférant éviter tout affrontement direct qui n'eût pas manqué d'attirer l'attention de son époux. Or, Jagat Gosini tenait avant tout à ce que celui-ci oubliât la présence de Mehrunnisa dans son zénana.

Khurram se pencha sur sa mère adoptive et posa une joue contre la sienne, les bras autour de ses épaules grassouillettes.

– Qui ne t'écouterait pas, chère ma ? Tu sais pourtant quelle place tu occupes dans ma vie !

– Vraiment ? roucoula l'impératrice douairière.

– Vraiment, répondit Khurram. Alors, promets-moi d'envoyer Mehrunnisa au bazar, demain.

Ruqayya éclata d'un grand rire joyeux.

– Pourquoi te préoccupes-tu tout à coup du veuvage de Mehrunnisa ? Tu n'as qu'à l'épouser toi-même !

– Tu sais que c'est impossible. Pourtant…

Il se retourna pour regarder la jeune femme d'un œil brillant.

– Elle est tellement belle…

Mehrunnisa eut envie de disparaître sous un tapis. Parfois, Ruqayya poussait trop loin la plaisanterie.

– Votre Majesté ! protesta-t-elle. Il est indécent de parler ainsi. De grâce…

– Très bien, coupa Ruqayya avec un geste agacé de la main. Va-t'en, Khurram. Je te verrai demain, pour la fête.

Le prince salua et sortit en souriant. Encore rougissante d'embarras, Mehrunnisa retourna plier les vêtements de l'impératrice.

– Tu sais, reprit Ruqayya amusée, Khurram a raison.

– Pardon ?

– Si je te laisse sortir plus souvent, il se trouvera vite quelqu'un pour vouloir t'épouser. Tu dois te rendre au bazar sans voile. Il n'y aura que les hommes de la famille royale. Qui sait… l'empereur te verra peut-être !

Ruqayya ne la quittait pas des yeux, admirant la courbe de ses reins, la masse de ses cheveux dans son dos, la finesse de ses doigts ; elle n'avait pas oublié la passion de l'empereur pour cette femme, qu'aucune dame du zénana ne pouvait égaler. Jahangir avait été amoureux d'elle autrefois et si… et s'il l'était encore ? Une discrète intervention dans la bonne direction… alors elle, Ruqayya, récolterait les fruits d'une union entre l'empereur et Mehrunnisa. Et par-dessus tout, songea-t-elle avec un sourire mauvais, Jagat Gosini en serait outrée.

18

Le roi, profondément épris d'elle, envoya un ordre au gouverneur de la ville de Patana selon lequel, dès que Sher Afghan arriverait là-bas avec une lettre, il devrait y être exécuté. Cela fut fait, mais le valeureux soldat, bien que pris par surprise, tua cinq personnes en se défendant… C'était une femme de grand jugement et, à la vérité, digne d'être reine.

Niccolato Manucci – *Storia do Mogor*

– Es-tu enfin prête ? Pouvons-nous partir, maintenant ?

Ladli sauta du tabouret et se mit à gambader joyeusement à travers la pièce.

– Est-ce que nous verrons l'empereur ? Pourquoi faut-il encore attendre ? Quand allons-nous partir ?

L'impatience de sa fille fit sourire Mehrunnisa.

– Bientôt. Nous devons attendre ta dadi.

– Quand est-ce qu'elle arrive ? Pourquoi n'est-elle pas ici ?

– Elle est ici !

Un petit rire retentit à la porte d'entrée. Asmat Begam ouvrit les bras et Ladli courut embrasser sa grand-mère.

– Viens, dadi, on s'en va ! cria-t-elle en tirant sur sa ghagara.

Mehrunnisa alla accueillir sa mère. Malgré toutes leurs épreuves, Asmat avait tenu bon. Elle avait supporté avec dignité la déchéance de Ghias Beg. Lorsque Mehrunnisa avait retrouvé ses parents à leur retour de Kaboul, sa mère l'avait réprimandée :

– C'est ton bapa. Il t'a donné la vie, il t'a enseigné tout ce que tu sais. En bien des sens, tu es ce qu'il a fait de toi. S'il nous est arrivé malheur, c'est à cause d'une simple erreur de jugement. Tu sais combien ton bapa s'est toujours montré prodigue et grand seigneur avec son argent ; jamais personne dans le besoin ne s'est présenté chez nous sans y être accueilli, même au plus fort des privations. Alors retourne le voir. Ton silence le peine profondément. Il n'appartient pas aux enfants de pardonner ou non à leurs parents. Je ne crois pas en la culpabilité de ton bapa, et ce n'est sûrement pas à toi de t'ériger en juge.

Aussi, ce jour-là, suivant le conseil de sa mère, Mehrunnisa était-elle allée voir Ghias dans sa chambre. Il travaillait sur un registre de comptes et avait levé sur elle des yeux fatigués. Elle s'assit près de lui, appuya la tête sur son épaule ; ils se mirent à parler, plusieurs heures durant, réparant peu à peu les accrocs de leur relation. Et tout était rentré dans l'ordre grâce à sa mère qui, une fois de plus, avait accompli l'indispensable premier pas.

– Ne viens-tu pas, ma fille ? demanda Asmat.

– Pas tout de suite, maji. Je vous rejoindrai plus tard.

Asmat emmena Ladli qui ne cessa de babiller tout au long du corridor.

Mehrunnisa se rendit au balcon. L'après-midi était avancé et les rayons du soleil avaient perdu de leur force. La jeune femme laissa traîner son regard dans la cour où le bazar de Mina battait son plein. Des éclats de rire retentissaient parmi les exquises odeurs de jalebis qui doraient dans leur huile bouillante.

Le bazar avait été dressé dans la cour adjacente au Mina Masjid du fort d'Agra. Gaiement décorées de fleurs et de rubans, les échoppes s'alignaient sur quatre rangées. On y vendait de tout, fleurs, bijoux, soieries et même des légumes et des épices.

Les dames du harem impérial éprouvaient un vif amusement à imiter ce qu'elles imaginaient être les gestes de n'importe quelle femme du peuple chargée des achats pour sa maisonnée. Les fruits et les légumes qu'elles choisissaient étaient ensuite envoyés à l'office où les cuisinières les apprêteraient pour le repas du soir.

Mehrunnisa contemplait l'étal qui se trouvait à ses pieds : tomates rondes, mangues vertes, choux, choux-fleurs laiteux, carottes, concombres, longs radis blancs, courgettes. Un eunuque montait la garde devant la marchande qui s'était mise en devoir de couper en rondelles les carottes, les concombres, les radis et les courgettes avant de les disposer en rangs ; quand elle eut terminé, l'eunuque s'en alla. Au temps pour la liberté dans le zénana ! se dit Mehrunnisa. Même les légumes étaient neutralisés, afin que les dames n'en fissent pas un usage détourné.

L'empereur possédait un harem de trois cents femmes, parmi lesquelles ses épouses et ses concubines. Chacune pouvait s'estimer heureuse si le maître lui rendait visite une ou deux fois par an et si l'une de ces visites se traduisait par la naissance d'un enfant, mâle de préférence. De là émanait le pouvoir, le pouvoir ultime dans ce monde de femmes : être la mère d'un héritier potentiel du trône. Toutes rivalisaient pour obtenir ce privilège. Toutefois, nombre d'entre elles passaient leur vie entière sans jamais être mises en présence de l'empereur. Il suffisait qu'elles aient passé trente ans pour que ni l'empereur ni aucun autre homme ne les contemplent plus jamais.

Néanmoins, le zénana présentait encore quelques attraits aux yeux de Mehrunnisa. C'était son unique moyen de faire fortune et peut-être même de porter un héritier. Mais elle avait trente-quatre ans, lui répétait tristement son esprit. Nul ne la trouverait séduisante, l'empereur moins qu'aucun autre.

Un frémissement attira son attention ; elle fit volte-face et aperçut un eunuque dans l'encadrement de la porte.

– Sa Majesté réclame votre présence.

L'eunuque hocha la tête et s'en alla aussi discrètement qu'il était venu. Tel était le zénana : avec des yeux partout, des conversations à voix basse. Impossible d'y échapper. Le mieux consistait à en prendre son parti tout en restant vigilante. Lorsque Asmat et Ghias étaient rentrés à Agra, ils avaient tenté de convaincre Mehrunnisa de venir s'installer à la maison avec Ladli. Où serait-elle mieux que chez ses parents ? Mais elle tenait à un minimum d'indépendance. Ici, elle pouvait subvenir à ses besoins en tant que dame de compagnie de l'impératrice douairière. Et toutes les techniques que lui avait enseignées Asmat se révélaient précieuses dans l'élaboration de vêtements pour les dames du zénana. Ses talents lui rapportaient beaucoup. Nulle part ailleurs elle n'aurait côtoyé une telle fièvre, de telles intrigues, ni cultivé un tel instinct de survie que dans cette cage dorée.

Elle alla chercher un voile qu'elle avait préparé sur son lit, le fixa sur sa tête et se dévisagea dans la glace. Son choli blanc et sa ghagara étaient brodées de fils d'or, et elle avait passé de lourdes chaînes d'or autour de son cou et de ses poignets. Elle portait aussi deux grosses perles en guise de boucles d'oreille et des bracelets assortis, qui contrastaient avec ses mains décorées au henné comme avec ses yeux bleus qui rehaussaient le hâle de ses joues.

Nulle femme de trente ans n'oserait porter de blanc, symbole de pureté et virginité. Mais son reflet dans le miroir prouvait que rien ne l'en empêchait. Là-dessus, elle partit à la recherche de Ruqayya Sultan Begam.

Entourée d'eunuques, de dames de compagnie et du prince Khurram, l'impératrice douairière trônait dans un coin du bazar.

Mehrunnisa vint la saluer.

– Votre Majesté voulait me voir ?

Un large sourire plissa le visage poupin de Ruqayya :

– Oui. Va dire à l'empereur que je le prie de venir me voir.

– À l'empereur, Votre Majesté ?

Ruqayya et Khurram l'observaient, l'air faussement sérieux. Ils avaient une idée derrière la tête. Mais laquelle ? Cherchaient-ils à l'humilier ? Non, Ruqayya ne l'accablerait pas. Pourtant, elle était parfois capable de jouer des tours cruels si l'idée lui en venait…

La jeune femme restait figée sur place sans plus savoir que faire. D'un côté, elle avait envie d'obéir – quelle plus belle occasion ? qu'avait-elle à perdre ? – ; de l'autre, elle se sentait incapable de bouger.

– Et alors ? Vas-tu m'obéir ? lança sèchement Ruqayya.

– Puisque vous le désirez, Votre Majesté.

– Et ôte-moi ce voile ! L'empereur y verrait la plus grande insulte. N'oublie pas qu'il n'est entouré que de femmes.

– Oui, Votre Majesté.

Elle s'éloigna lentement, un peu décontenancée. Si elle avait pris le temps de préparer cette entrevue, elle eût su que dire. Mais là… se souviendrait-il seulement d'elle ? Avait-il pensé à elle, depuis tout ce temps ? Sans doute pas, il devait l'avoir oubliée. Sinon, elle en aurait eu quelques échos, quelques signes. L'esprit en ébullition, elle traversa le bazar. Derrière elle, les autres dames de compagnie, restées jusque-là si sérieuses, éclatèrent de rire.

Elle entendit même Ruqayya ricaner :

– Tu me dois dix mohurs, Khurram !

– Pas encore, ma. Voyons d'abord la suite.

Ah, songea Mehrunnisa, c'était donc un piège ! Ils avaient pris des paris sur sa réaction. Pour quelle raison ? Elle ralentit le pas, réfléchit quelques instants puis releva soudain la tête. *Dix mohurs seulement ?* Elle devait pourtant valoir davantage. L'impératrice douairière avait beau exsuder l'argent, elle adorait parier avec qui pouvait soutenir la mise, même minuscule, et ne se privait pas d'exiger son paiement quand elle avait gagné. Qui, d'elle ou du prince, avait parié que Mehrunnisa sortirait vainqueur de la confrontation ?

– Votre Majesté !

Une main tirait le bras de l'empereur

– Je voudrais un collier de rubis.

Jahangir regarda la capricieuse. Elle avait un sourire plein de fossettes et leva les bras pour faire mine de débarrasser son visage des mèches qui l'encombraient, en réalité pour mieux le faire profiter de ses appas.

– Tu l'auras, répondit-il en l'attirant vers lui. Dis-moi, où pourrions-nous trouver un collier de rubis ?

Elle désigna l'échoppe d'un bijoutier.

– Ici, Votre Majesté.

Les dames du harem s'écartèrent pour les laisser passer. Chemin faisant, l'empereur lui passa une main dans le dos et elle lui répondit d'un petit rire joyeux, les yeux pétillants de vie.

Jahangir poussa un soupir d'émoi. Il adorait les fêtes de Nauroz, car il pouvait accompagner ses épouses et ses concubines à travers le bazar pour les couvrir de cadeaux, non sans marchander de boutique en boutique. Il ne se gênait pas non plus pour en courtiser outrageusement quelques-unes. C'était là une plaisante rupture avec ses devoirs d'État. Et puis il y avait tant de jolies femmes, tellement empressées à lui plaire !

Les épouses des nobles amenaient leurs filles dans l'espoir de capter son attention ; à moins que ce ne fussent les épouses elles-mêmes car, en devenant la maîtresse de l'empereur, elles n'en attireraient pas moins d'honneur sur la famille. Aussi avaient-elles toutes revêtu leurs plus beaux atours. Les allées grouillaient d'une foule bigarrée et d'une concentration de bijoux comme le monde en avait sans doute peu connues ! Les rires fusaient, les bracelets cliquetaient, et de lourds parfums se mélangeaient dans la lumière douce du soir.

L'empereur venait de s'arrêter devant l'étal indiqué par sa dernière favorite et la regardait avec amusement choisir un collier parmi les merveilles que la marchande disposait devant elle. Il aimait faire plaisir à ses compagnes et savait que celle-ci serait prête à tout pour le contenter, la nuit venue. Cette pensée le fit frémir de délice.

Du regard, il chercha Hoshiyar Khan qui s'approcha et paya la bijoutière.

– Merci, Votre Majesté ! souffla la fille en passant le collier autour de son cou.

Elle avait les yeux brillants d'adoration. Jahangir la prit par la taille et l'entraîna.

– Faisons encore un tour, proposa-t-il.

Elle rayonnait tellement qu'il la trouva plus ravissante que jamais, sans doute la plus ravissante de toutes les femmes de son zénana.

Soudain, il s'arrêta net, le souffle court. Le soleil venait de disparaître derrière un nuage et, dans la lumière de cette fin d'après-midi, la femme qui s'approchait de lui semblait flotter et non marcher, son voile blanc effleurant le sol telle la brume sur les marais.

Sentant le trouble de l'empereur, les dames se turent, observant leur souverain qui s'était immobilisé à l'arrivée de Mehrunnisa. Il avait lâché la fille comme si elle n'existait plus.

La nouvelle venue exécuta un élégant konish.

– *Inchah Allah*, Votre Majesté ! L'impératrice douairière Ruqayya Sultan Begam vous prie de venir la voir.

Mehrunnisa. Interdit, il ne réagissait toujours pas. Quatre longues années ! Et chaque jour il avait pensé à elle, chaque nuit elle était venue visiter ses rêves. Il savait qu'elle se trouvait dans son zénana mais n'était pas allé l'y chercher. Trop de choses s'étaient produites. Mahabat lui avait conseillé la prudence. Que diraient de l'empereur Jahangir les futurs souverains s'il se laissait ainsi captiver par une femme ? Il avait donc écouté ses conseillers. Et puis il avait eu l'esprit occupé par bien d'autres choses : guerres, cérémonies à la cour, mariages politiques.

– Conduis-moi à elle, Mehrunnisa. Je ne saurais rien refuser à l'une de mes mères préférées.

Après s'être effacé pour la laisser passer, il la suivit lentement, admirant sa mince silhouette, son port de tête altier, le léger balancement de ses hanches. Il était presque submergé par l'irrésistible envie de caresser la chair douce de ses reins. L'âge semblait n'avoir pas de prise sur les charmes de Mehrunnisa, à croire que ces quatre années n'avaient fait que la rendre plus gracieuse. D'ailleurs elle-même semblait plus altière. Et il marchait derrière elle, la gorge serrée, se retenant à grand peine de la toucher.

Plus un bruit ne retentissait dans le bazar. Les dames s'interrogeaient du regard ou suivaient Mehrunnisa des yeux, sans chercher à dissimuler leur curiosité. Sans doute les entendait-elle murmurer son nom, car toutes la connaissaient, bien sûr ; presque la moitié d'entre elles portaient un vêtement qu'elle avait confectionné.

Arrivée devant Ruqayya, Mehrunnisa s'écarta et Jahangir salua sa belle-mère.

– Votre Majesté, vous ne m'aviez pas dit que vous gardiez un tel joyau par-devers vous.

– Il semblerait que tu l'aies trouvé, mon fils. Mais n'oublie pas qu'elle m'est précieuse.

De nouveau, Jahangir contempla Mehrunnisa. Et cela dura une éternité. Dans le silence le plus complet. *À moi aussi, elle m'est précieuse*, songea-t-il. Quel était son secret ? Pourquoi se rappelait-il le moindre détail de leurs quelques rencontres, le moindre de ses sourires ?

– Si Votre Majesté le permet, j'aimerais faire visiter le bazar à sa dame de compagnie.

L'impératrice se fendit d'un large sourire :

– Soit, mais prends grand soin d'elle, mon enfant. Grand soin !

Jahangir se contenta de répondre, sans quitter la jeune femme des yeux :

– Je suis aux ordres de Votre Majesté.

À ces mots, un murmure parcourut l'assistance et, bientôt, la nouvelle fit le tour du bazar, tandis que l'empereur et Mehrunnisa s'éloignaient côte à côte.

Alors Khurram glissa dix mohurs d'or dans la paume de sa mère adoptive.

Jagat Gosini contemplait un collier de perles et de turquoises lorsqu'une de ses esclaves vint lui parler à l'oreille. L'impératrice se redressa et se retourna pour regarder dans la direction que lui indiquait la jeune fille. Jahangir et Mehrunnisa s'étaient arrêtés devant un éventaire de tissus dont la marchande déployait coupon après coupon.

L'impératrice ne bougea pas, le visage fermé. Elle vit l'empereur poser un bras sur l'épaule de Mehrunnisa qui lui dit quelque chose. Aussitôt, il retira son bras en riant. Jagat Gosini reporta son attention sur la bijouterie.

– Votre Majesté veut-elle acheter ce collier ? interrogea la vendeuse.

– Non, répondit-elle d'un ton absent.

Impossible ! Encore Mehrunnisa ! Cette fâcheuse ne la laisserait donc jamais en paix ?

– Va me chercher Hoshiyar Khan, commanda-t-elle à l'esclave.

Quelques minutes plus tard, le grand eunuque la saluait.

– Comment cela a-t-il pu se produire, Hoshiyar ? demanda-t-elle sèchement.

– C'est que sa Majesté, Ruqayya Sultan Begam, a envoyé Mehrunnisa chercher l'empereur.

– Pourquoi ?

– Pour qu'il la remarque, Votre Majesté. Je ne vois pas d'autre raison valable. Ce n'était qu'un complot pour attirer l'attention de l'empereur.

– Trouve un prétexte pour l'écarter. Je veux que Mehrunnisa ait quitté le zénana ce soir. L'empereur ne doit jamais la revoir.

Hoshiyar prit un air las.

– Je ne peux rien faire, Votre Majesté. Il ne se laissera pas distraire aussi commodément.

Voyant l'impératrice se rembrunir, il ajouta en toute hâte :

– J'ai déjà essayé, Votre Majesté. D'ailleurs, comme vous le savez, Mehrunnisa fait partie de l'entourage de Ruqayya Sultan Begam. L'impératrice douairière ne reçoit d'ordres de personne.

Jagat Gosini se détourna sans rien dire. Elle allait les battre à leur propre jeu. Hoshiyar ne pouvait plus lui être d'une grande aide, pas plus que Mahabat Khan. Ces dernières années, si elle avait grandi en puissance au zénana, il en était de même pour le ministre à la cour. Jahangir était revenu à son mode de vie facile, laissant toutes les grandes décisions politiques à Mahabat et à Muhammad Sharif, dans la mesure où ceux-ci n'allaient pas trop à l'encontre ses propres désirs. Aussi les entrevues clandestines avec Mahabat s'étaient-elles raréfiées. En outre, l'affaire présente ne concernait que le zénana ; or, les extraordinaires prérogatives du ministre s'arrêtaient aux portes du harem.

Il revenait donc à Jagat Gosini d'éclaircir la situation elle-même. Elle s'attendait depuis longtemps à une confrontation entre l'empereur, Mehrunnisa et elle. Au moins le temps avait-il travaillé pour elle, imprimant sans doute ses marques sur les attraits de sa rivale. Sa décision prise, l'impératrice se retourna, satisfaite, mais en regardant à nouveau dans la direction de l'empereur, son rictus se figea.

Mehrunnisa souriait à Jahangir. Dans la lumière tamisée du soleil couchant, elle scintillait comme une perle blanche parmi les dames vêtues de couleurs resplendissantes. Au mieux, elle avait acquis une certaine maturité, des mouvements plus assurés. Et l'empereur n'était pas insensible à ces attributs-là non plus. Il se penchait sur elle avec un regard brillant de désir. Un éclair de douleur frappa la poitrine de Jagat Gosini. Jahangir l'avait regardée ainsi, de nombreuses années auparavant. Un jour elle l'avait ébloui, sortant nue du bassin de ses appartements, ruisselante d'eau parfumée, sûre de son emprise sur son époux. Mais la scène ne datait pas d'hier ; avec toutes les charges qui étaient devenues les siennes, Jagat Gosini avait vieilli.

À cet instant, l'œil de Mehrunnisa capta son regard et toutes deux se toisèrent un court instant. Mehrunnisa haussa un sourcil joliment recourbé avant de lui tourner le dos.

L'impératrice restait pétrifiée, submergée par un flot de haine. Jagat Gosini ne s'expliquait pas tout à fait pourquoi elle ne s'était pas sentie ainsi menacée par les autres épouses de Jahangir. Instruite par les mollahs et autres précepteurs, elle avait appris le turc, le persan, l'histoire, la philosophie, la poésie. Depuis sa jeunesse, elle avait toujours su que la beauté était éphémère ; aussi s'était-elle employée à enflammer non seulement ses sens mais aussi son esprit. Elle avait donné à l'empereur un fils accompli, sans doute le prochain empereur. Voilà vingt-cinq ans qu'elle vivait avec Jahangir. Qui pourrait la supplanter ? Même si Mehrunnisa était introduite dans le harem, elle devrait faire ses preuves en donnant un héritier au trône. Hélas, cela restait dans le domaine du possible : elle était encore assez jeune pour pouvoir porter un enfant. Et quand bien même ! se dit Jagat Gosini. L'empereur aurait tôt fait de l'oublier. N'avait-il pas des dizaines d'autres femmes à sa disposition ? Alors il reviendrait à son épouse préférée, celle dont il prisait l'intelligence, la patience et l'amitié.

Lorsqu'elle se retourna pour faire face à ses servantes, elle avait retrouvé sa contenance. Il eût fallu bien la connaître pour remarquer la lueur belliqueuse qui animait son regard.

19

Jahangir voulait l'amener dans son harem... et l'y garder parmi ses concubines, mais l'ambitieuse femme refusa... et l'amour repartit de plus belle à l'assaut du cœur du roi ; non sans l'aide, prétendaient certains, de quelque sorcellerie...

Edward Grey – *Les Voyages de Pietro Della Valle en Inde*

Une brume lourde et basse s'accrochait sur les remparts d'Agra, s'infiltrant, blanche et humide, par les rues pavées, dans les jardins et à travers les murailles de grès des palais. Rares étaient les habitants qui ne dormaient pas à cette heure : allumeurs de flambeaux, laitiers conduisant leurs vaches de porte en porte pour emplir les seaux de lait mousseux, épiciers rentrant du *sabji mandi*, leurs chariots pleins de légumes.

La maison de Ghias Beg, établie dos à la rue dans une large avenue bordée d'arbres, disparaissait elle aussi dans le brouillard. Un silence profond y régnait. Dans les écuries, les chevaux réclamaient du foin frais à grands claquements de mâchoires. Dans la basse-cour, les poules se disputaient d'improbables grains. Seuls le cuisinier et ses aides étaient levés, le grand four déjà allumé projetant une fumée blanche à travers le jardin.

Dans une chambre, à l'étage, Mehrunnisa dormait dans son lit, un *razai* de coton la couvrant jusqu'à la taille, la tête reposant sur sa paume, la masse d'ébène de ses cheveux répandue autour d'elle. Un coq chanta, soudain conscient de ses responsabilités. Mehrunnisa souleva lentement les paupières et contempla le mur qui lui faisait face en rassemblant ses esprits. Cette pièce était beaucoup plus grande que celle qu'elle occupait au zénana impérial. Puis elle se rappela qu'elle se trouvait dans la maison de son père. Elle était revenue chez lui la veille au soir, abandonnant Ruqayya aussi bien que ses fonctions.

La fraîcheur du matin se faufilait entre les interstices des volets, faisant frissonner la jeune femme. Elle remonta le razai jusqu'à son cou et se pelotonna dans la tiédeur de son lit. Trop paresseuse pour ranimer les braises qui mouraient dans le poêle, elle se tourna vers la fenêtre pour regarder monter les rayons de lumière de ce jour qui se levait.

Quand Mehrunnisa lui avait annoncé son départ, l'impératrice douairière n'avait pas caché son mécontentement :

– Pour combien de temps ? avait-elle demandé sèchement.

– Je l'ignore, Votre Majesté. Mais je ne peux pas rester ici plus longtemps. Il me faut rentrer sous le toit de mon père.

Sans plus attendre, elle avait demandé un palanquin et couru chercher Ladli endormie pour l'emporter au long des couloirs des appartements impériaux. Déjà couchés, bapa et maji se levèrent pour les accueillir ; ils ne posèrent aucune question, ne dirent rien, ne commentèrent pas ses yeux rougis par les pleurs. Maji ordonna seulement qu'on préparât une chambre pour sa fille et prit Ladli avec elle.

Ghias était monté la voir peu avant qu'elle ne s'endorme :

– Je suis heureux de te revoir à la maison, ma fille, dit-il en l'embrassant sur le front.

– J'espère que je ne vous cause pas un trop grand désagrément.

– Un enfant qui rentre à la maison peut-il causer le moindre désagrément à son père ? Dors, maintenant. Maji s'occupe de Ladli. Nous parlerons plus tard.

Ce fut ainsi que, sept jours après avoir revu l'empereur au bazar, Mehrunnisa rentra chez ses parents.

À présent, elle restait tranquillement dans son lit à écouter les bruits de la ville qui s'éveillait. Sous sa fenêtre, les palefreniers brossaient doucement le dos des chevaux.

Le lendemain du bazar, les serviteurs s'étaient succédé dans les appartements de Ruqayya, les bras chargés de cadeaux. Ils apportaient qui des bijoux scintillants sur des plateaux d'or, qui des bouteilles de vin, qui des coupons de soie et de satin, chaque fois accompagnés d'une invitation de Jahangir à le rejoindre pour son repas du soir. Stupéfaite, Mehrunnisa demeurait sur son divan, regardait toutes ces merveilles puis les renvoyait en disant qu'elle ne pouvait dîner avec l'empereur ni accepter de tels hommages.

Le surlendemain, Jahangir se déplaça en personne et ils se promenèrent ensemble dans les jardins du zénana. Mais ils ne purent à peu près rien se dire, à cause des jardiniers qui travaillaient avec une ardeur remarquable, des dames qui avaient presque toutes choisi ce moment pour se reposer à l'ombre d'un chenar. Ils ne cessaient de croiser des eunuques et des servantes occupés à d'innombrables courses. L'empereur paraissait ne pas les remarquer, or Mehrunnisa ne souffrait pas cette foule. Soudain, elle attirait tous les regards, occupait toutes les conversations. Aussi Jahangir et elle avaient-ils marché en silence. À la fin, elle avait déclaré :

– Votre Majesté, sans doute vaudrait-il mieux que nous ne nous revoyiions pas d'une semaine.

– Je veux te voir. Pas seulement demain, mais toujours.

Mehrunnisa pencha la tête de côté puis releva les yeux vers lui :

– Je vous supplie de m'accorder un peu de temps, Votre Majesté. C'est tout.

– Fort bien. Mais avant que tu partes...

Il lui prit la main et la retint.

– Sache que je ne t'ai jamais oubliée, Mehrunnisa. Il y a quatre ans, je voulais invoquer la tura-i-chingezi. Je n'avais pas pris cette décision à la légère et je pensais encore m'y tenir, même après la mort d'Ali Quli.

Quand il la relâcha, Mehrunnisa faillit partir en courant. La semaine s'était écoulée et venait de s'achever lorsque Mehrunnisa s'enfuit chez son père.

L'atmosphère du zénana n'était guère propice à la réflexion. Avant cet événement, elle n'était rien, elle passait inaperçue. Au cours de la semaine écoulée, esclaves, eunuques, scribes et même cuisiniers trouvaient le temps de l'épier. Et Ruqayya n'était pas la dernière à ce petit jeu. Chaque fois qu'elle posait un regard sur Mehrunnisa, un mince sourire de triomphe illuminait son expression. Tous s'attendaient à ce qu'elle épousât

Jahangir et formaient déjà le vœu d'en tirer un quelconque bénéfice. Aussi les gens se montraient-ils plus empressés qu'auparavant, plus déférents et, de l'avis de Mehrunnisa, plus hypocrites.

Elle s'assit dans son lit et s'enveloppa les genoux du razai. Que désirait-elle, au juste ? Jahangir ? Oui. Il n'y avait pas de doute possible sur ce point. Elle le savait depuis l'âge de huit ans, et les années pas plus que son mariage ne l'avaient fait changer d'avis. Or voilà qu'il était à sa portée, qu'elle n'avait qu'un mot à dire, pour connaître une vie d'un luxe inouï – mais dont elle avait eu quelques aperçus. Alors pourquoi hésiter ?

L'on faisait déjà des gorges chaudes de ses ruses pour attirer l'attention de l'empereur et pour la retenir si longtemps. C'était une sorcière qui lui avait jeté un sort, persiflait-on. Ces rumeurs la blessaient, même si elles ne provenaient que de bouches envieuses et malveillantes. Cependant, toute sa vie allait en être métamorphosée. Elle devrait apprendre à partager Jahangir avec d'autres, à s'incliner devant ses premières épouses, à trouver sa véritable place au zénana. Des trois perspectives, c'était la première qui lui paraissait intolérable. Mehrunnisa refusait de partager la tendresse de Jahangir avec quiconque, à la rigueur son temps mais sûrement pas ses pensées ; celles-ci devraient lui revenir exclusivement. La puissance de ses sentiments pour lui la terrifiait, maintenant plus que jamais puisqu'il ne restait aucun obstacle à leur union.

Mehrunnisa enroula ses cheveux autour de ses doigts et tira dessus. Elle redoutait qu'un jour il ne laissât mourir son amour pour elle, qu'à force de se partager entre toutes ses épouses, concubines et favorites, il n'en trouvât bientôt une autre plus attirante qu'elle. Elle ne pouvait supporter cette pensée. Mais elle savait aussi qu'elle ne trouverait jamais son bonheur qu'en lui. Comment ne pas courir ce risque ?

Elle n'épouserait pas Jahangir pour Ruqayya, ni pour son bapa, ni pour quiconque qui pût y trouver quelque intérêt. Si, après tout ce temps, elle devait se remarier – alors qu'elle ne dépendait plus d'un homme pour vivre, qu'elle n'était plus obligée de prendre un époux ni d'avoir des enfants –, ce serait uniquement parce qu'elle l'aimait et qu'elle n'avait jamais aimé aucun autre homme.

Un sourire amusé illumina son visage. Elle devait bien être la seule femme de tout l'Empire à avoir jamais autant réfléchi pour épouser son souverain.

La porte de sa chambre s'ouvrit sur Ghias.

– As-tu bien dormi, ma fille ?

– Oui, bapa.

Elle noua ses cheveux en un chignon hâtif.

– Bapa, il faut que je te dise pourquoi je suis revenue, je...

– Je sais. Maji m'a parlé de ta rencontre avec l'empereur au bazar et quelques courtisans ont mentionné les cadeaux qu'il t'a envoyés. Pourquoi les lui as-tu restitués ?

– Parce que je ne pouvais les accepter. Il n'existe rien entre l'empereur et moi. Il est venu me voir le lendemain, mais nous n'avons pu échanger un mot à cause de tous ces gens qui nous entouraient. Que dois-je faire, bapa ?

– Toi seule peux le savoir, Nisa. Le temps dira si tu as bien choisi. Je sais que tu prendras la meilleure décision possible, mais n'oublie pas que tu ne dois pas contrarier l'empereur. Je n'en dirai pas davantage. Tiens.

Il lui tendit une missive qu'il venait d'extraire de la poche de sa kurta.

– C'est arrivé pour toi, à l'aube.

Mehrunnisa prit la lettre, la retourna. Le sceau rouge représentait un lion couché devant un soleil. Le sceau de l'empereur Jahangir. Elle attendit que son père fût sorti puis se rendit près de la fenêtre avec son thé, saisit une lame et attaqua le sceau impérial.

Le soleil perça la brume qui s'attardait, envoyant des traits ambrés sur les palais d'Agra. Des mosquées lointaines, s'élevait le chant mélodieux des muezzins pour la première prière de la journée.

Jahangir se leva de son divan, déroula un tapis de prière, s'agenouilla face à La Mecque, leva les mains et se prosterna.

Lorsqu'il eut fini, il posa les mains sur ses paupières puis sur le visage et s'assit sur les talons, l'esprit en paix.

De sa fenêtre, il voyait la Yamunâ couler et le soleil qui chassait peu à peu la brume matinale. Mehrunnisa devait avoir maintenant reçu sa lettre, elle devait être en train de la lire. Que dirait-elle ? Le repousserait-elle encore ? Il appuya sa tête douloureuse contre le volet et ferma les yeux.

La nuit passée, les servantes du zénana lui avaient appris qu'elle quittait les lieux. Il l'avait laissée partir. Que faire d'autre ? Jamais aucune femme ne lui avait encore rien refusé. Il n'avait personne à qui se confier, à qui demander conseil. Vers qui un souverain pouvait-il se tourner pour savoir comment déclarer son amour ? Aussi avait-il écrit une lettre, cherchant ses mots, craignant de trop montrer sa crainte d'essuyer encore une rebuffade.

Quatre nuits plus tôt, au repas du soir, l'impératrice Jagat Gosini lui avait présenté un plat à l'agneau et aux raisons secs en déclarant :

– Mirza Qutubuddin Koka aimait les raisins secs. Il en réclamait toujours quand il était enfant.

Ces derniers temps, Jahangir n'avait plus trop pensé à son frère de lait mais, à ces mots, les souvenirs avaient afflué. Il avait souvent taquiné Koka en lui conseillant de ne pas trop manger, de peur de périr avant l'heure. Pourtant, le malheureux avait dû sa mort au seul bras d'Ali Quli… Jahangir leva un œil soupçonneux sur sa deuxième épouse, mais celle-ci s'était détournée de lui pour s'entretenir avec une servante.

Plus récemment, Jagat Gosini l'avait invité à un *bavan*. Assis devant l'autel hindou, Jahangir avait laissé l'impératrice lui poser une *tikka*, une marque vermillon, sur le front.

– Cette *puja* est destinée à remercier le seigneur Krishna de t'avoir préservé des assassins. Les temps sont troubles. Quand on pense que même le fils aîné du diwan Mirza Ghias Beg a conspiré contre ta vie !

Jahangir avait quitté les appartements de sa femme l'esprit agité de pensées. L'impératrice le mettait en garde contre Mehrunnisa. Pourquoi ? Elle n'avait jamais montré la moindre hostilité contre ses autres compagnes. Née princesse du sang, elle était bien placée pour savoir que ces mariages n'avaient d'autre utilité que politique. Mais celui-ci ne serait pas un mariage politique. Était-ce là l'explication ?

Au fond, qu'importait ? Il songeait trop à Mehrunnisa pour attacher une quelconque attention aux tentatives de Jagat Gosini de le détourner d'elle. Il n'avait qu'une crainte, qu'elle refusât d'intégrer son zénana. Et si elle s'imaginait qu'il avait donné l'ordre d'assassiner Ali Quli ?

– Votre Majesté…

Jahangir se tourna pour découvrir Hoshiyar derrière lui, un plateau d'argent à la main ; au centre de ce plateau reposait un message plié en deux. Il le prit et attendit que l'eunuque le laissât seul. Le cœur battant à tout rompre, l'empereur ouvrit le feuillet qui ne contenait qu'un mot. Il porta à ses lèvres le papier qu'elle avait touché peu de temps auparavant.

« Venez. »

Mehrunnisa l'attendait seule dans le jardin de la maison de Ghias Beg. Le soleil descendait à l'horizon, mais une chaleur écrasante régnait encore autour de la véranda ombragée, au sol de briques fraîches. Au milieu du jardin, un magnolia étendait ses branches protectrices sur le banc de briques qui encerclait son tronc. Mehrunnisa s'y était installée pour en admirer les fleurs blanches. C'était la première fois qu'il fleurissait depuis sept ans qu'il avait été planté et il embaumait l'atmosphère de son odeur entêtante, presque enivrante.

Elle attendait tranquillement, les mains sur les genoux, guettant les pas de l'empereur. Ghias Beg avait insisté pour que quelques servantes restent dans les parages pendant la visite de Jahangir, mais sa fille avait exigé d'être seule pour le recevoir, tenant tête à son père pour la première fois depuis des années. Et le scandale ? avait protesté Ghias, en vain. Mehrunnisa n'en démordit pas.

Une porte claqua dans la maison et la jeune femme leva la tête, laissant mourir sur ses lèvres la prière qu'elle murmurait.

Jahangir poussa le portail en bois sculpté du jardin et s'arrêta sur le seuil encadré de bougainvilliers mauves et blancs. Mehrunnisa se leva, porta la main à sa tête et accomplit un konish.

– Bienvenue, Votre Majesté.

– Merci, dit Jahangir.

Il parut hésiter avant de balbutier :

– Mais… assieds-toi… je t'en prie.

– J'espère que ce lieu trouve grâce aux yeux de Votre Majesté, ajouta-t-elle en désignant le jardin.

Il regarda à peine, comme s'il ne voulait rien voir d'autre qu'elle.

– Ce sera parfait. Assieds-toi, Mehrunnisa.

Elle reprit sa place mais s'y tint très droite, comme intimidée. Elle avait voulu se retrouver seule avec lui, et maintenant elle ne savait plus que lui dire.

– Merci d'avoir patienté, Votre Majesté.

– J'aurais patienté plus longtemps encore si tu me l'avais demandé.

Alors il prit place à côté d'elle, ôta son turban brodé qu'il posa entre eux.

– Je suis venu à toi non pas en souverain mais en prétendant. Si tu veux bien de moi…

Elle fut prise de vertige. Elle voulait de lui et de rien d'autre au monde. Elle le dévisageait avec dévotion, ses cheveux où le blanc l'emportait désormais sur le noir, ses pommettes saillantes, héritées de ses ancêtres mongols, la barbe de plusieurs jours qui mangeait son menton. Ce n'était plus le mince et impétueux jeune homme qu'elle avait rencontré dans les jardins de Ruqayya ; il semblait plus posé, moins impétueux dans ses mouvements ; il avait de grandes et fortes mains de guerrier, parsemées de poils blancs. Pourtant, les années semblèrent s'effacer et ce fut comme s'ils se retrouvaient au premier jour de leur amour, brûlants de passion et d'ardeur, mais désormais tempérés par la patience.

Il sortit de la poche intérieure de sa qaba un petit livre relié de cuir rouge, à la couverture gravée de caractères persans dorés.

– Voici pour toi. Je ne savais que t'apporter… Je me disais que tu avais peut-être lu Firdousi, le poète épique…

Elle prit le livre et tourna les pages à la tranche dorée.

– Cela vient de la bibliothèque impériale, souffla-t-elle.

– Mon père, l'empereur Akbar…

– Je sais qui était votre père, Votre Majesté !

Elle avait levé sur lui un regard rieur.

– Il possédait ce volume, poursuivit Jahangir. J'ai pensé que tu aimerais le lire. Il relate l'histoire de Rostam, le grand héros persan. Ton histoire, Mehrunnisa.

Elle caressait l'ouvrage avec respect. La bibliothèque de l'empereur était connue pour son immense collection, ses reliures et son exquise calligraphie. Une partie se trouvait à l'intérieur du zénana, une partie à l'extérieur, mais Mehrunnisa n'avait pas obtenu l'autorisation de s'y rendre quand elle était au harem. On y trouvait de la poésie et de la prose dans toutes les langues : hindi, persan, grec, cachemirien et arabe.

– C'est un beau livre et je connais l'histoire de Rostam, le roi qui a été arraché au ventre de sa mère car il devenait trop lourd à porter.

Elle parlait trop vite, tant elle était émue de tenir entre ses mains un livre de la bibliothèque.

– Mais elle a survécu, soignée par un cataplasme de musc, d'herbe et de lait. Ce prince lui avait été offert par Khuda, fils de Zal, petit-fils de Saum.

– Il a fini par tuer son propre fils !

– Certes, mais il ignorait son existence, car sa naissance lui avait été cachée par son épouse. Aussi, quand ils se sont rencontrés sur le champ de bataille, ils se sont affrontés comme des étrangers.

– Pourtant, Sohrab lui avait demandé à plusieurs reprises s'il était le valeureux guerrier Rostam, et Rostam l'avait nié.

Mehrunnisa ouvrit la fin du poème et montra une page :

– Voyez… sa mère pleure la mort de Sohrab et se demande pourquoi il n'avait pas révélé à Rostam qu'il était son fils, pourquoi il ne lui avait pas montré le bracelet qui aurait prouvé leur parenté, pourquoi il s'entêtait tellement, pourquoi il avait rencontré son père à plusieurs reprises sur le champ de bataille, sur le tapis de lutte, et pourquoi il ne lui avait rien dit.

L'empereur sourit et s'adossa au magnolia.

– Je vois que tu as lu ce poème. Il n'est pas toujours facile de parler de ce qui vous tient le plus à cœur.

– Vous l'avez pourtant fait, Votre Majesté, dans la lettre que vous m'avez envoyée.

Ils continuèrent ainsi de s'entretenir à l'abri des regards indiscrets. Les jours suivants s'écoulèrent avec la lenteur des jours d'été, emplis d'amour. Ils parlaient sans cesse et se touchaient rarement. De temps à autre, Mehrunnisa se penchait pour lui demander un baiser, tremblant au contact de ses lèvres. Un jour, Ladli était entrée en coup de vent dans le jardin à la recherche de sa mère. Constatant que Mehrunnisa était toujours là, elle vint s'asseoir sur les genoux de Jahangir et tira sur sa moustache.

– Ladli ! s'écria Mehrunnisa, horrifiée.

– Laisse-la faire, dit Jahangir en riant.

Il fit une grimace comme s'il souffrait beaucoup, pour la plus grande déception de l'enfant.

– Oh, c'est une vraie ! Je vais dire à dadaji qu'il s'est trompé.

Là-dessus, elle repartit aussi vite qu'elle était arrivée, sa longue natte sautant dans son dos.

– Votre Majesté, je vous prie d'excuser mon bapa, il n'a sûrement pas…

Mehrunnisa était écarlate. Sa fille parlait beaucoup trop et elle s'en voulait de ne jamais avoir cherché à discipliner cette langue bien pendue.

Jahangir riait encore de bon cœur.

– Je m'en doute ! Elle a dû mal comprendre ce que lui disait Ghias Beg ! Ne la gronde pas, ce soir. Je me souviens si mal de la jeunesse de mes fils ! Cette enfant doit illuminer chacun de tes jours.

– J'en avais tellement perdu avant ! murmura Mehrunnisa, davantage pour elle-même que pour lui.

Jahangir reprit aussitôt son sérieux.

– Est-ce vrai ? Je l'ignorais.

– Ce n'était pas un secret, mais je n'en parlais pas beaucoup. Et puis Ladli est arrivée et je n'avais plus aucune raison de parler des autres. Mais, parfois, je me demande qui ils auraient pu être, ce qu'ils seraient devenus, quelles joies, quelles peines auraient marqué leurs jours.

– Combien ?

Elle se prit la tête dans les mains et souffla d'un ton étouffé :

– Deux. Deux avant Ladli. Aucun après.

Jahangir lui passa un bras sur l'épaule et vint lui murmurer à l'oreille :

– Moi, ça ne m'aurait rien fait. C'était toi que je voulais, toi seule et rien d'autre.

Il l'embrassa doucement sur le front et elle se blottit contre lui. Elle le croyait. Il avait des fils d'autres épouses, il se serait contenté de son amour et lui aurait offert le sien en retour. Il la prit dans ses bras, la laissa reposer la tête sur ses genoux et pleurer enfin tous ces enfants qui lui avaient échappé. Elle s'était efforcée de ne jamais manifester son chagrin devant maji et bapa, de peur de les faire trop souffrir. Quant à Ali Quli, elle s'était toujours sentie incapable de verser une larme en sa présence.

Lorsque ses sanglots s'apaisèrent, elle laissa Jahangir lui prendre le menton.

– Un sourire, demanda-t-il seulement.

Elle lui donna un sourire, aussitôt suivi d'un baiser qui mêla passion et larmes amères.

Le lendemain, l'empereur lui fit un autre cadeau, apporté non sur un plateau d'or par des serviteurs mais par lui-même. Douze bracelets d'émeraude, fin comme des fils de soie, qui captaient la lumière du soleil.

– Pour toi, Mehrunnisa, dit-il simplement.

Il guettait sa réponse d'un œil anxieux.

Elle lui tendit les bras pour qu'il les lui glissât, un à un, laissant traîner ses doigts sur la peau blanche de ses poignets. Puis elle leva lentement les bras pour lui caresser les cheveux et les bracelets tintèrent en suivant ses mouvements.

– Reviens au zénana, Mehrunnisa, je t'en prie ! Je voudrais que tu y habites, je veillerai sur toi. Viens à moi. Promets-le-moi.

Elle se leva et se tint devant lui. Il venait de prononcer les mots qu'elle désirait entendre. Elle tendit la main vers lui puis la retira vivement. Avait-il parlé une fois de mariage ? Elle en rougit de honte. Au fond, bapa devait avoir raison. Elle avait insisté pour se passer de chaperon, et voilà que l'empereur la traitait comme une femme du commun.

Elle se souvint d'une de ses premières escapades dans les jardins de Ruqayya, lorsqu'elle avait vu les concubines d'Akbar en train de se décorer les bras et le dos au henné. Elles n'occupaient pas une place importante dans le zénana impérial, elles n'avaient ni titre ni respect ; aussi rivalisaient-elles de trouvailles pour attirer l'attention de l'empereur. À l'époque, Mehrunnisa s'était félicitée de n'être pas l'une d'elles. Toute jeune qu'elle fût, elle se rendait compte que si Salim ne venait pas à elle avec un désir assez puissant pour le rendre aveugle à toute autre considération, elle ne pourrait le supporter. À présent, il venait à elle avec ces mots qu'elle avait tant rêvé d'entendre, mais enveloppés de coton, non de soie. Elle eut toutes les peines du monde à ne pas fondre de nouveau en larmes. Il ne la verrait pas encore pleurer. Pourquoi pleurer pour cet homme ?

Choisissant soigneusement ses mots, elle articula :

– Votre Majesté, il vaudrait mieux que vous partiez, maintenant. Je ne puis ni ne veux être votre concubine.

Jahangir eut un mouvement de recul. Au soleil, ses cheveux paraissaient plus blancs et ses joues plus creuses.

– Pourquoi ? s'écria-t-il.

Mehrunnisa le dévisagea d'un air découragé. *Pourquoi ?* Ne s'était-elle pas fait clairement comprendre ? Il lui prit les mains, les étreignit quand elle tenta de se dégager.

– Mehrunnisa, de grâce ! Dis-moi pourquoi. Je ne saurais vivre...

Il s'arrêta un instant, regarda ses mains qu'il baisa l'une après l'autre.

– J'avais espéré que c'était ce que tu voulais aussi. Je croyais que tu me l'avais prouvé.

– Mais je l'ai fait, Votre Majesté.

Les larmes revinrent malgré tout, avec une furieuse vigueur, s'écraser sur leurs mains jointes. Au cours de ces deux derniers mois, ils avaient tous deux parlé davantage qu'elle ne l'avait jamais fait avec Ali Quli. De poètes et de poésie, de l'Empire et de ses exigences, du zénana, de la passion de l'empereur pour la chasse, de sa promesse de lui enseigner ce plaisir. Ils avaient ri en se caressant mutuellement le visage, s'étaient blottis l'un contre l'autre. Cependant, elle ne pouvait lui avouer pourquoi elle rejetait sa demande. Fallait-il expliquer qu'elle voulait devenir son épouse, et rien d'autre ? Au risque de croire à jamais qu'il s'était enchaîné à elle simplement pour la posséder ?

Jahangir lui essuya le visage avec un coin de son voile de soie, l'effleurant comme si elle n'était qu'une enfant. Il lui prit encore la main, l'approcha de ses lèvres et parla contre ses doigts délicats sans la quitter des yeux :

– Je t'offre le plus beau destin dont tu puisses rêver. De plus, après tout ce temps que nous venons de passer ensemble, si tu n'entres pas dans le harem impérial, ta réputation en souffrira. Les gens jaseront. Une concubine rejetée par l'empereur n'a pas sa place dans la société.

Comme elle ouvrait la bouche pour protester, il la fit taire de l'index :

– Tu ne t'es pas donnée à moi, mais je suis le seul à le savoir. Au zénana, tu seras sous ma protection, là où aucune mauvaise langue ne pourra t'atteindre.

Furieuse, elle se dégagea brusquement :

– Ainsi, c'est pour cette raison que vous m'offrez le rôle exaltant de concubine, Votre Majesté ? Pour me protéger ? Vous oubliez que je me suis fort bien protégée seule pendant quatre ans, sans votre aide, ni même celle de mon père. Je serai certainement une femme déchue, mais je n'entrerai jamais au zénana comme concubine.

Jahangir la dévisageait sans comprendre, à bout d'arguments. Alors d'un pas lent, hautain, il quitta le jardin, sans regarder en arrière.

Mehrunnisa le suivit des yeux. La colère, la honte et une peine infinie l'empêchaient de prononcer un seul mot. Elle s'était attendue à une tout autre proposition de sa part. Il n'avait pas parlé d'amour... ou si peu, si mal... Et il n'avait offert de la prendre avec lui que pour lui assurer un rang en société. Durant toutes ces années au cours desquelles il l'avait si superbement ignorée, tout le monde, bapa, maji, Ruqayya, n'avaient fait que lui répéter la même chose : sans la protection d'un homme, elle ne serait rien.

Cette déception s'apaiserait-elle jamais ? Recouvrerait-elle ses forces ? Elle se sentait comme lorsqu'elle avait perdu ses enfants, sans savoir si elle pourrait jamais en avoir d'autres. Comme lorsqu'elle se battait pour conserver la dignité de son nom, alors que son père était accusé d'avoir détourné de l'argent, que son frère était mis à mort pour tentative de régicide, que son époux avait tué le favori de l'empereur.

Elle poussa un hurlement et s'effondra sur le sol où elle resta longtemps, le corps secoué de sanglots.

20

Il n'est pas nécessaire de rappeler les amours de Nur Mahal (mieux connue sous son titre ultérieur de Nur Jahan), son mariage avec Shir Afghan, l'assassinat de celui-ci, et son union subséquente avec l'empereur, qui avait déjà été attiré par elle avant son premier mariage. À cette époque, elle exerça une influence tellement démesurée sur son époux qu'elle régna pratiquement sur l'Empire...

Ambassade de sir Thomas Roe en Inde

L'énorme rugissement parcourut les couloirs et les jardins du palais d'Agra, arrachant la famille impériale à son sommeil. Dans le zénana, les femmes se blottirent l'une contre l'autre ou étreignirent leurs enfants, tandis que résonnait un second grondement, aussi violent mais sur un mode plus grave.

Assis face à la cage du tigre, Jahangir regardait l'animal aller et venir de sa démarche souple, ses muscles ondulant sous la fourrure noire et or, sa queue fouettant l'air. Le fauve toisa l'empereur, ouvrit la gueule, montrant ses dents aiguisées comme des sabres.

Le prince frémit, secoué jusqu'aux os par la puissance du hurlement. Il se tenait tout près de l'animal, séparé de lui par quelques barreaux de fer. C'était la saison des amours et, toutes les nuits, le tigre ne cessait d'appeler sa compagne. Jahangir avait fait capturer ces deux bêtes vivantes, car elles le fascinaient depuis sa mésaventure avec les bébés tigres, et les avait logées chacune dans une cage encastrée au cœur du fort d'Agra. Depuis, la tigresse placide écoutait son compagnon sans réagir. Des torches éclairaient la cour de terre battue qui s'étendait devant les cages, protégée par quarante gardes armés d'arquebuses et de mousquets. Si l'un des fauves s'échappait, il risquerait de dévaster le palais. On les tenait en effet pour des mangeurs d'homme : ils avaient terrorisé les villageois vivant en bordure de la forêt d'Agra. Or, une fois qu'un tigre avait tué un humain, proie facile s'il en est, il se désintéressait des animaux qui le nourrissaient auparavant.

Jahangir attendait un nouveau rugissement et guettait surtout la réaction de la tigresse. Assis sur une caisse, le menton dans la main, il tentait de capter le regard du fauve qui poursuivait son parcours sans ralentir le pas, les narines frémissantes à l'odeur des êtres vivants qui l'entouraient, de la chair fraîche, lui qui venait d'être nourri. Jahangir eut un sourire désabusé. Lui, l'empereur de l'Inde Moghole, qui dominait un mangeur d'homme et sa compagne, ne pouvait posséder la femme qu'il aimait.

Depuis deux semaines, il vivait dans une sorte de stupeur. Il assistait quotidiennement aux darbars, comme l'exigeait l'étiquette, mais écoutait à peine ce qui s'y passait. Pourquoi se refusait-elle à lui ? Pourquoi ne comprenait-elle pas qu'il lui offrait enfin une perspective de félicité ?

Dans ses brefs instants de lucidité, il se reprochait presque la fascination qu'il éprouvait pour Mehrunnisa. Dire qu'il s'en remettait à une femme pour gérer quelquefois les affaires de l'État. Un jour qu'il était préoccupé, au cours d'une de ses visites à la jeune femme, elle lui avait demandé câlinement :

– Racontez-moi tout, laissez-moi partager votre fardeau.

– Les pères jésuites se plaignent de la présence de l'ambassadeur anglais à la cour.

– Pourquoi ? Ils sont venus ici pour tenter de convertir les populations, alors que William Hawkins désire signer un traité de commerce. Ils ne sont pas ici pour les mêmes raisons.

– Hawkins nous garantit la sécurité pour nos navires en mer d'Arabie.

– Ah ! s'exclama-t-elle les yeux brillants. Et cela empiète sur le domaine portugais, puisque les Jésuites protègent déjà nos vaisseaux. Mais ces prêtres deviennent trop arrogants. Tant qu'ils seront les seuls à proposer de nous défendre, l'Empire restera sous leur coupe. Il ne faut pas lâcher Hawkins, Votre Majesté. Servez-vous de lui.

Jahangir se frotta le menton.

– Ce n'est pas si simple. Muqarrab Khan m'a écrit pour me rapporter la mauvaise conduite des soldats anglais à Surat, qui pillent et massacrent nos populations. Et Hawkins a beau se présenter comme un ambassadeur, ce n'est jamais qu'un marchand aux ongles terreux, au rire gras et aux manières de paysan.

– Alors pourquoi l'avoir gardé si longtemps auprès de vous ?

– Parce qu'il m'amuse. Il parle couramment le turc, je n'ai pas besoin d'interprète avec lui. L'as-tu entendu à la cour ? Il a l'air d'un singe bavard.

– Dans ce cas, apprenez-lui des tours, Votre Majesté.

Elle réfléchit un instant avant d'ajouter :

– Dites-moi, Muqarrab Khan ne se serait-il pas récemment converti au catholicisme ?

– Je l'ai entendu dire, en effet. On prétend que désormais il se fait appeler Jean. Crois-tu qu'il subit l'influence des Jésuites ?

– Il est possible qu'il tronque un peu la vérité, Votre Majesté. Il n'irait pas jusqu'à vous mentir, tout au moins pas ouvertement. Si Hawkins propose de protéger vos vaisseaux, vous devriez réfléchir à son offre.

Elle n'était pas la première à lui donner ce genre de conseil et il y avait déjà longuement réfléchi. En revanche, il était fort étonné qu'elle comprît les affaires de l'Empire et s'y intéressât, elle, une simple femme. Au contraire des ministres et des courtisans, elle s'exprimait sans arrière-pensée, sans intérêt personnel, sans autre désir que le bien de son souverain. Aussi fit-il ce qu'elle lui avait conseillé et qu'il avait déjà décidé pardevers lui. Bientôt, à son grand amusement, il vit les jésuites revenir à la charge, les bras chargés de nouveaux cadeaux pour rentrer dans ses bonnes grâces.

Mehrunnisa avait tort de se plaindre qu'il ne s'était pas préoccupé d'elle au cours des quatre années passées. N'avait-il pas envoyé une armée pour l'escorter de Bardwan à Agra ? N'avait-il pas demandé à Ruqayya de veiller sur elle ? L'impératrice s'en était d'ailleurs montrée fort contente. Entre les murs du zénana, même si Mehrunnisa était au service de Ruqayya, elle restait avant tout sous la protection de l'empereur.

Le tigre s'arrêta et fit face à Jahangir. Tous deux se regardèrent dans les yeux, homme et animal, dominant et dominé. L'empereur tendit la main pour le toucher mais la retira vivement. Le fauve montrait les dents en feulant ; puis il se désintéressa de cet homme et reprit sa cour auprès de l'odorante tigresse.

Jahangir poussa un soupir et se releva. Le tigre rugit de nouveau, secouant sa tête massive. Le grondement fit trembler les cages et le sol du palais tout entier. C'est alors que la tigresse se coucha sur le dos en émettant de légers gémissements.

L'empereur regagna ses appartements en ignorant les gardes et les serviteurs qui le saluaient au passage. Il n'allait pas laisser Mehrunnisa lui échapper de nouveau. Il avait désiré la couronne avec une intensité qui l'avait presque effrayé, et à présent il désirait Mehrunnisa plus encore.

*
**

– L'empereur arrive ! L'empereur arrive !

Ladli se précipita dans la chambre en agitant les bras dans tous les sens.

Mehrunnisa leva la tête de son livre et sourit à sa fille.

– Tu as vu la barge impériale ?

– Oui, répondit l'enfant à bout de souffle. Oh, maman, qu'a-t-il pu m'apporter aujourd'hui ?

– Il ne faut pas réclamer ainsi des cadeaux, ma fille ! Va plutôt te laver la figure et les mains. Nous ne devons pas nous présenter ainsi devant l'empereur. Et n'oublie pas d'exécuter le konish comme je te l'ai montré.

Ladli plongea devant sa mère dans un salut appliqué.

– Est-ce bien, ainsi ?

– Oui. Va vite, maintenant.

Mehrunnisa ferma le livre de poèmes de Firdousi et sortit sur son balcon.

Éblouie par le soleil de l'après-midi, elle porta une main à ses yeux et aperçut la barge qui descendait la Yamunâ, la bannière rouge au lion couché sur un soleil d'or flottant au vent. Les jambes soudain chancelantes, Mehrunnisa dut s'agripper à la balustrade. Pour quelle raison venait-il ?

Ces quinze derniers jours s'étaient écoulés lentement, tristement, chaque instant empli de l'image de Jahangir. Bapa et maji la laissaient tranquille à peu près tout le temps. Bapa n'était venu la voir qu'une fois, deux jours après la dernière visite de l'empereur. Devant ses parents elle s'efforçait de faire bonne figure, mais il lui était difficile de sourire, de manger, de dormir, comme à l'accoutumée. Cependant, le plus difficile consistait encore à apaiser Ladli. Jahangir ne manquait jamais de lui apporter un petit présent : une boîte de billes, un cheval de bois, de minuscules ustensiles de cuivre. Aussi, lorsqu'il ne venait pas, la fillette ne cessait-elle de le réclamer. À quoi Mehrunnisa répondait : « C'est l'empereur, ma fille, un grand homme. Ses obligations l'appellent. »

La barge aborda la rive. L'empereur se tenait à l'avant et il aperçut immédiatement la jeune femme à son balcon. Il lui adressa un signe avec l'ardeur d'un soupirant de quinze ans. Mehrunnisa lui rendit son geste. N'était-il revenu que pour la tourmenter ? Allait-il lui faire une nouvelle proposition irrecevable, une autre offre qu'elle devrait décliner ?

Mehrunnisa se détourna. Elle s'était refusée à imaginer ce qui eût pu être, même si l'empereur avait indirectement fait un geste de bonne volonté le lendemain de sa rebuffade.

Jahangir avait invité son père et son frère Abul Hasan au Diwan-i-am. Là, devant toute la cour, il avait porté le mansab de Ghias à mille huit cents chevaux. De même, son frère avait reçu le titre d'Itiqad Khan, et vu aussi augmenter sa charge.

Ce soir-là, Ghias avait parlé pour la première fois de l'empereur à sa fille. Il était entré dans sa chambre alors qu'elle aidait Ladli à déchiffrer l'alphabet turc. Ghias avait longuement contemplé Mehrunnisa, comme s'il découvrait ses mouvements gracieux, sa présence apaisante et son timbre harmonieux. Il lui était enfin apparu qu'elle possédait le pouvoir étrange d'envoûter les hommes, même le plus puissant d'entre eux.

Cependant Jahangir était connu pour son inconstance en amour, et Ghias Beg doutait du caractère tenace de cet engouement : quoique sa fille parût plus jeune que son âge, l'empereur jouissait d'un harem empli de compagnes à peine nubiles qui n'avaient de cesse de le satisfaire. Leur idylle ne durerait pas.

S'avisant de la présence de son père, Mehrunnisa renvoya Ladli :

– Ça suffit pour aujourd'hui. Va voir ta dadi, je veux parler avec ton dada.

La petite ferma sagement son livre et sortit de la chambre. Posant les mains sur ses genoux, Mehrunnisa attendit que son père parlât le premier :

– L'empereur a augmenté mon mansab ainsi que celui d'Abul.

– C'est ce que je me suis laissé dire, répondit-elle avec un sourire triomphant.

C'était bien sûr à elle que sa famille devait ces nouveaux hommages. Quand elle pensait que Jahangir avait fait cela après leur entrevue orageuse de la veille… son sourire s'évanouit.

– Mehrunnisa, tu n'es pas sans savoir la raison pour laquelle l'empereur nous honore de la sorte. Pourquoi le repousses-tu encore ? Il n'y a aucune honte à devenir concubine impériale.

Elle leva un regard surpris sur son père.

– De qui tiens-tu cela ?

– Il est l'empereur, ma fille. Nul n'ignore ce qu'il fait, où il va, ce qu'il dit. Maji en a eu vent au zénana. Tu as vécu dans le harem, rien n'y reste secret. Mais penses-tu agir sagement ? Beaucoup de femmes rêvent d'obtenir une telle faveur…

– En effet, bapa, répondit lentement Mehrunnisa. Mais tu ne le connais pas comme je le connais ; tu vois en lui le souverain, je vois l'homme. Un homme qui a besoin non d'une nouvelle concubine, il en a déjà tellement… mais d'une femme aimante et ferme pour le guider et l'accompagner en toutes circonstances. Te souviens-tu, bapa, qu'il désirait m'épouser, il y a dix-sept ans ?

– Ce n'était alors pas possible, Nisa.

– Pourtant, je le désirais moi aussi. Je l'ai toujours désiré, quand il était prince et même… quand il est devenu empereur. Pourquoi devrais-je aujourd'hui me contenter d'être une simple concubine ?

– Je ne savais pas, murmura Ghias préoccupé. J'avais toujours cru que c'était le prince qui désirait t'épouser… J'ignorais que toi aussi…

– C'est pourquoi je ne voulais pas me marier avec Ali Quli. Mais cela remonte à si loin ! Il s'est passé trop de choses, depuis.

Ghias s'assit pesamment. Comment pouvait-il avoir été aussi aveugle ? Peut-être eût-il eu le courage de parler à l'empereur Akbar. Sa demande, même si elle était repoussée, eût au moins été entendue. Cependant, l'homme qu'était alors Ghias n'aurait jamais fait valoir le bonheur de sa fille devant le formidable souverain qu'était Akbar, de peur de tomber en disgrâce. À l'époque, plein de reconnaissance envers le pays qui l'avait accueilli et comblé de faveurs, il redoutait de tout perdre en présentant des requêtes déraisonnables. Aujourd'hui, l'homme qu'il était devenu ne pouvait se dresser contre les désirs de sa fille.

– Mehrunnisa, je te tiens en ma plus haute estime. Nul père n'a été béni par un enfant plus brillant et plus intelligent que toi. Mais c'est assez… Qu'il en soit fait selon tes vœux !

– Bapa…

Elle eût aimé s'expliquer, cependant elle ne savait que dire. Si elle se détournait définitivement de Jahangir, sa famille en souffrirait. Même si l'empereur ne se vengeait pas directement sur eux, les bavardages de la cour y suffiraient. Et tout le travail accompli par bapa depuis tant d'années serait annihilé par la faute d'une fille trop obstinée.

– Non, coupa Ghias. Je comprends, mais je veux que tu sois heureuse. Rien n'est plus important à mes yeux, en ce moment. Si nous devons quitter l'Hindoustan, nous trouverons à nous loger ailleurs. Je l'ai déjà fait, cela ne me sera pas plus pénible.

Son père avait pris congé peu après, non sans lui avoir redit toute son affection.

Mehrunnisa se pencha sur le balcon. La barge s'accrochait à la jetée qui desservait la propriété de son père. Jahangir sauta à terre et entra dans la maison, tandis que la jeune femme regagnait sa chambre pour l'y attendre.

Le poids de la décision qu'elle devait prendre l'écrasait. Son père lui avait conseillé la prudence, puis d'accepter la proposition de l'empereur. Quelques jours auparavant, même Abul avait lâché une réflexion au détour d'une phrase. Jusqu'à l'impératrice douairière qui lui avait envoyé un message narquois de sa façon : *Se prendrait-on pour quelqu'un d'extraordinaire ? Ne deviens pas lassante, Mehrunnisa.* Ruqayya voulait retrouver sa place au zénana et s'imaginait pouvoir le faire par le truchement de sa dame de compagnie. Rien ne lui ferait plus plaisir que de voir Jagat Gosini détrônée, humiliée ; or, voilà que Mehrunnisa faisait la fine bouche !

Enfin, l'avant-veille, Hoshiyar Khan avait apporté un panier de mangues vertes de la part de l'impératrice en titre. Il fallait y voir une insulte, au même titre que les bracelets d'or qu'elle avait octroyés à Ladli avec tant de condescendance : des fruits âcres et immangeables pour un rêve inassouvi.

L'empereur entra d'un pas allègre.

– *Inchah Allah*, Votre Majesté !

Jahangir lui tendit les bras.

– Soleil des femmes ! souffla-t-il. Ce nom est parfait pour toi. Mais je vais t'octroyer un autre titre, ma chérie.

Interdite, elle ne sut que répondre.

– J'ai commis une erreur, poursuivit-il, en te proposant de devenir ma concubine. Je te prie…

Il hésita, tant ces mots lui étaient étrangers :

– Je te prie de bien vouloir m'excuser.

Elle ne disait toujours rien.

– J'ignorais… continua-t-il, je ne me rendais pas compte à quel point ce pouvait être important pour toi. Pour moi, il me suffisait de t'avoir à mes côtés.

Il eut un petit sourire navré en ajoutant :

– Mais c'est effectivement très important. Sans titre, tu n'aurais qu'une place subalterne au zénana. Alors si tu devenais impératrice, que dirais-tu ? De grâce, accorde-moi ta main.

Le cœur de Mehrunnisa battait si fort qu'il en assourdissait tout autre bruit, toute pensée. Elle entendit à peine l'empereur lorsqu'il reprit la parole :

– Dis-moi que tu seras mon épouse, Mehrunnisa.

Immobile au milieu de la pièce, les mains dans celles de Jahangir, elle ne lisait dans ce regard qu'un amour fou, éternel. Il ne lui demandait pas seulement d'être sa femme, il lui rendait la vie.

– Je puis difficilement désobéir aux ordres de Votre Majesté, murmura-t-elle si bas qu'il dut tendre l'oreille.

Il s'assit sur le divan et lui fit signe de prendre place sur ses genoux.

– Viens là.

Elle obtempéra et appuya la tête sur son épaule tandis qu'il lui caressait doucement l'épaule, s'imprégnant de son odeur : le jasmin de ses cheveux, l'huile de camphre et d'aloès qui aromatisait ses bains. Elle emplissait ses bras, son monde.

– Je craignais… reprit-il brusquement.

– *Vous* craigniez ? Que je dise non ?

Elle éclata de rire. Était-il possible d'être aussi délicieusement heureuse ?

– Je n'ai pas donné l'ordre de tuer Ali Quli, Mehrunnisa. Je veux que tu le saches. Le bruit a couru que j'avais prié Qutubuddin Koka de l'assassiner, mais…

– J'étais là, Votre Majesté. J'ai vu ce qui s'est passé. Ali Quli a sorti le premier son épée. Je n'ai jamais pensé, malgré les rumeurs, que vous ayez ordonné sa mort parce qu'il a refusé de se rendre à votre convocation.

Elle se rapprocha de lui, l'air malicieux :

– Il est peu propice de parler d'un mari lorsque je dois en prendre un autre.

Mi-assis, mi-allongés sur le divan, ils respiraient le même air, leurs visages si proches que leurs lèvres s'effleuraient quand ils parlaient. Voyant qu'il hésitait, elle l'entoura de ses bras :

– Vous souvenez-vous de notre baiser sous la véranda ?

– Je ne l'ai jamais oublié, pourquoi ?

– Peu importe, c'était il y a si longtemps...

Il parut ne pas comprendre, alors elle posa ses lèvres sur les siennes, allumant entre eux un brasier si puissant qu'il balaya toute autre pensée. Elle le sentait de nouveau, goûtait encore à sa bouche, éprouvait la douceur de sa peau en passant les doigts sous le col de sa qaba. Elle s'accrochait à lui, se serrait contre lui, décidée à ne jamais plus desserrer son emprise.

– Je vais parler à ton père, dit Jahangir.

Il lui couvrit les mains de baisers, son souffle chaud caressant les paumes de la jeune femme.

– Crois-tu qu'il me donnera l'autorisation de t'épouser ?

Elle se remit à rire et répondit :

– Je crois, oui. Voilà longtemps qu'il l'espère !

Elle se releva et lui tendit la main pour l'aider à en faire autant. Au moment de sortir, Jahangir se retourna encore une fois :

– Attends-moi, s'il te plaît.

Elle repartit d'un grand rire. Sans doute ne se souvenait-il pas, mais elle, si. Il avait utilisé exactement la même phrase autrefois, à la sortie d'un certain bazar dans les jardins du zénana. Et elle ne l'avait pas attendu.

– Je serai là, Votre Majesté. Je serai là quand vous reviendrez.

Jagat Gosini s'était postée à une fenêtre des appartements de Jahangir qui donnait sur la rivière. Il était minuit passé et l'empereur ne revenait pas de la demeure de Ghias Beg.

Aujourd'hui, il était parti rendre visite à Mehrunnisa le sourire aux lèvres, l'air mystérieux, comme un enfant qui viendrait d'inventer un jeu particulièrement délectable.

La Yamunâ coulait paisiblement, et pas une barge à l'horizon. Ces visites à la maison de Ghias Beg ne laissaient pas de l'inquiéter. Jamais elle n'avait vu son époux si résolu. Une heure plus tard, il entrait dans sa chambre en bâillant. Il s'arrêta net en apercevant son épouse.

– Que se passe-t-il, ma chère ?

Jagat Gosini sentit son cœur se serrer en voyant l'allégresse peinte sur les traits de son mari.

– Seigneur, je voulais juste m'assurer que tu étais bien dans ton lit.

– Voilà qui est fort aimable de ta part. Mais je rendais visite à Mehrunnisa.

– Je sais, seigneur. Pourquoi ne la fais-tu pas venir ici, au zénana ? Ainsi tu n'auras plus à t'épuiser en visites nocturnes.

– Elle sera bientôt parmi vous.

– Nous nous en réjouissons tous. Elle t'apportera le bonheur. Je donnerai demain l'ordre aux esclaves de préparer une chambre pour ta nouvelle concubine.

Jahangir, qui venait de détacher sa ceinture, se tourna vers l'impératrice :

– Elle viendra ici en tant qu'épouse. Je donnerai mes instructions personnelles à Hoshiyar Khan pour qu'il apprête des appartements. À moins que je ne lui fasse construire son propre palais…

L'impératrice sentit le rouge lui monter aux joues et réprima un élan de colère au prix d'un effort considérable. À court d'idées, elle avança le plus vulgaire des arguments, même si elle savait que la bataille était perdue d'avance :

– Seigneur, n'oublie pas qui fut son mari. Nous regrettons tous Qutubuddin Koka. Je le considérais comme un frère. Et il est mort des mains de ce misérable Ali Quli.

Jahangir se tourna vers la fenêtre pour contempler la nuit claire. Avec quel plaisir il lui ferait ravaler son fiel ! Ils étaient tous à lui dire la même chose, Mahabat, Sharif et Jagat Gosini.

La jalousie de l'impératrice pouvait la conduire à bien des extrémités. Il avait beau savoir que Mehrunnisa était de taille à se défendre, il estima que la coupe était pleine.

– Il me déplaît que l'on évoque ces choses en ce moment. Toutes les femmes du zénana devront faire un effort pour bien l'accueillir. Est-ce bien compris ?

– Oui, seigneur.

– Va, maintenant, et envoie-moi Hoshiyar Khan.

L'impératrice douairière Ruqayya Sultan Begam avait tenu à voir se dérouler le mariage dans ses appartements. Mehrunnisa avait été installée sur d'épais tapis persans et regardait les eunuques apporter des myriades de plateaux d'or et d'argent chargés de cadeaux de toutes sortes.

Des dizaines de coupons de soieries, de brocarts, de velours multicolores. Des coffres emplis de perles grosses comme des œufs de pigeon, brillant du plus pur orient blanc ou rose sur leur coussin de velours ; d'énormes diamants présentés sous forme de colliers, de bracelets, de boucles d'oreilles, des rubis montés sur pendentifs d'or ; des poignées de grenats et d'améthystes sertis sur des gobelets d'argent. De succulents vins rouges des plateaux de l'Himalaya dans leurs flacons d'or incrustés de pierres semi-précieuses. Des parfums dans leurs minuscules bouteilles d'or, d'argent et de verre, provenant du monde entier. Des coffres de bois marquetés de nacre, regorgeant de soieries chatoyantes.

Elle s'efforçait de n'en pas perdre le souffle. Jamais elle n'eût imaginé posséder de telles richesses. Du bout des doigts, elle caressa un bracelet de diamants.

Un serviteur toussota près d'elle et Mehrunnisa leva la tête. Sans un mot, il lui tendit un rouleau scellé aux armes de l'empereur. Elle reconnut aussitôt un farman et l'ouvrit, le cœur éperdu. Jahangir lui offrait les provinces de Ramsar, Dholpur et Sikandara.

Toutes les dames du harem recevaient des rentes annuelles en fonction de leur statut au zénana et, le plus souvent, selon le bon vouloir de l'empereur. Il leur était versé en partie sous forme de pièces d'or, en partie sous forme de terres qui rapportaient souvent d'autres revenus.

Ce farman faisait de Mehrunnisa une femme riche. Des trois jagirs, celui de Sikandara était le plus opulent. Il consistait en une petite ville séparée d'Agra par la Yamunâ, un site stratégique car toutes les caravanes de l'est et du nord-est de l'Inde passaient par là avant d'atteindre la capitale. Il lui suffirait d'y poster quelques péagers pour toucher des droits substantiels sur les marchandises : coton du Bengale, soie sauvage de Patna ; nard, borax, vert-de-gris, gingembre, fenouil, opium et autres drogues ainsi que les denrées destinées à la consommation locale, comme le beurre, les grains, la farine. À elle seule, Sikandara lui rapporterait trois fois au moins la fortune de son père.

Elle croisa les bras. Ainsi voilà ce que signifiait être impératrice ! Dès qu'elle aurait épousé Jahangir, elle n'aurait plus à s'inquiéter de l'avenir de Ladli. Les offres afflueraient pour la belle-fille de l'empereur. La mort de Koka serait oubliée, comme, l'ignominie d'Ali Quli.

Mais par-dessus toutes ces richesses flottaient ces mots exquis, « l'épouse de Jahangir ».

Elle s'adossa au traversin de velours, le farman impérial sur sa poitrine. Dans dix jours, elle serait impératrice.

*
* *

Les jours filaient trop vite. Les nobles couraient à travers Agra à la recherche de présents dignes de l'empereur. William Hawkins, le marchand anglais, connaissait désormais l'étiquette. Il envoya son courtier au marché, afin qu'il y choisisse des bijoux pour Jahangir et Mehrunnisa, qu'il irait présenter lui-même dans un turc impeccable – avantage considérable sur ses homologues portugais.

Le traité exclusif avec la Compagnie des Indes britanniques n'avait pas encore été ratifié, l'empereur était trop occupé avec les préparatifs des noces. Cependant, il avait cru comprendre que l'affaire était en bonne voie. Il était temps, après trois années passées dans ce pays de sauvages, parmi ces païens infidèles ! Dernièrement, Jahangir semblait chercher à le faire parler à la cour, l'interrogeant sur ses affaires. S'était-il bien reposé ? Ses serviteurs ne le gênaient-ils pas trop ? Les goyaves des jardins impériaux étaient-elles à son goût ? Hawkins espérait offrir un cadeau qui plût à l'empereur, de façon qu'après le mariage le traité fût enfin signé.

Il n'était pas le seul à poursuivre ce but. Les pères jésuites s'activaient eux aussi, surenchérissant sur ses offres, espionnant tous ses mouvements, furieux de la présence de ce rival dans *leur* pays. Quant aux courtisans, ils rivalisaient d'originalité dans la recherche de leur présent. Il leur fallait quelque chose qui attirât l'attention de Jahangir et de Mehrunnisa, qui pourrait ensuite leur valoir les faveurs du couple royal.

Le jour du mariage arriva enfin.

La ville d'Agra était décorée de guirlandes de soucis et de jasmins, et les gens se pressaient dans leurs plus beaux atours pour célébrer le vingtième mariage de leur empereur. Le caractère exceptionnel de cette union n'échappait à personne. Pour la première fois, Jahangir avait choisi lui-même son épouse, poussé par deux beaux yeux saphir et un ensorcelant sourire et non par des considérations politiques. Les rumeurs allaient bon train sur la beauté de Mehrunnisa, si bien que le peuple commençait à voir en elle une déesse incarnée.

Le fort d'Agra arborait la même ambiance festive. Les serviteurs avaient passé des semaines à préparer les appartements du zénana et le reste du fort. Les jardiniers avaient travaillé sans relâche à tailler les buissons, parfaire les pelouses et forcer les boutons pour qu'ils fussent en fleurs au jour dit. D'innombrables pots avaient été disposés sur les remparts rouges, les tours s'ornaient de guirlandes et dans les arbres étaient accrochées de larges bandes de soies multicolores.

Les serviteurs, les esclaves, les eunuques reçurent de nouveaux vêtements, et les dames du harem passèrent des heures dans des bains parfumés, sur les tables de massage et à leur toilette.

Dans les appartements de Ruqayya Sultan Begam, Mehrunnisa examinait l'image irréelle que lui renvoyait un miroir au cadre ambré.

– Il est temps de vous préparer.

Elle répondit au reflet d'Hoshiyar Khan :

– Appelle les esclaves.

Il alla les chercher tandis que Mehrunnisa s'allongeait sur le divan, pensive.

Elle avait remporté une première bataille sur Jagat Gosini. Hoshiyar Khan, grand eunuque du zénana, au service de Jahangir depuis trente-cinq ans, d'une redoutable puissance sur les occupants du harem, avait été retiré à Jagat Gosini pour servir personnellement Mehrunnisa.

Bien qu'elle n'eût jamais été membre du harem, la jeune femme y avait passé assez de temps pour savoir qu'il lui serait un précieux allié. S'il restait au service de Jagat Gosini, elle n'aurait pas la moindre chance d'atteindre l'impératrice. Celle-ci avait trop longtemps dominé le harem pour abandonner la plus petite parcelle de pouvoir à une nouvelle venue comme Mehrunnisa.

Aussi la jeune femme comptait-elle immédiatement s'attaquer à ce pouvoir, d'abord parce qu'elle n'aimait pas l'impératrice, ensuite parce qu'elle avait appris de Ruqayya que dans ce monde de femmes, seule la Padchah Begam l'emportait sur les autres. En l'occurrence la discrétion s'imposait, car Jahangir détestait les querelles féminines. Celle qui avait le malheur d'aller se plaindre à lui se voyait aussitôt bannie de sa présence pour un temps indéfini. Or, rien ne ressemblait tant à une agonie que de résider au zénana sans être jamais demandée par l'empereur.

Mehrunnisa avait toute sa raison. Elle connaissait le jeu du pouvoir du harem et comptait faire appel à toutes ses forces, à tous ses talents dès l'instant où elle en franchirait le seuil. Pour commencer, elle avait besoin d'Hoshiyar. Un mot glissé à l'oreille de Jahangir avait suffi et, malgré la fureur de Jagat Gosini, cette dernière n'osa évidemment pas s'en plaindre à son seigneur et maître. C'était préférable, car si l'impératrice avait émis la moindre objection, Mehrunnisa eût cédé, du moins momentanément. Jahangir avait beau l'adorer, elle savait qu'elle devait néanmoins se montrer prudente. Aussi cette première victoire lui fut-elle des plus douces.

C'était Ruqayya elle-même qui lui avait soufflé cette idée la semaine passée :

– Ne te contente pas d'un chien servile et empoté pour te seconder, Mehrunnisa. Prends Hoshiyar Khan.

– L'impératrice risque d'en prendre ombrage, Votre Majesté.

Et les deux femmes avaient échangé un sourire.

Les petites esclaves entrèrent dans la pièce chargées de coffrets de bijoux, de la tenue de cérémonie et de nombreuses bouteilles de parfum. Hoshiyar allait et venait dans la pièce, distribuant ordres et conseils pour les diriger.

Malgré les vingt années passées au service de Jagat Gosini, il comprit aussitôt que Mehrunnisa exerçait sur Jahangir un ascendant plus puissant qu'aucune autre femme. Elle pouvait lui faire confiance, mais pas complètement. Tant qu'elle dominerait son monde, Hoshiyar serait son allié ; mais si elle venait à perdre la partie, il filerait vers sa rivale.

– Nous sommes à vos ordres, maintenant, indiqua-t-il avec respect.

Mehrunnisa se leva, laissa les esclaves lui ôter son peignoir et commencer à l'habiller. Une heure plus tard, on lui apporta un miroir en pied.

Elle passa une main hésitante sur ses vêtements ; des centaines de petits rubis scintillaient sur la ghagara vert mangue et le choli de soie sauvage. Elle portait deux énormes rubis en pendentifs aux oreilles et un collier d'or au cou, des bracelets et des bagues de rubis. Pour toutes autres couleurs, son corps n'offrait que le bleu de ses yeux et l'ébène de ses cheveux. Une esclave plaça un turban de soie verte sur sa tête ; une plume de héron blanche, autre cadeau de l'empereur, jaillissait de l'aigrette de rubis sertis de perles. Sous le turban, son voile de mousseline, transparent comme l'eau d'une rivière, flottait jusqu'à ses pieds.

– L'empereur vous attend, Votre Majesté, souffla Hoshiyar.

Votre Majesté ! Une onde de joie la parcourut. Dans quelques minutes, elle serait impératrice. Elle prit une longue inspiration pour se calmer et se dirigea lentement vers les appartements de l'empereur.

Les corridors et les vérandas qui menaient au palais de l'empereur étaient bordés d'esclaves et d'eunuques, et Mehrunnisa les entendit pousser des exclamations sur son passage. À son approche, les deux grands portails s'ouvrirent lentement, révélant une salle où se pressaient quelques rares convives de choix. Mehrunnisa avait insisté sur ce point. Au début, Jahangir avait voulu une cérémonie publique mais elle avait refusé, au motif qu'ils allaient passer le reste de leur vie ensemble au vu et au su de tout l'Empire. Que l'instant de leur union au moins pouvait rester privé. Ainsi, la cérémonie elle-même serait écourtée.

Jahangir vint à sa rencontre et elle posa la main dans la sienne. Voilà dix jours qu'ils ne s'étaient vus, afin de se plier aux coutumes. Ils ne s'en étaient pas moins écrit, deux ou trois fois par jour. Il lui avait fait parvenir les clefs de la bibliothèque ; pour le remercier, elle avait parcouru les vastes salles à la recherche d'un livre à lui envoyer. Elle trouva une traduction en persan des contes de *Jataka*. Il vint furtivement lui rendre visite, ce soir-là, et ils parlèrent, séparés par un paravent de soie, ravis comme des enfants d'enfreindre un interdit. Ils lurent le livre à tour de rôle, grondant comme le lion, glapissant comme le singe des contes. En se passant le volume sous le paravent, leurs mains s'étaient touchées, puis ils s'étaient embrassés à travers la soie.

Elle s'assit près de lui et regarda la salle. Ruqayya trônait dans un coin, l'air impassible, les yeux étirés par une ébauche de sourire. Ghias Beg semblait sur le point d'exploser de fierté, tandis qu'Asmat paraissait soucieuse. L'avant-veille, elle avait demandé à sa fille si c'était vraiment ce qu'elle voulait. Mehrunnisa s'était contentée de hocher la tête, fatiguée de s'expliquer encore et encore. La seule autre personne dans la salle était son frère Abul. Lui aussi était venu la voir l'avant-veille, mais pour une autre raison. Arjumand Banu Begam était fiancée au prince Khurram depuis quatre ans... de trop longues fiançailles à tout point de vue. Il espérait que sa sœur allait presser le mariage. Elle lui avait promis d'intervenir.

Elle se tourna vers Jahangir, confiante, heureuse de sentir sa grande main posée sur la sienne.

Le qazi leva les mains et prononça une brève prière avant d'unir Mehrunnisa à Nuruddin Muhammad Jahangir Padchah Ghazi. Ensuite, il composa le document officiel et demanda à l'empereur d'apposer son sceau sur le feuillet.

La cérémonie achevée, Mehrunnisa vit comme dans un rêve sa famille venir la féliciter. Dans le lointain, elle entendit retentir des trompettes informant la ville et le pays que le mariage avait eu lieu. Soudain, tout le monde se tut et Mehrunnisa s'aperçut que Jahangir avait levé la main.

– J'ai une proclamation à faire.

Il se pencha vers son épouse et déclara :

– Dorénavant, l'impératrice portera le titre de Nur Jahan.

Une fois encore, le cœur de Mehrunnisa bondit dans sa poitrine. L'empereur lui avait déjà tant donné ! Dans la cour d'honneur du palais, un bassin d'onyx qu'il lui avait offert portait une date en persan correspondant au 25 mai 1611. Et voilà qu'elle allait désormais être la « Lumière du monde ».

Une soudaine inquiétude s'empara d'elle. Jusque-là, elle avait occupé une place parfaitement anonyme dans le harem – un joli visage parmi tant d'autres. À présent, elle serait épiée, critiquée, discutée. Elle n'épousait pas seulement Jahangir, elle épousait tout l'Empire.

Elle allait devoir se battre non seulement au harem pour le dominer, mais aussi à la cour. Si ce que l'infidèle William Hawkins avait raconté était vrai, les reines européennes brillaient à la cour, aux côtés de leurs époux. N'y avait-il pas eu, en outre, une reine anglaise qui avait régné seule, qui avait accédé au trône de plein droit en tant que fille de roi ?

Certes, Mehrunnisa ne possédait pas un tel avantage. Elle ne pourrait régner aux côtés de l'empereur, mais derrière lui, cachée sous son voile. Jahangir voulait que son nom brillât pour la postérité, et il en serait ainsi car sa vie était enracinée dans l'Histoire depuis sa naissance. Tandis que rares seraient ceux, sans doute, qui se souviendraient de Mehrunnisa. Qui, dans cent, trois cents ou quatre cents ans aurait encore le nom de l'impératrice Nur Jahan à la bouche ?

Ensemble, Jahangir et elle allaient faire de l'Empire Moghol le plus brillant du monde. Elle voulait accomplir cela pour l'homme qu'elle aimait tant. Et Nur Jahan – déjà à l'aise avec son nouveau titre – voulait être l'éminence grise de cet empereur.

Elle voulait être l'impératrice voilée.

ÉPILOGUE

La Vingtième Épouse est une œuvre de fiction largement inspirée de la réalité. Mehrunnisa avait trente-quatre ans quand elle épousa l'empereur Jahangir et, durant les quinze années qui suivirent, elle régna sur l'Empire en son nom. Les voyageurs du XVIIe siècle à la cour moghole se répandaient en louanges sur elle, car elle était alors au sommet de son pouvoir. Si aucun de ces hommes n'a jamais vu son visage, leurs récits auprès des Compagnies des Indes britannique et hollandaise sont en partie réels, en partie légendaires, quand ils ne relèvent pas de simples ragots recueillis dans les bazars locaux.

En revanche, ils se rejoignent sur les circonstances mouvementées de sa naissance, de son amour précoce pour l'empereur et sur les soupçons contre lui qui entouraient la mort de son époux. Les historiens contemporains ne sont en général pas d'accord entre eux. On peut cependant affirmer plusieurs choses : Jahangir ne s'est jamais remarié ; Mehrunnisa fut sa vingtième et dernière épouse. Bien qu'il ne fasse qu'évasivement allusion à elle dans ses mémoires, elle a occupé une place primordiale dans sa vie jusqu'à ce qu'il disparaisse, en 1627. Leur amour a inspiré poèmes, chansons et ballades à travers toute l'Inde – la *Lalla Rookh* de Thomas Moore est également tirée de leur histoire.

Tout cela a piqué mon intérêt. Qui était cette femme cachée derrière son voile, autour de laquelle ont gravité tant de légendes ? Comment avait-elle gagné la tendresse de l'empereur ? Pourquoi lui a-t-il accordé tant de pouvoir ? À un âge où les femmes n'étaient plus ni vues ni entendues, Mehrunnisa faisait battre une monnaie à son nom, transmettait des ordres impériaux, commerçait avec les nations étrangères, possédait des navires qui sillonnaient la mer d'Arabie, soutenait les artistes et autorisait l'agencement de nombreux jardins impériaux ainsi que l'édification de mausolées qui existent encore de nos jours. En d'autres termes, elle a franchi toutes les limites des conventions de l'époque, grâce à un homme qui lui portait un amour confinant au culte.

Les rapports sur sa personne divergent. Elle était généreuse pour les uns, cruelle et méchante pour les autres. Elle aimait passionnément Jahangir, suscitait en lui une telle fièvre qu'il était incapable de réfléchir par lui-même. Elle émoussait ses sens à l'aide de vin et d'opium. Pourtant, ce fut vers elle qu'il se tourna dans la maladie, car il ne faisait plus confiance aux médecins de la cour. De tous ces témoignages, rédigés le plus souvent après sa mort, est née *La Vingtième Épouse.*

S'il s'agit d'un récit romancé de sa vie avant son mariage avec Jahangir, il est fortement ancré dans l'Histoire. La rébellion de Salim contre Akbar, puis celle de Khusrau contre Jahangir, le châtiment infligé aux hommes de Khusrau après sa fuite à Lahore, les menaces sur la frontière nord-ouest de l'Empire par le roi ouzbek et par le chah de Perse, les guerres du Dekkan ainsi que les fiançailles de la nièce de Merhunnisa au prince Khurram… tout cela est basé sur des faits avérés. De même que le récit de l'abandon de Salim par Ali Quli après la razzia manquée sur le trésor d'Agra, son ralliement à Khusrau, le meurtre de Qutubuddin Khan Koka et la mort du soldat persan des mains de l'armée impériale. Pour le reste, je me suis appuyée sur les commérages de bazars, sur les récits de voyageurs du XVIIe siècle en Inde, sur la légende de Merhunnisa, avant d'avoir recours à ma propre imagination.

Quand on évoque les six principaux empereurs moghols, c'est généralement en ces termes : Babour a fondé l'Empire ; Humayun l'a perdu, s'est vu chasser de l'Inde avant de le reconquérir ; Akbar a hérité du trône à treize ans, et consolidé l'Empire ; Jahangir a ajouté quelques royaumes au legs de son père, mais ses exploits sentimentaux éclipsent ses hauts-faits militaires ; Chah Jahan est entré dans l'Histoire en édifiant le Taj Mahal ; Aurangzeb a trempé dans l'intolérance religieuse qui a mené au démembrement de l'Empire.

Il n'est que rarement fait allusion aux femmes que ces souverains ont côtoyées ou au rôle majeur qu'elles ont joué. *La Vingtième Épouse* s'efforce de combler cette lacune.

Un fait reste indiscutable : les femmes de la famille de Ghias Beg ont exercé une puissante emprise sur leurs époux et sur l'Histoire de l'Inde. Merhunnisa, passée à la postérité en tant qu'impératrice Nur Jahan, a pris les rênes de l'Empire à l'époque de son mariage avec Jahangir, jusqu'à la mort de celui-ci, en 1627. Elle s'est entourée d'une garde rapprochée composée de trois hommes : son père, Ghias Beg, son frère, Abul Hasan, et le troisième fils de Jahangir, le prince Khurram. Un an après l'entrée de Merhunnisa au harem en tant qu'impératrice, Khurram épousa sa nièce (fille d'Abul et petite-fille de Ghias), Arjumand Banu Begam ; celle-ci mourut quelques années après que Khurram fut monté sur le trône sous le titre de Chah Jahan, en donnant le jour au quatorzième enfant de son époux. En sa mémoire, et du vivant de Merhunnisa, il érigea le Taj Mahal.

Bien que le monde connaisse la dévotion de Khurram envers Arjumand en raison du Taj Mahal, il n'y a aucun doute que la dévotion de Jahangir envers Merhunnisa ait égalé sinon dépassé celle de son fils pour Arjumand. Sans doute Jahangir n'a-t-il pas laissé un monument à la postérité, mais il a donné à cette femme, aimée jusqu'au dernier souffle, la liberté d'agir comme bon lui semblait. Merhunnisa ne s'en est pas privée, mais elle aimait assez son époux pour respecter ses désirs. Elle a bel et bien dirigé l'Empire. Mais elle exerçait ce pouvoir grâce à lui, non malgré lui.

Indu SUNDARESAN,
Mai 2001.

REMERCIEMENTS

Mes sincères remerciements…

À mes « compagnons d'écriture » pour leurs aimables encouragements et leurs sincères critiques, et parce qu'ils aiment autant écrire que moi : Janet Lee Carey, Julie Jindal, Vicky D'Annunzio, Nancy Maltby Henkem, Angie Yusuf, Joyce O'Keefe, Beverly Cope, Louise Christensen Zak, Gabriel Herner, Sheri Maynard, Michael Hawkins et Laura Hartman.

À mon agent, Sandra Dijkstra (dont l'appui m'est un véritable cadeau), et à ses collègues, pour leurs connaissances et leur expérience ainsi que pour leur soutien sans faille.

À ma correctrice chez Pocket Books, Tracy Sherrod, pour sa clairvoyance et ses remarques avisées sur le manuscrit.

À mon éditrice chez Pocket Books, Judith Curr, pour le crédit qu'elle a bien voulu apporter à ma personne autant qu'à mon travail.

À mon époux, Uday, qui m'a toujours soutenue, qui a lu le roman dès son premier avatar et l'a aimé au-delà du minimum conjugal.

À ma sœur Anu, qui a veillé des nuits entières pour lire cette histoire tout en s'occupant de ma nièce de deux semaines – et qui a aimé cette charge malgré la joie que lui procurait déjà ce petit bébé.

À ma sœur Jaya, dont la ferveur sans borne et la vivacité emplissent chaque aspect de ma vie et qui est habitée d'une foi ardente en sa petite sœur.

Aux excellentes bibliothèques du King Country Library System et aux bibliothèques Suzzallo et Allen du comté de Washington, pour m'avoir donné un endroit où reposer mon esprit et parce que mes recherches auraient été incomplètes sans leurs collections.

Composition : Compo-Méca sarl
64990 Mouguerre

Impression réalisée sur CAMERON par

BRODARD & TAUPIN

GROUPE CPI

La Flèche

pour le compte des Éditions Michel Lafon
en juin 2003

Imprimé en France
Dépôt légal : juin 2003
N° d'impression : 19127
ISBN : 2-84098-971-9
LAF 449